검토에 적극 참여해 주신 선생님들의 자세한 지적 사항을
최대한 교재에 반영하려고 노력하였습니다.
본 교재에 대한 많은 의견 중 일부를 검토 후기로 정리했습니다.
도움을 주신 선생님들께 감사드립니다.

학기 중 진도 교재로 사용하고 있습니다. 하위권 및 중위권 학생들의 보충 교재 및 계산력 강화 교재로 참 좋습니다.
　　　　　　　　　　　　　　　　　　－인수학학원 **김상현** 선생님

선행 진도 나간 다음에 학생들 스스로 내용 정리를 할 수 있고, 바로 오답노트 정리가 가능해서 정말 마음에 드는 교재입니다.
　　　　　　　　　　　　　　　　　　－구로루트 **이인수** 선생님

학기 중 부교재로 사용하는데 난이도도 적당하고 문항수도 알맞아 보입니다. 그리고 디자인이 심플해서 마음에 들고 시험에 나오는 유형들로 구성되어 있어서 좋습니다. 　－KCIS롱맨영수학원 **이설웅** 선생님

학기 교재로 따로 진도를 나가고 본 교재는 시험 기간 2주 정도 중간고사 범위 정도 풀어보니 문항수도 난이도도 중위권 학생들이 쓰기에 적당했습니다. 무엇보다 문항 옆에 따로 노트할 수 있는 부분이 있어서 유용하게 사용하였습니다. 　　　　－탑학원 **수학강사** 선생님

선행 준비하는 교재나 시험 기간 중 정리 교재로 적당한 것 같습니다. 양이 약간 적기는 하지만 부담이 없어서 평균 정도의 학생에게 좋다고 생각합니다. 　　　　　　　－제3교실 **수학강사** 선생님

교재의 문항 수는 좀 적어 보여서 조금 더 문항 수가 많았으면 좋겠습니다. 마무리 점검용으로 잘 나온 것 같습니다. 학생들과 마무리 교재로 잘 사용하고 있습니다. 　　　－더클래스학원 **탁언숙** 선생님

선행 진도 교재나 학기 중 진도 교재로 사용하기 좋겠습니다. 기존 문제집 형태에서 벗어나 오답노트가 같이 붙어 있어서 정말 좋습니다. 수학 오답노트가 생각보다 정착되기 쉽지 않은데 책에서 같이 편성되어 있어 많이 편리합니다. 　－수방사수학전문학원 **오주영** 선생님

선행 진도 교재로 사용하고 있는데요. 교재의 난이도도 적당합니다. 문제 수는 좀 많아 보이는데 교과서 정리용으로 적당한 교재로 보입니다. 　　　　　　　－로뎀나무수학전문학원 **민병훈** 선생님

교재의 문제수가 조금 더 많았으면 좋겠습니다. 그리고 난이도가 조금 더 높았으면 좋을 것 같습니다. 　－강남탑아카데미 **강민우** 선생님

학기 중 부교재로 사용하고 있습니다. 내신 시험에서 출제율 높은 문제들이 많이 수록되어 있고 디자인이 깔끔해서 좋습니다.
교재의 분량이 적당해서 좋습니다. 수학의 기본 공식을 단원별로 요약해서 암기할 수 있도록 유도한다면 더 좋겠습니다.
　　　　　　　　　　　　　　　　　　－연향학원 **정상혁** 선생님

난이도 구성도 적절하여 선행 진도 교재로 좋습니다. 다만 기초가 약한 학생들은 어려워해서 난이도를 조금만 낮추면 어떨까 합니다.
　　　　　　　　　　　　　　　　　　－홍선생수학원 **홍영상** 선생님

학기 중 부교재로 사용합니다. 문항수도 적당하고 분량도 알맞습니다. 디자인도 세련되고 깔끔해 보입니다. 수업 중 부교재로 사용하기에 이만한 교재도 없는 것 같습니다. 　－삼성영어쎈수학작전학원 **성영희** 선생님

학기 중 부교재나 문제 풀이용으로 사용하기에 좋습니다. 문제 유형을 조금 더 자세하게 나눠주면 더 좋지 않을까 싶습니다.
　　　　　　　　　　　　　　　　　　－신사고수학학원 **안길홍** 선생님

중하위권 학생들에게 학기 중 진도 교재로 사용하고 싶은데 문제 수가 좀 적은 것 같아서 더 많았으면 좋겠습니다. 교과서에서 요구하는 기본 개념을 반복학습하기에 좋은 교재입니다.
　　　　　　　　　　　　　　　　　　－아람입시학원 **박찬호** 선생님

선행 진도 교재로 수업을 해 보았는데 난이도가 낮아서 학생들이 재미있게 풀이를 할 수 있었습니다. 선행 교재로 적절합니다. 초등 교재와 구성이 비슷해서 학생들의 거부감이 덜한 것 같습니다.
　　　　　　　　　　　　　　　　　　－김쌤학원 **김선옥** 선생님

학기 중 부교재로 사용하고 있습니다. 디자인도 예쁩니다. 상하권의 분량은 비슷했으면 좋겠고 무엇보다 상하권 모두 좀 더 빨리 출간되었으면 합니다. 　　　　－장현진수학학원 **양경실** 선생님

개편이 이루어진다면 초등학교 6학년 여름방학 시작 전까지는 출간되는 게 좋을 듯합니다. 학생들이 노트 없이 바로 책에서 풀이를 할 수 있도록 해 주어서 정말 좋습니다. 　　－현대학원 **김은희** 선생님

선행 진도 교재로 사용하고 싶습니다. 초등부는 학생들에게 맞는 재미있는 표지 디자인이 필요하지만 중학교 책은 디자인보다는 내용이 좋아야 합니다. 너무 조잡하지 않을 정도의 현 디자인이 좋은 것 같습니다. 　　　　　　　　－뉴탑보습학원 **유성희** 선생님

문제가 쉬워서 선행할 때 부교재로 부담 없이 수업을 진행할 수 있어 좋습니다. 문항수가 조금 더 많으면 좋을 듯합니다.
　　　　　　　　　　　　　　　　　　－미퍼스트학원 **오광재** 선생님

선행 부교재로 사용할 수 있겠습니다. 특히 초등학교 6학년 학생에게 이 책을 사용한다면 좋은 결과가 있을 것으로 생각됩니다.
　　　　　　　　　　　　　　　　　　－최상위학원 **방선주** 선생님

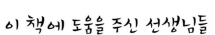

이 책에 도움을 주신 선생님들

강갑신 (청람학원)
강민우 (강남탑아카데미)
강병헌 (강박사수학)
강상도 (알찬학원)
강성현 (위드클래스)
강효선 (두드림수학학원)
고경희 (경인학원)
권도형 (K2에듀학원)
권미진 (예일학원)
권주희 (동일학원)
권혜정 (패턴수학학원)
김규엽 (플랜더학원)
김나영 (U&I학원)
김남국 (연세월학원)
김도완 (하브르수학학원)
김동우 (김동우학원)
김동현 (아이네트학원)
김명옥 (1,2,3학원)
김명옥 (멘토0816학원)
김병주 (루트엠수학학원)
김상기 (디딤돌학원)
김상윤 (한빛학원)
김상현 (인수학학원)
김상훈 (아이탑스쿨학원)
김선영 (일원학원)
김선옥 (김샘학원)
김성연 (김선생수학학원)
김순조 (페르마학원)
김승우 (YM학원)
김옥희 (좋은입시학원)
김용복 (MS학원)
김용원 (비탑학원)
김윤회 (일등급학원)
김익성 (서대문페르마학원)
김인규 (MBT생수학)
김일심 (BMI수학학원)
김일용 (서전학원)
김일용 (서전학원)
김장현 (김장현수학학원)
김정선 (대현학원)
김정암 (정암수학학원)
김정애 (메가브레인)
김정연 (외대어학원)
김정준 (매쓰맨토수학학원)
김정희 (일원학원)
김조현 (왕수학학원)
김종리 (최선생학원)
김지권 (진영학원)
김지현 (신정진단과학원)
강진희 (계몽학원)
김창호 (세엘학원)
김혜민 (웅비아카데미)
김혜진 (KSM학원)
김화정 (김샘학원)
남상묵 (해운대성문학원)

남지민 (더프라임학원)
노광주 (대치동수스터디)
도인규 (김샘학원)
마창영 (매쓰드학원)
문병욱 (수학의흐름학원)
문주아 (엘리트학원)
문지영 (문샘학원)
문희경 (한결학원)
민광석 (민수학학원)
민병훈 (로뎀나무수학전문학원)
민상기 (한뜻학원)
박강우 (김은옥영어박강우수학학원)
박경화 (투비스마트학원)
박미현 (훈장님수학학원)
박상빈 (우리학원)
박상준 (지오엠수학전문학원)
박선형 (파인만학원)
박수한 (서구대성학원)
박영선 (GH학원)
박원규 (한오름학원)
박원일 (마이엠수학학원)
박은주 (이탑학원)
박재춘 (제크아카데미)
박정선 (1%하이스트학원)
박정호 (베리타스)
박정훈 (신현대학원)
박종화 (파스칼수학학원)
박준자 (일신학원)
박찬호 (아람입시학원)
박창용 (송설학원)
방선주 (최상위학원)
방지윤 (눈높이(용호))
변주현 (일등학원)
서경애 (큰나무학원)
서금실 (서선생수학학원)
서문소영 (지오수학학원)
서창호 (에이스학원)
서춘경 (스피드학원)
석지현 (더베스트수학학원)
설성규 (더옳은수학학원)
손기정 (JC학원)
손민근 (MSG학원)
손정욱 (강남리더스학원)
손한나 (서연학원)
송은화 (헤르메스학원)
승태욱 (SM뉴런)
신경철 (신강남학원)
신문교 (SM학원)
신용하 (공감학원)
신은경 (스터디멘토학원)
신정석 (정석학원)
신혜영 (경기학원)
심석보 (대림학원)
안길홍 (신사고수학학원)
안정승 (오디세이학원)

안지영 (모두의 수학)
양경실 (장현진수학학원)
양은선 (태림학원)
여순태 (성문학원)
오가을 (이카루스수학학원)
오광재 (미퍼스트학원)
오미영 (이엠아카데미)
오주영 (수방사수학전문학원)
오중식 (방선생수학학원)
오태경 (올라학원)
오현대 (페르마학원)
우명식 (상상학원)
우명식 (수학의샘입시학원)
유경이 (한매쓰학원)
유미자 (서경학원)
유영수 (이지매쓰수학학원)
유정숙 (동부주산학원)
유종렬 (종로엠스쿨)
유혜종 (멘토링학원)
유홍식 (교육최상학원)
윤석영 (강남현대에이플러스)
윤재준 (교하비상아이비츠)
윤진숙 (진솔학원)
이강화 (강승학원)
이강훈 (이수학원)
이경희 (수현영수전문학원)
이관희 (양오상록학원)
이권 (명성영재사관)
이기호 (코넬아카데미)
이다혜 (다수인학원)
이도윤 (수학인학원)
이미경 (주관영수학원)
이미량 (제니스학원)
이민구 (최상학원)
이상호 (S-Top학원)
이상희 (참좋은학원)
이선미 (얼음수학학원)
이설웅 (KCIS롱맨영수학원)
이승우 (새교육학원)
이승한 (멘토학원)
이영석 (아이윌학원)
이영실 (관저아이스학원)
이왕근 (프라임학원)
이용석 (가람스마트)
이원진 (학문당)
이윤영 (윤안영학원)
이은재 (이은재 맵수학학원)
이인수 (구포루트)
이정미 (똑소리학원)
이정임 (뉴탑보습학원)
이종혁 (매크로학원)
이주민 (대성제넥스)
이준철 (신의한수학원)
이지연 (예스수학학원)
이정승 (꿈이공학원)

이해경 (으뜸학원)
이현정 (엘수학학원)
이형욱 (하이탑학원)
이형욱 (해얼학원)
이형주 (대명EMS학원)
이희경 (강수학)
임명진 (서연고학원)
임선주 (온누리입시학원)
임수정 (해오름학원)
임지혜 (통달할달수학학원)
장경자 (엘리트학원)
장석필 (플래너학원)
장현주 (서진학원)
전영선 (비상스카이학원)
전은실 (프라이머리수학학원)
정구은 (정구은학원)
정상혁 (연향학원)
정선화 (JS아카데미)
정유진 (김예찬영수학원)
정재성 (참된학원)
정재현 (율사학원)
정태용 (공감영수학원)
정현진 (수박사학원)
정현호 (호매실이룸학원)
조민정 (조민정아카데미)
조봉규 (드림학원)
조정환 (프라임학원)
조태재 (TJ학원)
조현미 (강남인재학원)
조현석 (대신학원)
조혜원 (에듀포인트학원)
차진경 (대현학원)
채웅기 (KCT학원)
채장기 (대치M수학학원)
최경욱 (경성학원)
최명임 (청어람학원)
최명훈 (엘교이수학원)
최수성 (하이츠수학학원)
최슬기 (튼튼영어학원)
최인찬 (와이즈만)
탁언숙 (더클래스학원)
하희경 (명지학원)
한명희 (비상아이비츠학원)
한빛찬 (자금학원)
한희광 (성신학원)
허균정 (이화수학)
허세영 (감전고려학원)
현진령 (신명학원)
홍기택 (가우스학원)
홍영상 (홍선생수학학원)
황경숙 (수리수리수학학원)
황정실 (동성수학학원)
황지성 (잔솔수학학원)
황하기 (지엔탑학원)

Mathematics

교과서 노트

중학 수학 ❷ (하)

구성과 특징

교과서 노트는 어떤 교과서에나 공통적으로 나오는 문제들로 구성하였습니다. 각 단원마다 알아야 할 기본 개념과 출제 가능성이 매우 높은 문제들을 엄선하였기 때문에 중간·기말고사를 대비하는 데 좋은 교재입니다.

우리가 수학문제를 풀 때 가장 많이 느끼는 어려움은 분명히 풀어봤던 유형인 것 같은데 풀이 과정 중에 하나 또는 두 개 정도의 풀이과정이 추가되게 되면 풀 수가 없다는 것일 것입니다. 노트 형식으로 구성한 이 "교과서 노트"는 기본 필수 예제를 풀이 과정을 하나하나 쫓아가며 풀 수 있기 때문에 수학 문제 풀이에 대한 두려움이라든가, 오답노트를 따로 만들어가며 풀어야 하는 귀찮음을 해소할 수 있어 더욱 유용한 교재라 말할 수 있습니다.

1

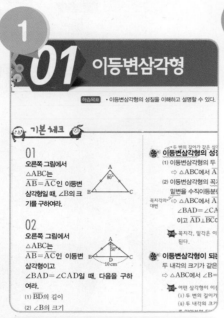

학습목표

소단원의 성격을 잘 드러내도록 구성하였습니다.
학습목표는 우리가 시험에서 만날 문제들의 성격을 대표적으로 설명하는 부분입니다. 학습목표를 잘 읽어보면 그 단원에서 가장 기본이 되고 제일 중요한 것이 무엇인지 알 수 있게 됩니다.

2

기본체크와 핵심정리

교과서 개념을 주제별로 구성하여 자세하고 깔끔한 개념만을 모아모아 문제 풀이에 적용하기 쉽게 정리하였습니다. 교과서 노트의 핵심정리는 정말 중요한 것만 콕콕 찍어서 단계적으로 정리하여 보기도 쉽고, 이해하기도 좋게 구성하였습니다.

3

대표 예제

단순히 개념만 안다고 모든 문제를 해결할 수는 없습니다. 핵심은 바로 개념을 이용한 문제해결력을 키워야 합니다. 그래서 중학 교과서 속 핵심 예제를 통해 개념을 익히기 위한 필수 문제로 구성하였습니다. 시험과 동떨어진 매우 기초가 되는 쉬운 문제가 아니고, 시험에 나올 법한 유형의 문제 중 기본이 되는 문제로 구성했으며 빈칸 채우기 식의 문제 풀이를 통해 풀이 과정을 한 눈에 볼 수도 있어서 "내가 어디서 실수를 했는지" 쉽게 찾을 수 있습니다. 또한, 문제 풀이에 꼭 필요한 개념들을 친절하게 첨삭 설명하였습니다.

④ 어떤 교과서에나 나오는 문제

코너 이름 그대로, "어느 교과서에나 등장하는" 유형의 문제들로 구성하였습니다. 교과서 기본문제와 연습문제를 분석하여 만든 문제들로 기초 실력을 탄탄히 다지고 연습할 수 있으며, 시험에 꼭 나오는 유형이니만큼 시험 대비하기에 좋습니다. 노트 형식의 디자인은 문제 옆에 바로 풀이를 할 수 있어서 풀이 가운데 틀린 부분을 체크하기 쉽게 하며, 오답노트로 활용할 수도 있습니다.

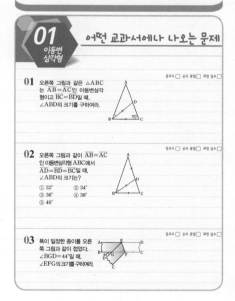

⑤

05 오른쪽 그림에서
$\overline{AC}=\overline{BC}$, $\overline{AE} /\!/ \overline{BC}$일 때, ∠ACB의 크기는?
① 50° ② 52°
③ 54° ④ 56°
⑤ 58°

06 오른쪽 그림과 같이
$\overline{AB}=\overline{AC}$인 △ABC에서 ∠B의 이등분선과 ∠C의 외각의 이등분선의 교점을 D라 할 때, ∠BDC의 크기는?
① 7° ② 8° ③ 9°
④ 10° ⑤ 11°

07 다음 그림과 같은 △ADE에서 ∠ADE=100°이고 $\overline{AB}=\overline{BC}=\overline{CD}=\overline{DE}$일 때, ∠A의 크기는?
① 10° ② 15° ③ 20°
④ 25° ⑤ 30°

시험에 꼭 나오는 문제

교과서의 중단원평가와 대단원평가를 분석하여 공통적으로 등장하는 유형의 문제를 변형하여 실어놓았습니다. 시험에 꼭 나오고, 반드시 알아두어야 할 문제들로 엄선했기 때문에 이 교재로 모의시험을 치면, 시험에 임하게 되었을 때 나의 취약한 부분을 미리 알 수 있게 됩니다. 이 코너 역시 노트 디자인으로, 문제풀이 복습 과정이 편리합니다.

⑥ 단원종합문제

대단원이 하나씩 끝날 때마다 제공되는 단원종합문제는 실제 시험을 보는 것 같이 풀 수 있도록 구성하였습니다. 출제 가능성이 매우 높은 문제들로 구성하여서 중간고사나 기말고사 대비용으로 활용하기 좋으며, 어느 정도 난이도가 높은 문제들과 서술형 문제도 다루어 보면서 완벽하게 실전에 대비합니다.

⑦ 책속의 책 : 정답 및 풀이

- 친절하고 깔끔한 풀이가 내가 틀린 문제에 대한 문제 풀이의 이해를 돕습니다.
- 맞은 문제도 풀이 책을 보면서 문제풀이 과정이 옳은지 확인해 볼 수 있습니다.
- 다른 풀이를 통해 여러 가지 풀이 방법을 제시하였습니다.

차 례 **Contents**

Ⅳ. 피타고라스 정리

Ⅴ. 경우의 수와 확률

정답 및 풀이

이 책의 활용법

1 학습목표를 여러 번 읽어 보며 개념이 어떻게 문제로 표현될지 생각해 본다.

2 핵심 정리를 보며 내가 올바르게 소단원의 개념을 이해하고 있는지 확인한다.

3 체크 문제를 풀어보고 각 소단원에 해당하는 기본 개념이 제대로 잡혀 있는지 확인한다.

4 대표 예제를 통해 기본 문제를 이해한다.

5 〈어떤 교과서에나 나오는 문제〉 코너와 〈시험에 꼭 나오는 문제〉 코너의 문제를 풀이한 뒤, 풀이 과정까지 옳게 되었는지 확인한다. ▶ 틀린 유형의 문제는 여러 번 풀어본다.

6 단원종합문제 풀이를 실제 시험처럼 시간을 정해 두고 푼다. ▶ 출제 가능성 높은 문제들로 구성하였기 때문에 틀린 문제는 반드시 다시 풀어서 실제 시험에서는 틀리지 않도록 오답노트를 만든다.

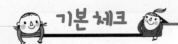

01 이등변삼각형

학습목표 • 이등변삼각형의 성질을 이해하고 설명할 수 있다.

기본 체크

01

오른쪽 그림에서
$\triangle$ABC는
$\overline{AB}=\overline{AC}$인 이등변
삼각형일 때, $\angle$B의 크
기를 구하여라.

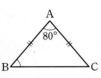

02

오른쪽 그림에서
$\triangle$ABC는
$\overline{AB}=\overline{AC}$인 이등변
삼각형이고
$\angle$BAD$=\angle$CAD일 때, 다음을 구하
여라.

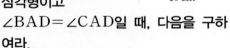

(1) $\overline{BD}$의 길이
(2) $\angle$B의 크기

핵심 정리

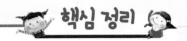

❋ 이등변삼각형의 성질

두 변의 길이가 같은 삼각형

(1) 이등변삼각형의 두 밑각의 크기는 같다. ← 밑변의 양 끝각

  ⇨ $\triangle$ABC에서 $\overline{AB}=\overline{AC}$이면 $\angle$B$=\angle$C이다.

(2) 이등변삼각형의 꼭지각의 이등분선은
  밑변을 수직이등분한다. ← 길이가 같은 두 변이 이루는 각

  꼭지각의 대변 ⇨ $\triangle$ABC에서 $\overline{AB}=\overline{AC}$,

   $\angle$BAD$=\angle$CAD이면 $\overline{BD}=\overline{CD}$

   이고 $\overline{AD}\perp\overline{BC}$이다.

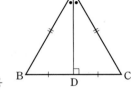

주의 꼭지각, 밑각은 이등변삼각형에서만 사용
  된다.

❋ 이등변삼각형이 되는 조건

두 내각의 크기가 같은 삼각형은 이등변삼각형이다.

  ⇨ $\triangle$ABC에서 $\angle$B$=\angle$C이면 $\overline{AB}=\overline{AC}$이다.

참고 어떤 삼각형이 이등변삼각형인지 알아보려면
  (i) 두 변의 길이가 같은지
  (ii) 두 내각의 크기가 같은지
  를 알아보면 된다.

대표예제

• 정답 및 풀이 2쪽

 01 $\triangle$ABC에서 $\angle$B$=\angle$C이면 $\overline{AB}=\overline{AC}$임을 설명하여라.

풀이 오른쪽 그림에서 $\angle$A의 이등분선과 변 BC와의 교점을
  D라고 하자.

  $\triangle$ABD와 $\triangle$ACD에서 $\overline{AD}$는 $\angle$A의 이등분선이므로

  $\angle$BAD$=\angle$CAD ··· ㉠

  두 삼각형에서 두 내각의 크기가 각각 같으므로 나머지 한
  내각의 크기도 서로 같다.

  $\angle$ADB$=$ □ ··· ㉡

  한편 □ 는 공통인 변 ··· ㉢

  ㉠, ㉡, ㉢으로부터 대응하는 한 변의 길이가 같고,

  그 양 끝각의 크기가 각각 같으므로 $\triangle$ABD$\equiv$ □ 이다.

  따라서 $\overline{AB}=$ □ 이다.

$\triangle$ABC가 $\overline{AB}=\overline{AC}$인
이등변삼각형이면
$\angle$B$=\angle$C$=\dfrac{1}{2}(180°-\angle$A)

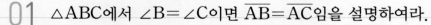

02 오른쪽 그림과 같이 $\overline{AB}=\overline{AC}$인 이등변삼각형 ABC에서 꼭지각 $\angle A$를 이등분하는 선과 밑변 BC와의 교점을 D라고 할 때, $\overline{AD}$는 $\overline{BC}$를 수직이등분함을 설명하여라.

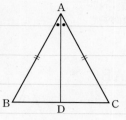

풀이 △ABD와 △ACD에서

△ABC가 이등변삼각형이므로

$\overline{AB}=\boxed{}$ ⋯ ㉠

또한 $\overline{AD}$는 $\angle A$를 이등분하는 선이므로

$\angle BAD=\angle CAD$ ⋯ ㉡

한편 $\boxed{}$는 공통인 변 ⋯ ㉢

㉠, ㉡, ㉢으로부터 대응하는 두 변의 길이가 각각 같고, 그 끼인각의 크기가 같으므로

△ABD≡$\boxed{}$다.

따라서 $\overline{BD}=\boxed{}$이다. ⋯ ㉣

이때 $\angle ADB=\boxed{}$, $\angle ADB+\boxed{}=\boxed{}$이므로

$\angle ADC=\boxed{}$이다.

즉, $\overline{AD}\perp\boxed{}$ ⋯ ㉤

따라서 ㉣, ㉤에 의해 $\overline{AD}$는 $\overline{BC}$를 수직이등분한다.

03 오른쪽 그림과 같이 $\overline{AB}=\overline{AC}$인 이등변삼각형 ABC에서 $\angle B$의 이등분선이 $\overline{AC}$와 만나는 점을 D라고 하자. $\angle A=36°$, $\overline{BC}=4$일 때, $\overline{AD}$의 길이를 구하여라.

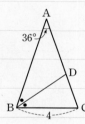

풀이 이등변삼각형 ABC에서 $\overline{AB}=\overline{AC}$이므로

$\angle B=\angle C=\dfrac{1}{2}(180°-\boxed{})=\boxed{}$

즉, $\angle ABD=\angle CBD=\dfrac{1}{2}\angle B=\dfrac{1}{2}\times\boxed{}=\boxed{}$

이때 △BCD에서 $\angle BDC=180°-(36°+\boxed{})=\boxed{}$

따라서 $\angle BDC=\boxed{}$이므로 △BCD는 $\overline{BD}=\boxed{}$인 이등변삼각형이다.

∴ $\overline{BD}=\boxed{}=\boxed{}$

△ABD에서 $\angle A=\boxed{}$이므로 △ABD는 $\overline{AD}=\boxed{}$인 이등변삼각형이다.

∴ $\overline{AD}=\boxed{}=\boxed{}$

이등변삼각형의 꼭지각의 이등분선

이등변삼각형에서 다음은 모두 일치한다.
① 꼭지각의 이등분선
② 밑변의 수직이등분선
③ 꼭짓점과 밑변의 중점을 잇는 직선
④ 꼭짓점에서 밑변에 내린 수선을 포함하는 직선

어떤 교과서에나 나오는 문제

---

01 오른쪽 그림과 같은 △ABC는 $\overline{AB}=\overline{AC}$인 이등변삼각형이고 $\overline{BC}=\overline{BD}$일 때, ∠ABD의 크기를 구하여라.

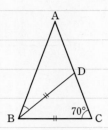

---

02 오른쪽 그림과 같이 $\overline{AB}=\overline{AC}$인 이등변삼각형 ABC에서 $\overline{AD}=\overline{BD}=\overline{BC}$일 때, ∠ABD의 크기는?

① 32°　　② 34°
③ 36°　　④ 38°
⑤ 40°

---

03 폭이 일정한 종이를 오른쪽 그림과 같이 접었다. ∠BGD=44°일 때, ∠EFG의 크기를 구하여라.

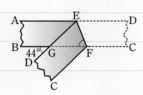

---

04 오른쪽 그림과 같은 △ABC는 $\overline{AB}=\overline{AC}$인 이등변삼각형이고 $\overline{DA}=\overline{DB}$일 때, ∠DBC의 크기는?

① 10°　　② 15°
③ 20°　　④ 25°
⑤ 30°

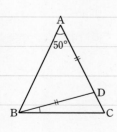

---

05 오른쪽 그림과 같은 △ABC는 $\overline{AB}=\overline{AC}$인 이등변삼각형이고 ∠ABD=∠DBE, ∠ACD=∠DCE일 때, ∠BDC의 크기는?

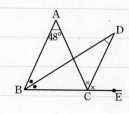

① 20°   ② 22°   ③ 24°
④ 26°   ⑤ 28°

중요도 ☐ 손도 못댐 ☐ 과정 실수 ☐ 틀린 이유:

---

06 오른쪽 그림과 같이 $\overline{AB}=\overline{AC}$인 이등변삼각형 ABC에서 ∠A의 이등분선과 밑변의 교점을 D라 하자. $\overline{AD}$ 위에 ∠PBD=40°가 되도록 한 점 P를 잡을 때, ∠BPC의 크기를 구하여라.

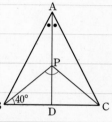

중요도 ☐ 손도 못댐 ☐ 과정 실수 ☐ 틀린 이유:

---

07 오른쪽 그림에서 $\overline{AB}=\overline{AC}=\overline{CD}$일 때, ∠DCE의 크기는?

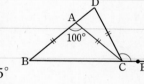

① 120°   ② 115°
③ 110°   ④ 105°
⑤ 100°

중요도 ☐ 손도 못댐 ☐ 과정 실수 ☐ 틀린 이유:

---

08 오른쪽 그림과 같은 △ACD는 $\overline{AC}=\overline{AD}$인 이등변삼각형이고 $\overline{AB}=\overline{BC}=\overline{CD}$일 때, ∠CDE의 크기를 구하여라.

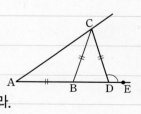

중요도 ☐ 손도 못댐 ☐ 과정 실수 ☐ 틀린 이유:

01 오른쪽 그림과 같은 삼각형 ABC에 대하여 다음 중 옳은 것은?

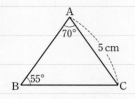

① $\overline{AB}=5\ cm$
② $\angle C=65°$
③ $\angle C=70°$
④ 꼭지각의 크기는 55°이다.
⑤ $\overline{BC}=5\ cm$

02 오른쪽 그림과 같이 $\overline{AB}=\overline{AC}$인 △ABC에서 $\overline{BC}=\overline{BD}$일 때, ∠BDC의 크기는?

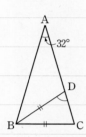

① 68°   ② 70°
③ 72°   ④ 74°
⑤ 76°

03 다음 중 옳지 않은 것은?

① 정삼각형은 이등변삼각형이다.
② 이등변삼각형의 두 밑각의 크기는 같다.
③ 이등변삼각형의 밑각의 이등분선은 대변을 수직이등분한다.
④ 두 내각의 크기가 같은 삼각형은 이등변삼각형이다.
⑤ 이등변삼각형의 꼭지각의 이등분선은 밑변을 수직이등분선한다.

04 오른쪽 그림과 같은 △ABC가 이등변삼각형이 되도록 하는 x의 값은?

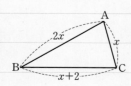

① 1   ② 1.5
③ 2   ④ 2.5
⑤ 3

• 정답 및 풀이 3쪽

05 중요도 □ 손도 못댐 □ 과정 실수 □ 틀린 이유:

오른쪽 그림에서
$\overline{AC}=\overline{BC}$, $\overline{AE}$∥$\overline{BC}$일
때, ∠ACB의 크기는?

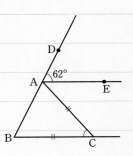

① 50°　② 52°
③ 54°　④ 56°
⑤ 58°

06 중요도 □ 손도 못댐 □ 과정 실수 □ 틀린 이유:

오른쪽 그림과 같이
$\overline{AB}=\overline{AC}$인 △ABC에서
∠B의 이등분선과 ∠C의
외각의 이등분선의 교점을
D라 할 때, ∠BDC의 크
기는?

① 7°　② 8°　③ 9°
④ 10°　⑤ 11°

07 중요도 □ 손도 못댐 □ 과정 실수 □ 틀린 이유:

다음 그림과 같은 △ADE에서 ∠ADE=100°
이고 $\overline{AB}=\overline{BC}=\overline{CD}=\overline{DE}$일 때, ∠A의 크기
는?

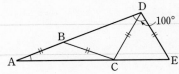

① 10°　② 15°　③ 20°
④ 25°　⑤ 30°

08 중요도 □ 손도 못댐 □ 과정 실수 □ 틀린 이유:

오른쪽 그림의 △ABC는
$\overline{AB}=\overline{AC}$인 이등변삼각
형이고 $\overline{BD}=\overline{BE}$,
$\overline{CE}=\overline{CF}$일 때, ∠A의 크
기는?

① 70°　② 72°
③ 74°　④ 76°
⑤ 78°

시험에 꼭 나오는 문제

중요도 ☐ 손도 못댐 ☐ 과정 실수 ☐ 틀린 이유:

09 오른쪽 그림의 △ABC는 $\overline{AB}=\overline{AC}$인 이등변삼각형이다. $\overline{AD}=\overline{AE}$일 때, ∠CPE의 크기는?

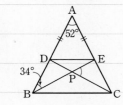

① 52°　　② 54°
③ 56°　　④ 58°
⑤ 60°

중요도 ☐ 손도 못댐 ☐ 과정 실수 ☐ 틀린 이유:

10 오른쪽 그림에서 $\overline{AB}=\overline{AC}=\overline{CD}$일 때, ∠B의 크기를 구하여라.

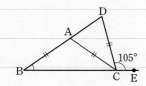

중요도 ☐ 손도 못댐 ☐ 과정 실수 ☐ 틀린 이유:

11 오른쪽 그림에서 △ABC는 $\overline{AB}=\overline{AC}$인 이등변삼각형이다. 점 A에서 $\overline{BC}$에 평행인 선을 그었을 때, ∠x의 크기를 구하여라.

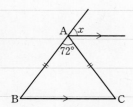

중요도 ☐ 손도 못댐 ☐ 과정 실수 ☐ 틀린 이유:

12 오른쪽 그림에서 $\overline{AB}=\overline{AC}=\overline{BD}$일 때, ∠ADB의 크기를 구하여라.

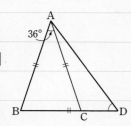

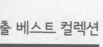
중요도 ☐ 손도 못댐 ☐ 과정 실수 ☐ 틀린 이유:

13 오른쪽 그림과 같은 △ABC에서 $\overline{CB}=\overline{CD}$, $\overline{AB}=\overline{AE}$이고 ∠DBE=30°일 때, ∠ABC의 크기를 구하여라.

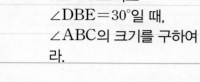

중요도 ☐ 손도 못댐 ☐ 과정 실수 ☐ 틀린 이유:

14 오른쪽 그림과 같이 $\overline{AB}=\overline{AC}$인 이등변삼각형 ABC에서 ∠B의 이등분선과 ∠C의 외각의 이등분선의 교점을 D라고 할 때, ∠D의 크기를 구하여라.

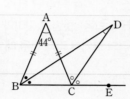

중요도 ☐ 손도 못댐 ☐ 과정 실수 ☐ 틀린 이유:

15 오른쪽 그림과 같이 $\overline{AB}=\overline{AC}$인 이등변삼각형 ABC에서 $\overline{AD}=\overline{AE}$일 때, 보기에서 옳은 것을 모두 고른 것은?

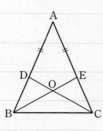

> **보기**
> ㄱ. $\overline{BE}=\overline{CD}$
> ㄴ. ∠ABE=∠EBC
> ㄷ. △DBC≡△ECB
> ㄹ. △OBC는 이등변삼각형이다.

① ㄱ, ㄴ   ② ㄷ, ㄹ   ③ ㄱ, ㄷ, ㄹ
④ ㄴ, ㄷ, ㄹ   ⑤ ㄱ, ㄴ, ㄷ, ㄹ

중요도 ☐ 손도 못댐 ☐ 과정 실수 ☐ 틀린 이유:

16 오른쪽 그림과 같은 삼각형 ABC에서 ∠A=3∠B이고 ∠A를 삼등분하는 선이 $\overline{BC}$와 만나는 점을 각각 D, E라 할 때, $\overline{AD}$의 길이를 구하여라.

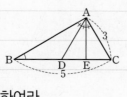

02 직각삼각형의 합동

학습목표 •직각삼각형의 합동 조건을 이해한다.

기본 체크

01

다음 그림과 같은 두 직각삼각형의 합동 조건을 말하여라.

(1)
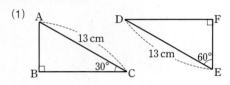

(2)
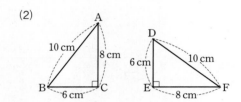

핵심 정리

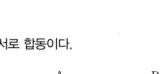 **직각삼각형의 합동조건**

두 직각삼각형은 다음의 각 경우에 서로 합동이다.

(1) RHA 합동: 빗변의 길이와 한 예각의 크기가 각각 같을 때, 즉,

$$\angle C = \angle F = 90°,$$
$$\overline{AB} = \overline{DE}, \ \angle B = \angle E 이면$$
$$\triangle ABC \equiv \triangle DEF$$

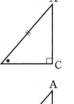

(2) RHS 합동: 빗변의 길이와 다른 한 변의 길이가 각각 같을 때, 즉,

$$\angle C = \angle F = 90°,$$
$$\overline{AB} = \overline{DE},$$
$$\overline{AC} = \overline{DF} 이면 \ \triangle ABC \equiv \triangle DEF$$

주의 직각삼각형의 합동조건을 이용할 때에는 반드시 두 직각삼각형의 빗변의 길이가 같은지 확인해야 한다.

대표예제

• 정답 및 풀이 5쪽

01 빗변의 길이와 다른 한 변의 길이가 각각 같은 두 직각삼각형은 서로 합동임을 설명하여라.

풀이 두 직각삼각형 ABC와 DEF를 다음 그림과 같이 길이가 같은 두 변 AC와 DF가 서로 포개어지도록 놓으면

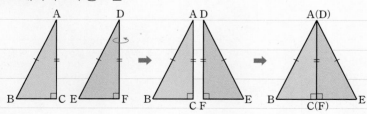

$\angle ACB + \angle ACE = 90° + 90° = 180°$이므로 세 점 B, C, E는 한 직선 위에 있게 된다.

$\triangle ABE$가 이등변삼각형이므로 $\angle B = $ ☐ ⋯ ㉠

주어진 조건으로부터 $\angle C = \angle D = $ ☐, $\overline{AB} = $ ☐ ⋯ ㉡

㉠, ㉡으로부터 두 직각삼각형의 빗변의 길이와 한 예각의 크기가 각각 같으므로 $\triangle ABC \equiv \triangle DEF$이다.

직각삼각형에서 한 예각의 크기가 정해지면 다른 한 예각의 크기도 정해진다.

02 $\angle C = \angle F = 90°$인 두 직각삼각형 ABC, DEF에서 $\overline{AB} = \overline{DE}$, $\angle B = \angle E$이면 $\triangle ABC \equiv \triangle DEF$임을 설명하여라.

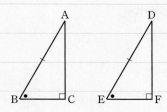

풀이 $\triangle ABC$와 $\triangle DEF$에서

$\overline{AB} = \boxed{}$ ... ㉠

$\angle B = \boxed{}$ ... ㉡

$\angle A = 90° - \angle B = 90° - \angle E = \angle D$이므로

$\angle A = \boxed{}$ ... ㉢

㉠, ㉡, ㉢에서 대응하는 한 변의 길이가 같고, 그 양 끝각의 크기가 각각 같으므로

$\triangle ABC \equiv \triangle DEF$이다.

> 직각삼각형도 삼각형이므로 직각삼각형의 합동을 설명할 때, 일반적인 삼각형의 합동조건을 이용할 수 있다.

03 오른쪽 그림과 같이 선분 AB의 양 끝점 A, B에서 $\overline{AB}$의 중점 P를 지나는 직선 l에 내린 수선의 발을 각각 C, D라고 하자. $\overline{BD} = 5\,cm$, $\angle PAC = 58°$일 때, x와 y의 값을 각각 구하여라.

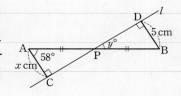

풀이 $\triangle ACP$와 $\triangle BDP$에서

$\angle ACP = \angle BDP = \boxed{}$, $\overline{AP} = \boxed{}$, $\angle APC = \boxed{}$ ($\because$ 맞꼭지각)

$\therefore \triangle ACP \equiv \triangle BDP$

즉, $\overline{AC} = \boxed{} = \boxed{} (cm)$이므로 $x = 5$

또, $\angle PBD = \boxed{} = \boxed{}$이므로 $\triangle BDP$에서

$\angle DPB = 180° - (90° + \boxed{}) = \boxed{}$ $\therefore y = \boxed{}$

> 빗변의 길이와 한 예각의 크기가 같은 두 직각삼각형은 합동이다.
> ⇨ RHA 합동

04 오른쪽 그림과 같이 $\angle C = 90°$인 직각삼각형 ABC에서 $\overline{AC} = \overline{AD}$, $\overline{AB} \perp \overline{DE}$이고 $\angle EAC = 25°$일 때, $\angle B$의 크기를 구하여라.

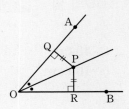

풀이 $\triangle ADE$와 $\triangle ACE$에서

$\angle D = \angle C = \boxed{}$, $\overline{AE}$는 공통, $\overline{AD} = \boxed{}$

$\therefore \triangle ADE \equiv \triangle ACE$

이때 $\angle EAD = \boxed{} = \boxed{}$이므로 $\triangle ABC$에서

$\angle B = 180° - (\boxed{} + 25° + 90°) = \boxed{}$

> 빗변의 길이와 다른 한 변의 길이가 같은 두 직각삼각형은 합동이다.
> ⇨ RHS 합동

각의 이등분선의 성질

(1) 각의 이등분선 위의 임의의 한 점에서 그 각의 두 변까지의 거리는 같다.
　　 $\angle AOP = \angle BOP$이면 $\overline{PQ} = \overline{PR}$ (RHA 합동)

(2) 각의 두 변에서 같은 거리에 있는 점은 그 각의 이등분선 위에 있다.
　　 $\overline{PQ} = \overline{PR}$이면 $\angle AOP = \angle BOP$ (RHS 합동)

어떤 교과서에나 나오는 문제

중요도 ☐ 손도 못댐 ☐ 과정 실수 ☐ 틀린 이유:

01 오른쪽 그림과 같은 두 직각삼각형 ABC와 DEF가 합동이 되지 <u>않</u>는 경우는?
(단, $\angle B = \angle E = 90°$)

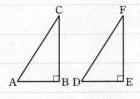

① $\angle A = \angle D$, $\overline{AB} = \overline{DE}$
② $\angle A = \angle D$, $\angle C = \angle F$
③ $\overline{AC} = \overline{DF}$, $\overline{AB} = \overline{DE}$
④ $\overline{AB} = \overline{DE}$, $\overline{BC} = \overline{EF}$
⑤ $\overline{AC} = \overline{DF}$, $\angle C = \angle F$

중요도 ☐ 손도 못댐 ☐ 과정 실수 ☐ 틀린 이유:

02 다음 중 오른쪽 그림에 대한 설명으로 옳지 <u>않은</u> 것은?

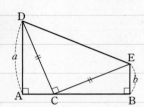

① $\triangle ACD \equiv \triangle BEC$
② $\angle CDE = \angle CEB$
③ $\angle ADC = \angle ECB$
④ $\overline{AB} = \overline{DA} = \overline{EB}$
⑤ $\square ABED = \dfrac{1}{2}(a+b)^2$

중요도 ☐ 손도 못댐 ☐ 과정 실수 ☐ 틀린 이유:

03 오른쪽 그림과 같이 $\angle C = 90°$인 직각삼각형 ABC에서 $\angle DAC = \angle DAE$이고, $\overline{AB} \perp \overline{DE}$이다. $\overline{AD} = \overline{BD}$일 때, $\angle DAC$의 크기는?

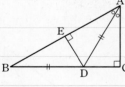

① $30°$ ② $32°$ ③ $34°$
④ $36°$ ⑤ $38°$

중요도 ☐ 손도 못댐 ☐ 과정 실수 ☐ 틀린 이유:

04 오른쪽 그림의 $\triangle ABC$는 $\angle C = 90°$인 직각삼각형이고, $\overline{AD}$는 $\angle A$의 이등분선일 때, $\triangle ABD$의 넓이는?

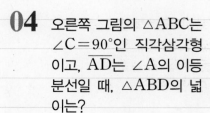
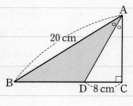

① $20\,\text{cm}^2$ ② $40\,\text{cm}^2$ ③ $60\,\text{cm}^2$
④ $80\,\text{cm}^2$ ⑤ $100\,\text{cm}^2$

---

05 오른쪽 그림과 같이 ∠C＝90°
인 직각삼각형 ABC에서
$\overline{AB}\perp\overline{DE}$이고
$\overline{AD}=\overline{DE}=\overline{EC}$일 때,
∠ABE의 크기를 구하여라.

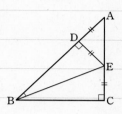

06 오른쪽 그림과 같이
∠C＝90°인 직각삼각형
ABC에서 $\overline{ED}=\overline{EC}$,
$\overline{ED}\perp\overline{AB}$일 때, ∠BED
의 크기는?

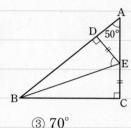

① 60°   ② 65°   ③ 70°
④ 75°   ⑤ 80°

07 오른쪽 그림과 같이
∠A＝90°인 직각이등변
삼각형 ABC의 두 꼭짓
점 B, C에서 꼭짓점 A를
지나는 직선 l 위에 내린
수선의 발을 각각 D, E
라고 할 때, $\overline{DE}$의 길이를 구하여라.

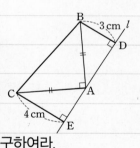

08 오른쪽 그림과 같이
∠C＝90°인 직각삼각형
ABC에서 $\overline{AC}=\overline{AD}$,
$\overline{AB}\perp\overline{DE}$일 때, 삼각형
BED의 둘레의 길이를
구하여라.

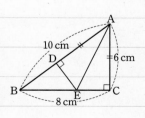

시험에 꼭 나오는 문제

중요도 □ 손도 못댐 □ 과정 실수 □ 틀린 이유:

01 오른쪽 그림과 같이 ∠AOB의 내부의 한 점 P에서 $\overline{OA}$, $\overline{OB}$에 내린 수선의 발을 각각 Q, R라고 하면 $\overline{PQ} = \overline{PR}$이다. ∠AOB=60°일 때, ∠POB의 크기는?

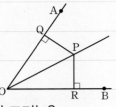

① 20°   ② 30°   ③ 40°
④ 50°   ⑤ 60°

중요도 □ 손도 못댐 □ 과정 실수 □ 틀린 이유:

02 오른쪽 그림과 같이 ∠B=90°인 직각삼각형 ABC에서 ∠A의 이등분선이 $\overline{BC}$와 만나는 점을 D, 점 D에서 $\overline{AC}$에 내린 수선의 발을 H라 할 때, 다음 중 옳은 것은?

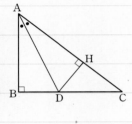

① $\overline{AB} = \overline{AD}$
② $\overline{BD} = \overline{HC}$
③ △ABD≡△AHD (RHS 합동)
④ ∠BAD+∠ADH=90°
⑤ ∠A=∠HDC

중요도 □ 손도 못댐 □ 과정 실수 □ 틀린 이유:

03 오른쪽 그림에서 △ABC는 ∠A=90°인 직각삼각형이고 $\overline{AB} = \overline{DB}$인 점 D에서 수선을 그어 $\overline{AC}$와 만나는 점을 E라고 할 때, ∠BED의 크기를 구하여라.

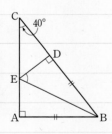

중요도 □ 손도 못댐 □ 과정 실수 □ 틀린 이유:

04 오른쪽 그림과 같이 ∠B=∠C=90°인 사다리꼴 ABCD에서 $\overline{AE} = \overline{DE}$, ∠AED=90°, $\overline{AB}$=6 cm, $\overline{DC}$=4 cm일 때, 사다리꼴 ABCD의 넓이를 구하여라.

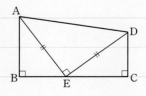

05 오른쪽 그림의 삼각형 ABC 에서 $\overline{AB}\perp\overline{DE}$, $\overline{AC}\perp\overline{FE}$ 이고 $\overline{DE}=\overline{EF}$, $\overline{BE}=\overline{CE}$ 일 때, ∠DEB의 크기는?

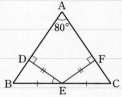

① 30°　　② 35°
③ 40°　　④ 45°　　⑤ 50°

06 오른쪽 그림의 삼각형 ABC에 서 $\overline{AB}=\overline{AC}$이고 꼭짓점 B, C에서 $\overline{AC}$, $\overline{AB}$에 내린 수선 의 발을 각각 D, E라고 할 때, $\overline{BE}$의 길이는?

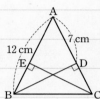

① 4 cm　　② 5 cm　　③ 6 cm
④ 7 cm　　⑤ 8 cm

07 다음 중 △ABC와 △DEF가 합동이 <u>아닌</u> 것은?

① ∠C=∠F=90°, ∠B=∠E=50°,
　$\overline{BC}=\overline{EF}=4$ cm
② ∠C=∠F=90°, ∠B=∠E=50°,
　$\overline{AB}=\overline{DE}=10$ cm
③ ∠C=∠F=90°, $\overline{BC}=\overline{EF}=7$ cm,
　$\overline{AC}=\overline{DF}=5$ cm
④ ∠C=∠F=90°, ∠B=∠E=50°,
　∠A=∠D=40°
⑤ ∠C=∠F=90°, $\overline{AB}=\overline{DE}=7$ cm,
　$\overline{BC}=\overline{EF}=5$ cm

08 오른쪽 그림과 같이 ∠A=90°, $\overline{AB}=\overline{AC}$인 직각이등변삼각형 ABC에 서 $\overline{AB}=\overline{DB}$인 점 D를 지나며 $\overline{BC}$에 수직인 직선 이 $\overline{AC}$와 만나는 점을 E 라 할 때, ∠DEB의 크기를 구하여라.

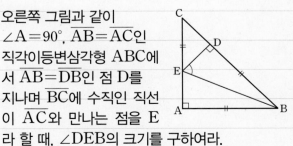

09 오른쪽 그림과 같이 ∠C=90°인 직각삼각형 ABC에서 빗변 AB 위에 $\overline{AC}=\overline{AD}$인 점 D를 잡고, D를 지나 $\overline{AB}$에 수직인 직선이 $\overline{BC}$와 만나는 점을 E라 할 때, $\overline{DB}+\overline{DE}$의 길이는?

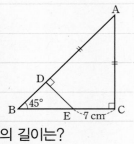

① 10 cm ② 11 cm ③ 12 cm
④ 13 cm ⑤ 14 cm

10 오른쪽 그림과 같이 ∠A=90°인 직각삼각형 ABC의 변 AC 위의 한 점 D에서 $\overline{BC}$에 내린 수선의 발을 E라 하자. $\overline{AD}=\overline{DE}$일 때, ∠C의 크기를 구하여라.

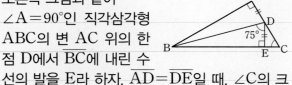

11 오른쪽 그림과 같이 ∠A=90°, $\overline{AB}=\overline{AC}$인 직각이등변삼각형 ABC의 꼭짓점 B, C에서 점 A를 지나는 직선 l 위에 내린 수선의 발을 각각 D, E라 할 때, $\overline{DB}+\overline{EC}$의 값을 구하여라.

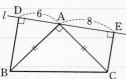

12 오른쪽 그림과 같이 ∠C=90°, $\overline{AC}=\overline{BC}$인 직각삼각형 ABC에서 $\overline{AB}\perp\overline{CD}$일 때, △ABC의 넓이는?

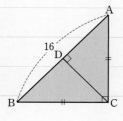

① 48 ② 52
③ 56 ④ 60
⑤ 64

13 오른쪽 그림과 같이
∠A＝90°, $\overline{AB}=\overline{AC}$인
△ABC에서 ∠B의 이등
분선이 $\overline{AC}$와 만나는 점을
D라고 할 때, $\overline{AB}+\overline{AD}$의 길이를 구하여라.

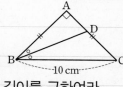

중요도 ☐ 손도 못댐 ☐ 과정 실수 ☐ 틀린 이유:

14 오른쪽 그림과 같이
∠B＝90°인 직각이등변삼
각형 ABC의 두 점 A, C
에서 점 B를 지나는 직선
l에 내린 수선의 발을 각
각 D, E라 할 때, $\overline{ED}$의
길이를 구하여라.

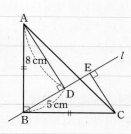

중요도 ☐ 손도 못댐 ☐ 과정 실수 ☐ 틀린 이유:

15 오른쪽 그림과 같이
∠A＝90°인 직각이등변
삼각형 ABC의 점 A에서
변 BC와 만나도록 직선 l
을 긋고 두 점 B, C에서
직선 l에 내린 수선의 발을 각각 D, E라 할 때,
$\overline{DE}$의 길이는?

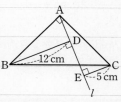

① 4 cm   ② 5 cm   ③ 6 cm
④ 7 cm   ⑤ 8 cm

중요도 ☐ 손도 못댐 ☐ 과정 실수 ☐ 틀린 이유:

16 오른쪽 그림과 같이
∠C＝90°인 직각이등변
삼각형 ABC에서 ∠B의
이등분선과 $\overline{AC}$의 교점을
D, 점 D에서 $\overline{AB}$에 내린
수선의 발을 E라고 할 때, △AED의 넓이를 구
하여라.

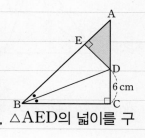

중요도 ☐ 손도 못댐 ☐ 과정 실수 ☐ 틀린 이유:

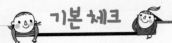

삼각형의 외심

학습목표 • 삼각형의 외심의 뜻을 알고, 그 성질을 이해한다.

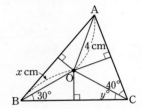

기본 체크

[01~02] 아래 그림에서 점 O가 △ABC의 외심일 때, 다음 물음에 답하여라.

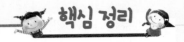

01

$\overline{AO}=4\,\text{cm}$일 때, x의 값을 구하여라.

02

$\angle OBC=30°$, $\angle OCA=40°$일 때, y의 값을 구하여라.

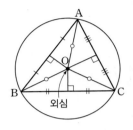

핵심 정리

삼각형의 외심 (외접원의 중심)

(1) 삼각형의 외심: 삼각형의 세 변의 수직 이등분선의 교점

(2) 삼각형의 외심의 성질: 삼각형의 외심에서 세 꼭짓점에 이르는 거리는 같다.
⇨ $\overline{OA}=\overline{OB}=\overline{OC}$
(외접원의 반지름의 길이)

삼각형의 외심의 활용

점 O가 삼각형 ABC의 외심일 때

(1) $\angle x+\angle y+\angle z=90°$

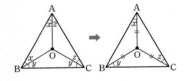

(2) $\angle BOC=2\angle A$

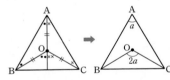

참고 세 지점으로부터 같은 거리만큼 떨어진 곳에 어떤 시설을 만들 때, 삼각형의 외심이 이용된다.

대표예제

• 정답 및 풀이 7쪽

01 삼각형의 세 변의 수직이등분선은 한 점에서 만난다는 것을 설명하여라.

풀이 오른쪽 그림의 △ABC에서 변 AB, BC의 수직이등분선의 교점을 O라고 하면 $\overline{OA}=\overline{OB}=\overline{OC}$이므로

$\overline{OA}=\overline{OC}$ ··· ㉠

점 O에서 변 AC에 내린 수선의 발을 D라고 하면 두 직각삼각형 ADO와 CDO에서

$\overline{OD}$는 공통인 변 ··· ㉡

㉠, ㉡에서 두 직각삼각형의 빗변의 길이와 다른 한 변의 길이가 각각 서로 같으므로

$\triangle ADO\equiv\boxed{}$

따라서 $\overline{AD}=\boxed{}$이므로 $\boxed{}$는 변 AC의 수직이등분선이다.

즉, △ABC의 세 변의 수직이등분선은 한 점 O에서 만난다.

삼각형의 두 변의 수직이등분선의 교점은 반드시 나머지 한 변의 수직이등분선 위에 있다.

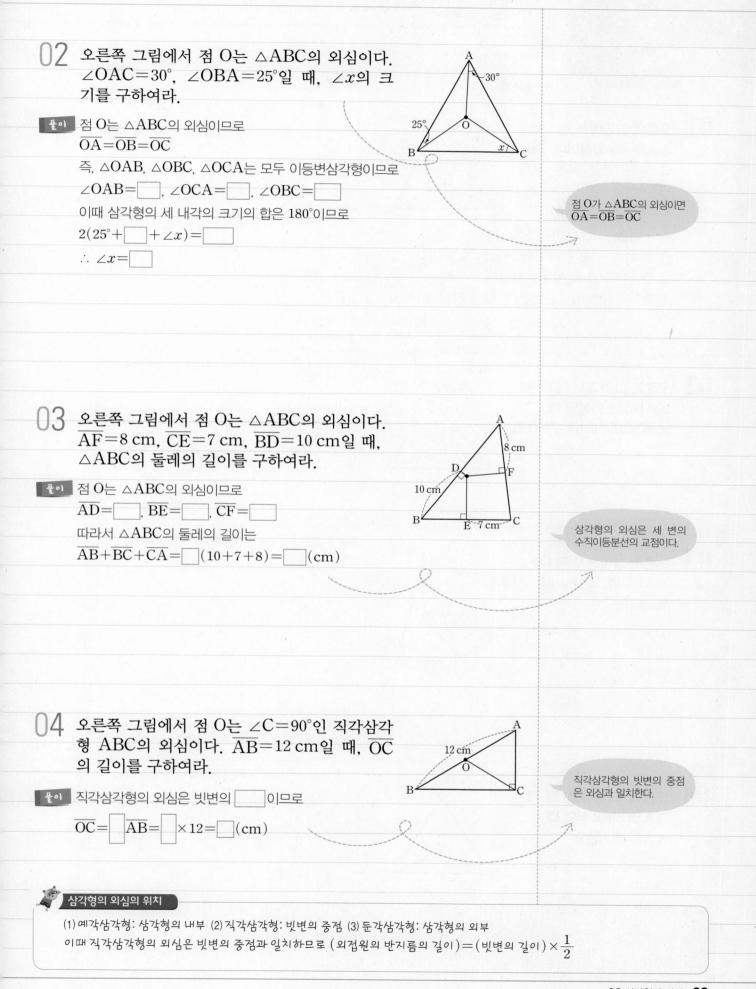

02 오른쪽 그림에서 점 O는 △ABC의 외심이다. ∠OAC=30°, ∠OBA=25°일 때, ∠x의 크기를 구하여라.

풀이 점 O는 △ABC의 외심이므로
$$\overline{OA}=\overline{OB}=\overline{OC}$$
즉, △OAB, △OBC, △OCA는 모두 이등변삼각형이므로
∠OAB=□, ∠OCA=□, ∠OBC=□
이때 삼각형의 세 내각의 크기의 합은 180°이므로
$2(25°+□+∠x)=□$
∴ ∠x=□

점 O가 △ABC의 외심이면
$\overline{OA}=\overline{OB}=\overline{OC}$

03 오른쪽 그림에서 점 O는 △ABC의 외심이다. $\overline{AF}=8$ cm, $\overline{CE}=7$ cm, $\overline{BD}=10$ cm일 때, △ABC의 둘레의 길이를 구하여라.

풀이 점 O는 △ABC의 외심이므로
$\overline{AD}=□$, $\overline{BE}=□$, $\overline{CF}=□$
따라서 △ABC의 둘레의 길이는
$\overline{AB}+\overline{BC}+\overline{CA}=□(10+7+8)=□$(cm)

삼각형의 외심은 세 변의 수직이등분선의 교점이다.

04 오른쪽 그림에서 점 O는 ∠C=90°인 직각삼각형 ABC의 외심이다. $\overline{AB}=12$ cm일 때, $\overline{OC}$의 길이를 구하여라.

풀이 직각삼각형의 외심은 빗변의 □이므로
$\overline{OC}=□\overline{AB}=□×12=□$(cm)

직각삼각형의 빗변의 중점은 외심과 일치한다.

🐱 **삼각형의 외심의 위치**

(1) 예각삼각형: 삼각형의 내부 (2) 직각삼각형: 빗변의 중점 (3) 둔각삼각형: 삼각형의 외부
이때 직각삼각형의 외심은 빗변의 중점과 일치하므로 (외접원의 반지름의 길이)=(빗변의 길이)$×\dfrac{1}{2}$

어떤 교과서에나 나오는 문제

01 오른쪽 그림에서 점 O는 △ABC의 외심이다. 다음 중 옳은 것을 모두 고르면? (정답 2개)

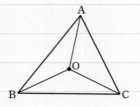

① ∠OBA＝∠OBC
② ∠OBC＝∠OCB
③ 점 O에서 세 변까지의 거리는 모두 같다.
④ $\overline{\text{OA}}$는 ∠A의 이등분선이다.
⑤ $\overline{\text{AB}}$의 수직이등분선은 점 O를 지난다.

02 오른쪽 그림에서 점 O는 △ABC의 외심일 때, ∠AOC의 크기를 구하여라.

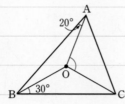

03 오른쪽 그림에서 점 O는 △ABC의 외심일 때, ∠BOC의 크기는?

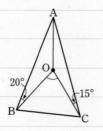

① 60°   ② 65°
③ 70°   ④ 75°
⑤ 80°

04 오른쪽 그림에서 점 O는 △ABC의 외심일 때, ∠A의 크기는?

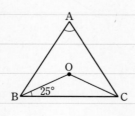

① 60°   ② 65°
③ 70°   ④ 75°
⑤ 80°

05 오른쪽 그림과 같은 △ABC
에서 점 O가 외심일 때,
∠AOC의 크기는?

중요도 ☐ 손도 못댐 ☐ 과정 실수 ☐ 틀린 이유:

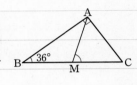

① 115° ② 120°

③ 125° ④ 130°

⑤ 135°

06 오른쪽 그림에서 점 M은
∠A=90°인 △ABC의
외심일 때, ∠AMC의 크
기는?

중요도 ☐ 손도 못댐 ☐ 과정 실수 ☐ 틀린 이유:

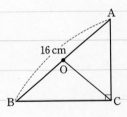

① 60° ② 64° ③ 68°

④ 72° ⑤ 76°

07 오른쪽 그림에서 점 O는
∠C=90°인 직각삼각형
ABC의 외심일 때, $\overline{OC}$의
길이를 구하여라.

중요도 ☐ 손도 못댐 ☐ 과정 실수 ☐ 틀린 이유:

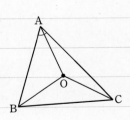

08 오른쪽 그림에서 점 O는
△ABC의 외심이고,
∠AOB : ∠BOC : ∠COA
=3 : 4 : 5일 때, ∠BAC
의 크기를 구하여라.

중요도 ☐ 손도 못댐 ☐ 과정 실수 ☐ 틀린 이유:

중요도 ☐ 손도 못댐 ☐ 과정 실수 ☐ 틀린 이유:

01 오른쪽 그림에서 점 O는 △ABC의 외심이다. 다음 중 옳은 것은?

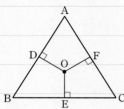

① ∠DBO = ∠EBO
② $\overline{OD} = \overline{OE}$
③ △ADO ≡ △AFO
④ $\overline{AD} = \overline{AF}$
⑤ $\overline{OA} = \overline{OB} = \overline{OC}$

중요도 ☐ 손도 못댐 ☐ 과정 실수 ☐ 틀린 이유:

02 오른쪽 그림에서 점 O는 △ABC의 외심일 때, $\overline{OA}$의 길이는?

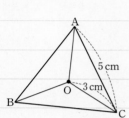

① 2 cm   ② 2.5 cm
③ 3 cm   ④ 3.5 cm
⑤ 4 cm

중요도 ☐ 손도 못댐 ☐ 과정 실수 ☐ 틀린 이유:

03 오른쪽 그림에서 점 O는 △ABC의 외심일 때, ∠OCB의 크기는?

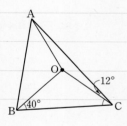

① 25°   ② 30°
③ 35°   ④ 40°
⑤ 45°

중요도 ☐ 손도 못댐 ☐ 과정 실수 ☐ 틀린 이유:

04 오른쪽 그림과 같이 ∠C = 90°인 직각삼각형에서 빗변 AB의 중점을 D라 하자. $\overline{AB}$ = 10 cm일 때, $\overline{DC}$의 길이는?

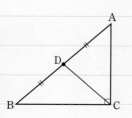

① 4 cm   ② 4.5 cm
③ 5 cm   ④ 5.5 cm
⑤ 6 cm

중요도 ☐ 손도 못댐 ☐ 과정 실수 ☐ 틀린 이유:

05 오른쪽 그림과 같이 ∠C＝90°인 직각삼각형 ABC에서 빗변 AB의 중점을 D라 할 때, ∠DCA의 크기는?

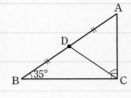

① 35° ② 40° ③ 45°
④ 50° ⑤ 55°

중요도 ☐ 손도 못댐 ☐ 과정 실수 ☐ 틀린 이유:

06 오른쪽 그림에서 점 O는 △ABC의 외심일 때, ∠OAB의 크기는?

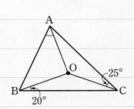

① 25° ② 30°
③ 35° ④ 40°
⑤ 45°

중요도 ☐ 손도 못댐 ☐ 과정 실수 ☐ 틀린 이유:

07 오른쪽 그림에서 원 O는 △ABC의 외접원일 때, ∠BAC의 크기는?

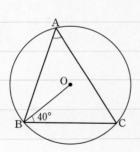

① 40° ② 45°
③ 50° ④ 55°
⑤ 60°

중요도 ☐ 손도 못댐 ☐ 과정 실수 ☐ 틀린 이유:

08 오른쪽 그림에서 점 O는 △ABC의 외심이고, $\overline{AO}$는 ∠A의 이등분선이다. ∠OBC＝∠OAB＋15°일 때, ∠BOC의 크기는?

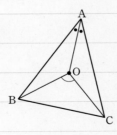

① 85° ② 90°
③ 95° ④ 100°
⑤ 105°

시험에 꼭 나오는 문제

09 오른쪽 그림에서 점 O는
△ABC의 외심일 때,
∠ACB의 크기는?

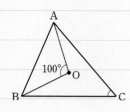

① 40°   ② 45°
③ 50°   ④ 55°
⑤ 60°

10 오른쪽 그림에서 $\overline{CD}$는
△ABC의 외심 O를 지날
때, ∠DCA의 크기는?

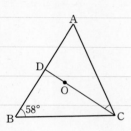

① 30°   ② 32°
③ 34°   ④ 36°
⑤ 38°

11 오른쪽 그림에서 점 O는
△ABC의 외심일 때,
∠ABO＋∠ACO의 크기는?

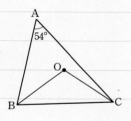

① 54°   ② 56°
③ 58°   ④ 60°
⑤ 62°

12 오른쪽 그림에서 점 O는 직각
삼각형 ABC의 외심이고 점 O′
은 △OBC의 외심이다.
∠OCA＝30°일 때, ∠OO′C의
크기는?

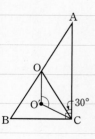

① 100°   ② 105°
③ 110°   ④ 115°
⑤ 120°

• 정답 및 풀이 8쪽

중요도 ☐ 손도 못댐 ☐ 과정 실수 ☐ 틀린 이유:

13 오른쪽 그림에서 점 O는
△ABC의 외심이다.
∠BOC=40°,
∠AOC=60°일 때,
∠ACB의 크기는?

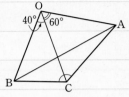

① 110°　　② 115°　　③ 120°
④ 125°　　⑤ 130°

중요도 ☐ 손도 못댐 ☐ 과정 실수 ☐ 틀린 이유:

14 오른쪽 그림과 같이
∠C=90°인 직각삼각형
ABC에서 $\overline{AB}$의 길이를
구하여라.

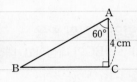

중요도 ☐ 손도 못댐 ☐ 과정 실수 ☐ 틀린 이유:

15 오른쪽 그림에서 점 O는
△ABC의 외심이고,
∠AOB : ∠BOC : ∠COA
=2 : 3 : 4일 때,
∠ABO의 크기는?

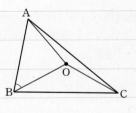

① 30°　　② 40°　　③ 50°
④ 60°　　⑤ 70°

중요도 ☐ 손도 못댐 ☐ 과정 실수 ☐ 틀린 이유:

16 오른쪽 그림에서 점 O는
△ABC의 외심이고,
△ABC=48 cm²일 때, 사
각형 ODCE의 넓이는?

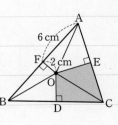

① 16 cm²　　② 17 cm²
③ 18 cm²　　④ 19 cm²
⑤ 20 cm²

04 삼각형의 내심

학습목표 · 삼각형의 내심의 뜻을 알고, 그 성질을 이해한다.

기본 체크

[01~02] 아래 그림에서 점 I가 △ABC의 내심일 때, 다음 물음에 답하여라.

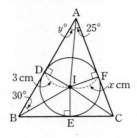

01
$\overline{\text{ID}}=3\,\text{cm}$일 때, x의 값을 구하여라.

02
$\angle\text{IAF}=25°$, $\angle\text{IBD}=30°$일 때, y의 값을 구하여라.

핵심 정리

삼각형의 내심 ┌ 내접원의 중심

(1) 삼각형의 내심: 삼각형의 세 내각의 이등분선의 교점

(2) 삼각형의 내심의 성질: 삼각형의 내심에서 세 변에 이르는 거리는 같다.
$\Rightarrow \overline{\text{ID}}=\overline{\text{IE}}=\overline{\text{IF}}$ (내접원의 반지름의 길이)

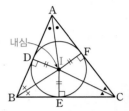

삼각형의 내심의 활용

점 I가 △ABC의 내심이고, 내접원의 반지름의 길이를 r이라 할 때

(1) $\angle x+\angle y+\angle z=90°$

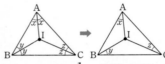

(2) $\angle\text{BIC}=90°+\dfrac{1}{2}\angle\text{A}$

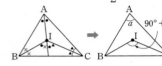

(3) $\triangle\text{ABC}=\dfrac{1}{2}r(\overline{\text{AB}}+\overline{\text{BC}}+\overline{\text{CA}})$

참고 세 도로로부터 같은 거리만큼 떨어진 곳에 어떤 시설을 만들 때 삼각형의 내심이 이용된다.

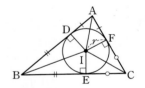

(4) $\overline{\text{AD}}=\overline{\text{AF}}$, $\overline{\text{BD}}=\overline{\text{BE}}$, $\overline{\text{CE}}=\overline{\text{CF}}$

대표예제

· 정답 및 풀이 9쪽

01 삼각형의 세 내각의 이등분선은 한 점에서 만남을 설명하여라.

풀이 오른쪽 그림과 같은 △ABC에서 ∠A, ∠B의 이등분선의 교점을 I라 하고, 점 I에서 세 변 AB, BC, CA에 내린 수선의 발을 각각 D, E, F라고 하면 $\overline{\text{ID}}=\overline{\text{IE}}=\overline{\text{IF}}$이므로

$\overline{\text{IE}}=\boxed{}$ ⋯ ㉠

또, 점 I와 점 C를 이어서 만든 두 직각삼각형 CIE와 CIF에서 $\boxed{}$는 공통인 변 ⋯ ㉡

㉠, ㉡에서 두 직각삼각형의 빗변의 길이와 다른 $\boxed{}$의 길이가 각각 서로 같으므로

$\triangle\text{CIE}\equiv\boxed{}$

따라서 ∠ICE=∠ICF이므로 점 I는 ∠C의 이등분선 위에 있다.

즉, △ABC의 세 내각의 이등분선은 한 점 I에서 만난다.

> 삼각형에서 두 내각의 이등분선의 교점은 반드시 나머지 한 내각의 이등분선 위에 있다.

02 오른쪽 그림에서 점 I는 △ABC의 내심이고 세 점 D, E, F는 접점이다. $\overline{AB}=14\,cm$, $\overline{AC}=12\,cm$, $\overline{AD}=5\,cm$일 때, $\overline{BC}$의 길이를 구하여라.

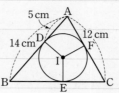

풀이 점 I는 △ABC의 내심이므로 △IAF≡△IAD

∴ $\overline{AF}=\boxed{}=\boxed{}(cm)$

이때 △IBE≡△IBD, △ICE≡△ICF이므로

$\overline{BE}=\overline{BD}=\boxed{}(cm)$, $\overline{CE}=\overline{CF}=\boxed{}(cm)$

∴ $\overline{BC}=\overline{BE}=\overline{CE}=\boxed{}+\boxed{}=\boxed{}(cm)$

점 I가 △ABC의 내심이면
$\overline{ID}=\overline{IE}=\overline{IF}$

03 오른쪽 그림에서 점 I는 △ABC의 내심이다. ∠IBA=24°, ∠ICB=32°일 때, ∠x의 크기를 구하여라.

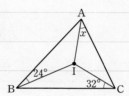

풀이 점 I는 △ABC의 내심이므로

∠IAB=∠IAC=∠$\boxed{}$

∠IBC=∠IBA=$\boxed{}$

∠ICA=∠ICB=$\boxed{}$

이때 삼각형의 세 내각의 크기의 합은 180°이므로

$\boxed{}(∠x+24°+32°)=180°$

∴ ∠$x=\boxed{}$

삼각형의 내심은 세 내각의
이등분선의 교점이다.

04 오른쪽 그림에서 점 I는 △ABC의 내심이고 $\overline{AB}+\overline{BC}+\overline{CA}=16\,cm$일 때, △ABC의 넓이를 구하여라.

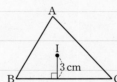

풀이 점 I와 세 꼭짓점을 연결하면 △ABC의 넓이는 △IAB, △IBC, △ICA의 넓이의 합과 같다.

∴ $\triangle ABC=\dfrac{1}{2}\times(\overline{AB}+\overline{BC}+\overline{CA})\times\boxed{}$

$=\dfrac{1}{2}\times16\times\boxed{}=\boxed{}(cm^2)$

(삼각형의 넓이)
$=\dfrac{1}{2}\times$(내접원의 반지름의 길이)
$\times$(삼각형의 둘레의 길이)

🐱 삼각형의 내심의 위치

삼각형의 내심은 삼각형의 모양에 관계없이 삼각형의 내부에 있다.

(1) 정삼각형은 외심과 내심이 일치한다.

(2) 이등변삼각형의 외심과 내심은 꼭지각의 이등분선 위에 있다.

어떤 교과서에나 나오는 문제

01 오른쪽 그림에서 점 I는 △ABC의 내심일 때, ∠BIC의 크기는?

① 95° ② 100°
③ 105° ④ 110°
⑤ 115°

02 오른쪽 그림에서 점 I는 △ABC의 내심일 때, ∠BIA의 크기는?

① 110° ② 120°
③ 130° ④ 140°
⑤ 150°

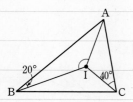

03 오른쪽 그림에서 점 I가 △ABC의 내심일 때, ∠BAC의 크기는?

① 40° ② 50°
③ 60° ④ 70°
⑤ 80°

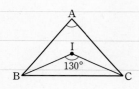

04 오른쪽 그림에서 점 I는 △ABC의 내심이고 세 점 D, E, F는 접점일 때, △IAB와 △IBC의 넓이의 비는?

① 1 : 2 ② 2 : 3 ③ 3 : 4
④ 4 : 5 ⑤ 5 : 6

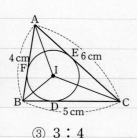

중요도 ☐ 손도 못댐 ☐ 과정 실수 ☐ 틀린 이유:

05 오른쪽 그림에서 점 I는 △ABC의 내심이고 $\overline{DE} /\!/ \overline{BC}$이다. 다음 중 옳지 않은 것은?

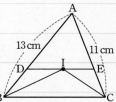

① $\overline{AD}+\overline{DE}+\overline{EA}=24$ cm
② $\overline{DB}=\overline{DI}$
③ ∠EIC=∠ECI
④ $\overline{BI}=\overline{IC}$
⑤ ∠IBC=∠DIB

중요도 ☐ 손도 못댐 ☐ 과정 실수 ☐ 틀린 이유:

06 오른쪽 그림에서 점 I는 △ABC의 내심일 때, ∠IBC의 크기는?

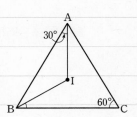

① 25°　② 30°
③ 35°　④ 40°
⑤ 45°

중요도 ☐ 손도 못댐 ☐ 과정 실수 ☐ 틀린 이유:

07 오른쪽 그림에서 점 I는 ∠C=90°인 직각삼각형 ABC의 내심이고 세 점 D, E, F는 접점일 때, △IAB의 넓이는?

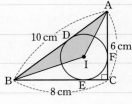
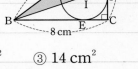

① 6 cm²　② 10 cm²　③ 14 cm²
④ 18 cm²　⑤ 22 cm²

중요도 ☐ 손도 못댐 ☐ 과정 실수 ☐ 틀린 이유:

08 오른쪽 그림에서 점 I는 △ABC의 내심이고 점 D, E는 $\overline{AI}$와 $\overline{BI}$의 연장선이 $\overline{BC}$, $\overline{AC}$와 만나는 점일 때, ∠ADB+∠AEB는?

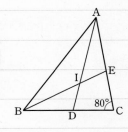

① 170°　② 180°
③ 190°　④ 200°
⑤ 210°

04 삼각형의 내심

중요도 ☐ 손도 못댐 ☐ 과정 실수 ☐ 틀린 이유:

01 오른쪽 그림에서 점 I는
△ABC의 내심이다. 다음
중 옳은 것을 모두 고르면?
(정답 2개)

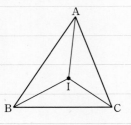

① $\overline{CI}$를 연장한 직선은
$\overline{AB}$에 수직이다.
② 점 I에서 세 변까지의 거리는 모두 같다.
③ 점 I에서 세 꼭짓점까지의 거리는 모두 같다.
④ $\overline{IA}$는 ∠A의 이등분선이다.
⑤ $\overline{BI}$와 $\overline{CI}$의 길이는 같다.

중요도 ☐ 손도 못댐 ☐ 과정 실수 ☐ 틀린 이유:

02 오른쪽 그림에서 점 I는
△ABC의 내심일 때, ∠BIC
의 크기는?

① 100°   ② 105°
③ 110°   ④ 115°
⑤ 120°

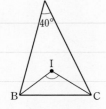

중요도 ☐ 손도 못댐 ☐ 과정 실수 ☐ 틀린 이유:

03 오른쪽 그림에서 점 I는
△ABC의 내심일 때,
∠ADB+∠AEB의 값은?

① 200°   ② 195°
③ 190°   ④ 185°
⑤ 180°

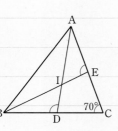

중요도 ☐ 손도 못댐 ☐ 과정 실수 ☐ 틀린 이유:

04 오른쪽 그림에서 점 I는
△ABC의 내심이고
$\overline{DE}/\!/\overline{BC}$일 때, $\overline{AB}+\overline{AC}$의
값은?

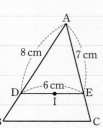

① 17 cm   ② 18 cm
③ 19 cm   ④ 20 cm
⑤ 21 cm

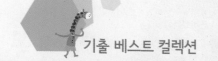
중요도 ☐ 손도 못댐 ☐ 과정 실수 ☐ 틀린 이유:

05 오른쪽 그림에서 점 I는 ∠C=90°
인 직각삼각형 ABC의 내심일
때, 색칠한 부분의 넓이는?

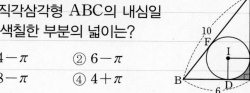

① $4-\pi$ ② $6-\pi$
③ $8-\pi$ ④ $4+\pi$
⑤ $8+\pi$

중요도 ☐ 손도 못댐 ☐ 과정 실수 ☐ 틀린 이유:

06 오른쪽 그림에서 점 I는
△ABC의 내심이고
$\overline{DE} /\!/ \overline{BC}$이다. △ADE의
둘레의 길이를 구하여라.

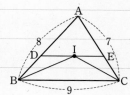

중요도 ☐ 손도 못댐 ☐ 과정 실수 ☐ 틀린 이유:

07 오른쪽 그림에서 점 I는
∠C=90°인 직각삼각형
ABC의 내심일 때,
△IBC의 넓이는?

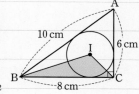

① $6\,cm^2$ ② $7\,cm^2$
③ $8\,cm^2$ ④ $9\,cm^2$
⑤ $10\,cm^2$

중요도 ☐ 손도 못댐 ☐ 과정 실수 ☐ 틀린 이유:

08 다음 중 옳지 <u>않은</u> 것은?

① 삼각형의 내심은 세 내각의 이등분선의 교점이다.
② 모든 삼각형의 내심은 삼각형의 내부에 위치한다.
③ 삼각형의 세 변에서 같은 거리에 있는 점은
   외심이다.
④ 이등변삼각형의 내심과 외심은 꼭지각의 이
   등분선 위에 있다.
⑤ 정삼각형에서 내접원의 중심과 외접원의 중
   심은 일치한다.

중요도 ☐ 손도 못댐 ☐ 과정 실수 ☐ 틀린 이유:

09 오른쪽 그림에서 접 O는
△ABC의 외심이고, 점 I는
△OBC의 내심일 때, ∠A
의 크기는?

① 30°　　② 35°

③ 40°　　④ 45°

⑤ 50°

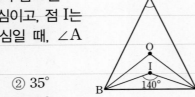

중요도 ☐ 손도 못댐 ☐ 과정 실수 ☐ 틀린 이유:

10 오른쪽 그림에서 점 O, 점 I는
각각 $\overline{AB}=\overline{AC}$인 이등변삼
각형 ABC의 외심, 내심일
때, ∠A의 크기를 구하여라.

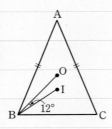

중요도 ☐ 손도 못댐 ☐ 과정 실수 ☐ 틀린 이유:

11 오른쪽 그림에서 점 I는
△ABC의 내심이다. ∠A=30°
이고 ∠B : ∠C=2 : 3일 때, ∠
AIB의 크기를 구하여라.

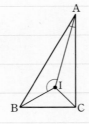

중요도 ☐ 손도 못댐 ☐ 과정 실수 ☐ 틀린 이유:

12 오른쪽 그림에서 점 I는
△ABC의 내심일 때,
△ABC와 △IBC의 넓이
의 비를 가장 간단한 자연
수의 비로 나타내어라.

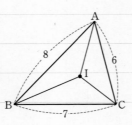

13 오른쪽 그림과 같이 $\overline{AB}=\overline{AC}$ 인 이등변삼각형 ABC에서 점 O와 점 I는 각각 △ABC의 외심, 내심일 때, ∠OCI의 크기를 구하여라.

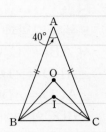

14 오른쪽 그림에서 점 I는 △ABC의 내심이다. $\overline{DE}//\overline{BC}$일 때, △ADE의 둘레의 길이는?

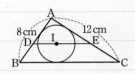

① 20 cm ② 22 cm ③ 24 cm
④ 26 cm ⑤ 28 cm

15 오른쪽 그림에서 $\overline{AB}=\overline{AD}$, $\overline{BD}=\overline{BC}$, $\overline{AD}//\overline{BC}$이고, 점 I, I′은 각각 △ABD, △DBC의 내심이다. $\overline{AI}$의 연장선과 $\overline{DI'}$의 연장선이 만나는 점을 O라 할 때, ∠AOD의 크기는?

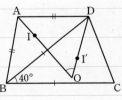

① 40° ② 45° ③ 50°
④ 55° ⑤ 60°

16 오른쪽 그림에서 두 점 O와 I는 각각 △ABC의 외심과 내심일 때, ∠ADE의 크기를 구하여라.

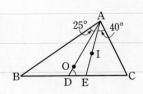

01
중요도 ☐ 손도 못댐 ☐ 과정 실수 ☐ 틀린 이유:

오른쪽 그림과 같이 $\overline{AB}=\overline{AC}$ 인 삼각형 ABC에서 밑변 BC의 중점을 M이라 할 때, ∠C의 크기는?

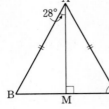

① 58° ② 60°
③ 62° ④ 64°
⑤ 66°

02
중요도 ☐ 손도 못댐 ☐ 과정 실수 ☐ 틀린 이유:

오른쪽 그림과 같이 $\overline{AB}=\overline{AC}$ 인 삼각형 ABC에서 ∠A의 크기는?

① 30° ② 35°
③ 40° ④ 45°
⑤ 50°

03
중요도 ☐ 손도 못댐 ☐ 과정 실수 ☐ 틀린 이유:

오른쪽 그림에서 △ABC와 △CDB는 이등변삼각형이고, ∠ACD=∠DCE일 때, ∠CDB의 크기는?

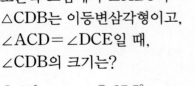

① 27° ② 27.5°
③ 28° ④ 28.5°
⑤ 29°

04
중요도 ☐ 손도 못댐 ☐ 과정 실수 ☐ 틀린 이유:

오른쪽 그림과 같은 △ABC에서 $\overline{AB}=\overline{AC}$, ∠ABD=∠DBE, ∠ACD=∠DCE일 때, ∠BDC의 크기는?

① 22° ② 24° ③ 26°
④ 28° ⑤ 30°

05
중요도 ☐ 손도 못댐 ☐ 과정 실수 ☐ 틀린 이유:

다음 중 두 직각삼각형 ABC, DEF가 합동이 <u>아닌</u> 것은? (∠C=∠F=90°)

① $\overline{AB}=\overline{DE}$, $\overline{BC}=\overline{EF}$
② $\overline{AC}=\overline{DF}$, $\overline{BC}=\overline{EF}$
③ $\overline{AB}=\overline{DE}$, ∠A=∠D
④ ∠A=∠D, ∠B=∠E
⑤ ∠B=∠E, $\overline{BC}=\overline{EF}$

06
중요도 ☐ 손도 못댐 ☐ 과정 실수 ☐ 틀린 이유:

오른쪽 그림과 같이 △ABC에서 $\overline{BC}$의 중점을 D라 하고, 점 D에서 $\overline{AB}$, $\overline{AC}$에 내린 수선의 발을 각각 E, F라 하자. $\overline{DE}=\overline{DF}$일 때, 다음 중 옳지 <u>않은</u> 것은?

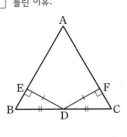

① $\overline{EB}=\overline{FC}$
② $\overline{AE}=\overline{AF}$
③ ∠EBD=∠FCD
④ △EBD≡△FCD (RHS 합동)
⑤ △ABC는 이등변삼각형이다.

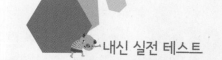
07 중요도☐ 손도 못댐☐ 과정 실수☐ 틀린 이유:

오른쪽 그림의 직각삼각형 ABC에서 ∠C=90°, $\overline{AC}=\overline{BC}$ 이다. 빗변 AB 위에 $\overline{AC}=\overline{AD}$ 가 되도록 점 D를 잡고 점 D를 지나는 $\overline{AB}$의 수선과 $\overline{BC}$와의 교점을 E라 할 때, △BDE의 넓이는?

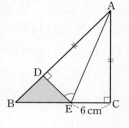

① 12 cm² ② 14 cm² ③ 16 cm²
④ 18 cm² ⑤ 20 cm²

08 중요도☐ 손도 못댐☐ 과정 실수☐ 틀린 이유:

오른쪽 그림과 같이 ∠A=90°이고 $\overline{AB}=\overline{AC}$인 직각이등변삼각형 ABC의 꼭짓점 A를 지나는 직선 l이 있다. 두 꼭짓점 B, C에서 직선 l에 내린 수선의 발을 각각 D, E라 할 때, $\overline{DE}$의 길이는?

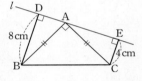

① 12 cm ② 13 cm ③ 14 cm
④ 15 cm ⑤ 16 cm

09 중요도☐ 손도 못댐☐ 과정 실수☐ 틀린 이유:

오른쪽 그림과 같은 △ABC에서 ∠A와 ∠C의 외각의 이등분선의 교점을 P라 하고, 점 P에서 $\overline{AB}$의 연장선, $\overline{AC}$, $\overline{BC}$의 연장선 위에 내린 수선의 발을 각각 D, E, F라 할 때, $\overline{PF}$의 길이는?

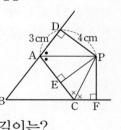

① 3 cm ② 3.5 cm ③ 4 cm
④ 4.5 cm ⑤ 5 cm

10 중요도☐ 손도 못댐☐ 과정 실수☐ 틀린 이유:

오른쪽 그림에서 점 O는 $\overline{AB}$, $\overline{BC}$의 수직이등분선의 교점일 때, 다음 중 옳지 <u>않은</u> 것은?

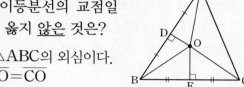

① 점 O는 △ABC의 외심이다.
② $\overline{AO}=\overline{BO}=\overline{CO}$
③ △ADO≡△BDO
④ △BEO≡△CEO
⑤ $\overline{OD}=\overline{OE}$

11 중요도☐ 손도 못댐☐ 과정 실수☐ 틀린 이유:

오른쪽 그림에서 점 O는 △ABC의 외심이고 △AOC의 둘레의 길이가 19 cm일 때, △ABC의 외접원의 넓이는?

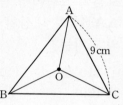

① 16π cm² ② 25π cm²
③ 36π cm² ④ 49π cm²
⑤ 64π cm²

12 중요도☐ 손도 못댐☐ 과정 실수☐ 틀린 이유:

오른쪽 그림에서 점 O는 △ABC의 외심일 때, ∠ABC의 크기는?

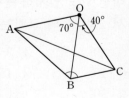

① 120° ② 125°
③ 130° ④ 135°
⑤ 140°

13 중요도 ☐ 손도 못댐 ☐ 과정 실수 ☐ 틀린 이유:

오른쪽 그림에서 점 O는 ∠B=90°인 직각삼각형 ABC의 외심이다. △OBC의 넓이가 36 cm²일 때, $\overline{AB}$의 길이는?

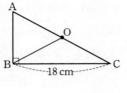

① 4 cm ② 5 cm ③ 6 cm
④ 7 cm ⑤ 8 cm

14 중요도 ☐ 손도 못댐 ☐ 과정 실수 ☐ 틀린 이유:

오른쪽 그림에서 점 I는 △ABC의 내심일 때, ∠BIC의 크기는?

① 110° ② 115°
③ 120° ④ 125°
⑤ 130°

15 중요도 ☐ 손도 못댐 ☐ 과정 실수 ☐ 틀린 이유:

오른쪽 그림과 같이 외심 O와 내심 I가 일치하는 △ABC에서 ∠OBC의 크기는?

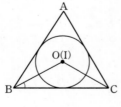

① 30° ② 35°
③ 40° ④ 45°
⑤ 50°

16 중요도 ☐ 손도 못댐 ☐ 과정 실수 ☐ 틀린 이유:

오른쪽 그림에서 점 I는 △ABC의 내심이고 세 점 D, E, F는 접점일 때, $\overline{AF}$의 길이는?

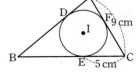

① 3 cm ② 3.5 cm
③ 4 cm ④ 4.5 cm
⑤ 5 cm

17 중요도 ☐ 손도 못댐 ☐ 과정 실수 ☐ 틀린 이유:

오른쪽 그림에서 점 I는 △ABC의 내심일 때, ∠BAI의 크기는?

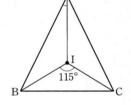

① 20° ② 25°
③ 30° ④ 35°
⑤ 40°

18 중요도 ☐ 손도 못댐 ☐ 과정 실수 ☐ 틀린 이유:

오른쪽 그림에서 점 I는 △ABC의 내심이고 내접원의 반지름의 길이가 2 cm일 때, △ABC의 넓이는?

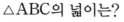
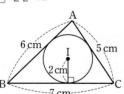

① 12 cm² ② 14 cm²
③ 16 cm² ④ 18 cm²
⑤ 20 cm²

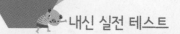
19 중요도 ☐ 손도 못댐 ☐ 과정 실수 ☐ 틀린 이유:

오른쪽 그림과 같이 이등변삼
각형 ABC에서 $\overline{AE} \parallel \overline{BC}$이
고, 변 BA의 연장선 위의 점
을 D라고 할 때, ∠BAC의 크
기를 구하여라.

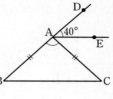

20 🖊서술형 중요도 ☐ 손도 못댐 ☐ 과정 실수 ☐ 틀린 이유:

오른쪽 그림과 같은 △ABC에
서 $\overline{AB} = \overline{AC}$이고 $\overline{BD} = \overline{BC}$일
때, ∠BAC의 크기를 구하여
라.

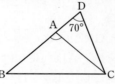

21 중요도 ☐ 손도 못댐 ☐ 과정 실수 ☐ 틀린 이유:

오른쪽 그림과 같이 ∠C=90°
인 직각삼각형 ABC에서 빗변
AB의 중점을 O라 할 때, ∠A의
크기를 구하여라.

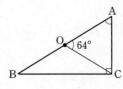

22 중요도 ☐ 손도 못댐 ☐ 과정 실수 ☐ 틀린 이유:

오른쪽 그림과 같이 ∠C=90°
인 직각삼각형 ABC에서 점
O는 외심이고, 점 I는 △ACO
의 내심일 때, ∠AIC의 크기
를 구하여라.

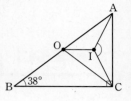

23 🖊서술형 중요도 ☐ 손도 못댐 ☐ 과정 실수 ☐ 틀린 이유:

오른쪽 그림과 같은 △ABC
에서 점 I는 내심, 점 O는 외
심일 때, ∠IAO의 크기를 구
하여라.

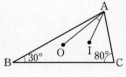

24 🖊서술형 중요도 ☐ 손도 못댐 ☐ 과정 실수 ☐ 틀린 이유:

오른쪽 그림에서 점 I는
△ABC의 내심이고,
$\overline{DE} \parallel \overline{BC}$일 때, $\overline{DE}$의 길이를
구하여라.

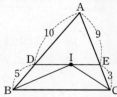

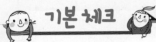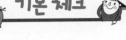

05 평행사변형

기본 체크

01

오른쪽 그림과 같은 평행사변형 ABCD에서 ∠x의 크기를 구하여라.

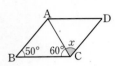

02

오른쪽 그림과 같은 □ABCD가 평행사변형이 되도록 하는 x, y의 값을 각각 구하여라.

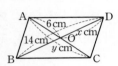

핵심 정리

평행사변형의 정의

두 쌍의 대변이 각각 평행한 사각형을 평행사변형이라 한다. ⌐사각형에서 서로 마주보는 변을 대변이라 한다.

⇨ $\overline{AB} /\!/ \overline{DC}$, $\overline{AD} /\!/ \overline{BC}$

평행사변형의 성질

(1) 평행사변형의 두 쌍의 대변의 길이는 각각 같다. ⌐사각형 ABCD를 기호로 □ABCD로 나타낸다.

⇨ □ABCD에서 $\overline{AB} /\!/ \overline{DC}$, $\overline{AD} /\!/ \overline{BC}$
이면 $\overline{AB} = \overline{DC}$, $\overline{AD} = \overline{BC}$

(2) 평행사변형의 두 쌍의 대각의 크기는 각각 같다. ⌐사각형에서 서로 마주보는 각을 대각이라 한다.

⇨ □ABCD에서
$\overline{AB} /\!/ \overline{DC}$, $\overline{AD} /\!/ \overline{BC}$이면
∠A = ∠C, ∠B = ∠D

참고 평행사변형에서 두 쌍의 대각의 크기가 각각 같다는 것은 이웃하는 두 내각의 크기의 합이 180°라는 것과 같은 의미이다.

(3) 평행사변형의 두 대각선은 서로 다른 것을 이등분한다.

⇨ □ABCD에서 $\overline{AB} /\!/ \overline{DC}$, $\overline{AD} /\!/ \overline{BC}$
이면 $\overline{OA} = \overline{OC}$, $\overline{OB} = \overline{OD}$

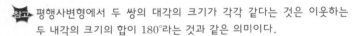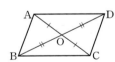

대표예제

• 정답 및 풀이 14쪽

01 평행사변형 ABCD에서 두 대각선 AC와 BD의 교점을 O라고 할 때, $\overline{OA} = \overline{OC}$, $\overline{OB} = \overline{OD}$임을 설명하여라.

> 평행사변형의 두 대각선은 대각선의 중점에서 만난다.

풀이 △ABO와 △CDO에서 평행사변형의 □의 길이는 같으므로

$\overline{AB} = $ □ … ㉠

$\overline{AB} /\!/ \overline{DC}$이므로 ∠OAB = □ (엇각) … ㉡

∠OBA = □ (엇각) … ㉢

㉠, ㉡, ㉢으로부터 대응하는 한 변의 길이가 같고, 그 양 끝각의 크기가 각각 같으므로 △ABO ≡ △CDO이다.

따라서 $\overline{OA} = \overline{OC}$, $\overline{OB} = \overline{OD}$이다.

02 오른쪽 그림과 같은 평행사변형 ABCD에서 ∠A와 ∠C의 이등분선이 변 BC, AD와 만나는 점을 각각 E, F라고 할 때, $\overline{AE}=\overline{CF}$임을 설명하여라.

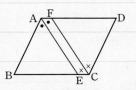

풀이 평행사변형의 대변의 길이는 같으므로 $\overline{AB}=$☐ ⋯ ㉠

평행사변형의 대각의 크기는 같으므로 ∠B=☐ ⋯ ㉡

한편 ∠BAE=$\frac{1}{2}$∠A=$\frac{1}{2}$∠C=☐ ⋯ ㉢

㉠, ㉡, ㉢으로부터 대응하는 한 변의 길이가 같고, 그 양 끝각의 크기가 각각 같으므로 △ABE≡☐이다.

따라서 $\overline{AE}=\overline{CF}$이다.

> 평행사변형의 대변의 길이와 대각의 크기는 각각 같다.

03 두 쌍의 대각의 크기가 각각 같은 □ABCD는 평행사변형임을 설명하여라.

풀이 ∠A+∠B+∠C+∠D=360°이고

∠A=☐, ∠B=☐이므로

∠A+∠B+∠A+∠B=360°이다.

즉, ∠A+∠B=☐ ⋯ ㉠

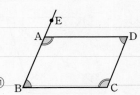

$\overline{AB}$의 연장선 위에 점 E를 잡으면

∠DAB+∠DAE=180° ⋯ ㉡

㉠, ㉡로부터 ∠B=☐(동위각)이므로 $\overline{AD}$∥☐ ⋯ ㉢

마찬가지 방법으로 하면 $\overline{AB}$∥☐ ⋯ ㉣

㉢, ㉣에서 두 쌍의 대변이 각각 평행하므로 □ABCD는 평행사변형이다.

> 평행사변형 ABCD에서 이웃하는 두 내각의 크기의 합은 180°이다. 즉,
> ∠A+∠B=180°
> ∠A+∠D=180°

04 평행사변형 ABCD에서 $\overline{AD}$의 중점을 N, $\overline{BC}$의 중점을 M이라고 할 때, □AMCN은 평행사변형임을 설명하여라.

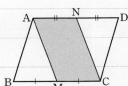

풀이 $\overline{AD}$∥$\overline{BC}$이므로 $\overline{AN}$∥☐ ⋯ ㉠

평행사변형 ABCD에서 대변의 길이는 같으므로 $\overline{AD}=$☐이다.

따라서 $\overline{AN}=$☐$\overline{AD}=$☐$\overline{BC}=$☐ ⋯ ㉡

㉠, ㉡에서 한 쌍의 대변이 평행하고 그 길이가 같으므로 □AMCN은 평행사변형이다.

> 다음의 어느 한 조건을 만족하는 사각형은 평행사변형이다.
> (1) 두 쌍의 대변이 각각 평행하다.
> (2) 두 쌍의 대변의 길이가 각각 같다.
> (3) 두 쌍의 대각의 크기가 각각 같다.
> (4) 두 대각선이 서로 다른 것을 이등분한다.
> (5) 한 쌍의 대변이 평행하고 그 길이가 같다.

🐾 **평행사변형과 넓이**

(1) 평행사변형 ABCD에서

① △ABC=△BCD=△CDA=△DAB=$\frac{1}{2}$□ABCD

② △ABO=△BCO=△CDO=△DAO=$\frac{1}{4}$□ABCD

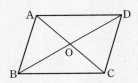

(2) 평행사변형 ABCD의 내부의 한 점 P에 대하여

△PAB+△PCD=△PDA+△PBC=$\frac{1}{2}$□ABCD

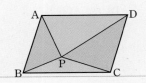

중요도 ☐ 손도 못댐 ☐ 과정 실수 ☐ 틀린 이유:

01 오른쪽 그림과 같은 평행사변형 ABCD에서 $\overline{AE}$는 ∠A의 이등분선일 때, ∠D의 크기는?

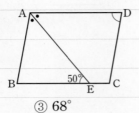

① 60°　　② 64°　　③ 68°
④ 72°　　⑤ 80°

중요도 ☐ 손도 못댐 ☐ 과정 실수 ☐ 틀린 이유:

02 오른쪽 그림과 같은 평행사변형 ABCD에서 ∠x + ∠y의 크기는?

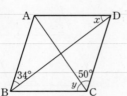

① 88°　　② 90°
③ 92°　　④ 94°
⑤ 96°

중요도 ☐ 손도 못댐 ☐ 과정 실수 ☐ 틀린 이유:

03 오른쪽 그림과 같은 평행사변형 ABCD에서 ∠A : ∠B = 5 : 4일 때, ∠D의 크기는?

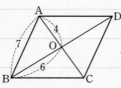

① 65°　　② 70°　　③ 75°
④ 80°　　⑤ 85°

중요도 ☐ 손도 못댐 ☐ 과정 실수 ☐ 틀린 이유:

04 오른쪽 그림과 같은 평행사변형 ABCD에서 점 O는 두 대각선의 교점일 때, $\overline{OD} + \overline{DC}$의 길이는?

① 10　　② 11　　③ 12
④ 13　　⑤ 14

중요도 ☐ 손도 못댐 ☐ 과정 실수 ☐ 틀린 이유:

05 오른쪽 그림과 같은 평행
사변형 ABCD에서
$\angle A : \angle B = 3 : 2$이고,
$\overline{AP}$는 $\angle DAB$의 이등분
선일 때, $\angle APC$의 크기는?

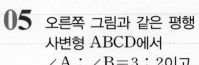

① $122°$ ② $126°$ ③ $130°$
④ $136°$ ⑤ $142°$

중요도 ☐ 손도 못댐 ☐ 과정 실수 ☐ 틀린 이유:

06 다음 중 □ABCD가 평행사변형이 되는 것을 모
두 고르면? (단, O는 $\overline{AC}$, $\overline{BD}$의 교점이다.)

(정답 2개)

① $\overline{AB}=5$ cm, $\overline{BC}=5$ cm, $\overline{CD}=5$ cm,
$\overline{AD}=5$ cm
② $\overline{OA}=6$ cm, $\overline{OB}=6$ cm, $\overline{OC}=4$ cm,
$\overline{OD}=4$ cm
③ $\overline{AB}/\!/\overline{CD}$, $\overline{AD}=6$ cm, $\overline{BC}=6$ cm
④ $\angle A=110°$, $\angle B=70°$, $\angle C=70°$, $\angle D=110°$
⑤ $\angle A=110°$, $\angle B=70°$, $\overline{AB}/\!/\overline{CD}$

중요도 ☐ 손도 못댐 ☐ 과정 실수 ☐ 틀린 이유:

07 오른쪽 그림과 같은 평행
사변형 ABCD에서 $\overline{BC}$
의 중점을 E라 하고 $\overline{DE}$
의 연장선과 $\overline{AB}$의 연장
선이 만나는 점을 F라 할
때, $\overline{AF}$의 길이는?

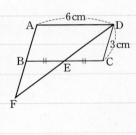

① 4 cm ② 5 cm ③ 6 cm
④ 7 cm ⑤ 8 cm

중요도 ☐ 손도 못댐 ☐ 과정 실수 ☐ 틀린 이유:

08 오른쪽 그림과 같은 평
행사변형 ABCD에서
내부의 한 점 P에 대하
여 $\triangle ABP=21$ cm²,
$\triangle CDP=27$ cm², $\triangle ADP=25$ cm²일 때,
$\triangle BCP$의 넓이를 구하여라.

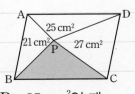

시험에 꼭 나오는 문제

중요도 ☐ 손도 못댐 ☐ 과정 실수 ☐ 틀린 이유:

01 오른쪽 그림과 같은 평행사변형 ABCD에서 ∠x와 y의 값은?

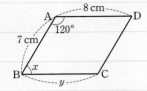

① ∠x=60°, y=7 cm
② ∠x=60°, y=8 cm
③ ∠x=120°, y=7 cm
④ ∠x=120°, y=8 cm
⑤ ∠x=120°, y=12 cm

중요도 ☐ 손도 못댐 ☐ 과정 실수 ☐ 틀린 이유:

02 오른쪽 그림과 같은 평행사변형 ABCD에서 점 O는 두 대각선의 교점일 때, 다음 중 옳지 <u>않은</u> 것은?

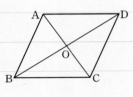

① $\overline{AB} /\!/ \overline{DC}$, $\overline{AD} /\!/ \overline{BC}$
② $\overline{AB} /\!/ \overline{DC}$, $\overline{AD} = \overline{BC}$
③ ∠A=∠C, ∠B=∠D
④ $\overline{OA}=\overline{OC}$, $\overline{OB}=\overline{OD}$
⑤ $\overline{AC} \perp \overline{BD}$

중요도 ☐ 손도 못댐 ☐ 과정 실수 ☐ 틀린 이유:

03 오른쪽 그림과 같은 □ABCD는 평행사변형이고 $\overline{AB}=\overline{AE}$일 때, ∠C의 크기는?

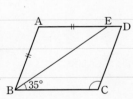

① 100° ② 110° ③ 120°
④ 130° ⑤ 140°

중요도 ☐ 손도 못댐 ☐ 과정 실수 ☐ 틀린 이유:

04 오른쪽 그림과 같은 평행사변형 ABCD에서 선분 AE는 ∠A의 이등분선일 때, ∠AEC의 크기는?

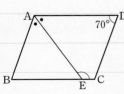

① 115° ② 120° ③ 125°
④ 130° ⑤ 135°

• 정답 및 풀이 15쪽

05 다음 중 오른쪽 그림과 같은 □ABCD가 평행사변형이 되는 조건은? (단, O는 두 대각선의 교점이다.)

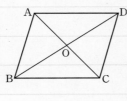

① $\overline{AB} \perp \overline{AD}$

② $\angle A = 110°$, $\angle B = 80°$, $\angle C = 80°$

③ $\overline{AB} = 7$ cm, $\overline{BC} = 7$ cm, $\overline{CD} = 7$ cm

④ $\overline{AB} /\!/ \overline{DC}$, $\overline{AB} = 5$ cm, $\overline{DC} = 5$ cm

⑤ $\overline{AO} = 4$ cm, $\overline{OB} = 5$ cm, $\overline{OC} = 6$ cm, $\overline{OD} = 4$ cm

중요도 ☐ 손도 못댐 ☐ 과정 실수 ☐ 틀린 이유:

06 오른쪽 그림과 같은 평행사변형 ABCD에서 ∠A의 이등분선과 $\overline{BC}$와의 교점이 E이고, $\overline{DC}$의 연장선과의 교점이 F이다.
$\overline{BE} = \overline{CE}$일 때, $\overline{BC} + \overline{CF}$의 길이를 구하여라.

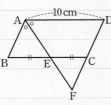

중요도 ☐ 손도 못댐 ☐ 과정 실수 ☐ 틀린 이유:

07 오른쪽 그림과 같은 평행사변형 ABCD에서 ∠B, ∠D의 이등분선이 $\overline{AD}$, $\overline{BC}$와 만나는 점을 각각 E, F라 할 때, $\overline{DE}$의 길이는?

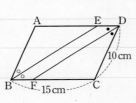

① 3 cm   ② 4 cm   ③ 5 cm

④ 6 cm   ⑤ 7 cm

중요도 ☐ 손도 못댐 ☐ 과정 실수 ☐ 틀린 이유:

08 오른쪽 그림과 같은 평행사변형 ABCD에서 ∠A : ∠D = 5 : 4일 때, ∠C − ∠B의 크기는?

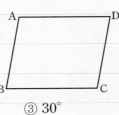

① 10°   ② 20°   ③ 30°

④ 40°   ⑤ 50°

중요도 ☐ 손도 못댐 ☐ 과정 실수 ☐ 틀린 이유:

09 오른쪽 그림과 같은 평행사변형 ABCD에서 $\overline{BF}$, $\overline{DE}$는 각각 ∠B, ∠D의 이등분선일 때, $\overline{DE}+\overline{EB}$의 길이를 구하여라.

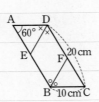

10 오른쪽 그림과 같은 평행사변형 ABCD에서 ∠ADH＝∠CDH이고 $\overline{DH}\perp\overline{AE}$일 때, ∠AEC 의 크기는?

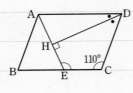

① 105°　　② 110°　　③ 115°
④ 120°　　⑤ 125°

11 오른쪽 그림에서 △ABC가 $\overline{AB}=\overline{AC}=10\,cm$인 이등변삼각형일 때, 평행사변형 APQR의 둘레의 길이는?

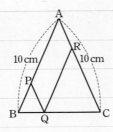

① 20 cm　　② 22 cm
③ 24 cm　　④ 26 cm
⑤ 28 cm

12 오른쪽 그림과 같은 사각형 ABCD가 평행사변형이 되도록 하는 x의 값은?

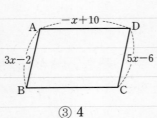

① 2　　　② 3　　　③ 4
④ 5　　　⑤ 6

• 정답 및 풀이 15쪽

13 다음 중 오른쪽 그림과 같은 □ABCD가 평행사변형이 되는 조건이 <u>아닌</u> 것은?

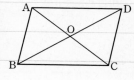

중요도 ☐ 손도 못댐 ☐ 과정 실수 ☐ 틀린 이유:

① $\overline{AB} /\!/ \overline{CD}$, $\overline{AD} /\!/ \overline{BC}$
② $\angle A = \angle C$, $\angle B = \angle D$
③ $\overline{AB} = \overline{CD}$, $\overline{AD} /\!/ \overline{BC}$
④ $\overline{AO} = \overline{CO}$, $\overline{BO} = \overline{DO}$
⑤ $\overline{AB} = \overline{CD}$, $\overline{AD} = \overline{BC}$

14 오른쪽 그림과 같은 평행사변형 ABCD의 꼭짓점 A, C에서 대각선 BD에 내린 수선의 발을 각각 E, F라고 할 때, □AECF의 두 대각선에 대한 설명으로 옳은 것은?

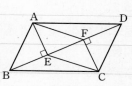

중요도 ☐ 손도 못댐 ☐ 과정 실수 ☐ 틀린 이유:

① 길이가 같다.
② 서로 직교한다.
③ 서로 다른 것을 이등분한다.
④ 서로 다른 것을 수직이등분한다.
⑤ 길이도 같고 서로 다른 것을 수직이등분한다.

15 오른쪽 그림과 같은 평행사변형 ABCD의 넓이가 $60\,cm^2$일 때, 내부의 한 점 P에 대하여 △PDA와 △PBC의 넓이의 합은?

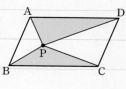

중요도 ☐ 손도 못댐 ☐ 과정 실수 ☐ 틀린 이유:

① $10\,cm^2$ ② $20\,cm^2$ ③ $30\,cm^2$
④ $40\,cm^2$ ⑤ $50\,cm^2$

16 오른쪽 그림과 같은 평행사변형 ABCD에서 $\overline{AE}$, $\overline{CF}$는 각각 $\angle A$, $\angle C$의 이등분선일 때, $\angle AFC$의 크기를 구하여라.

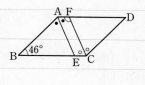

중요도 ☐ 손도 못댐 ☐ 과정 실수 ☐ 틀린 이유:

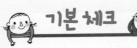

06 여러 가지 사각형

학습목표 • 여러 가지 사각형의 성질과 이들 사이의 관계를 이해한다.

기본 체크

01

오른쪽 그림과 같은 직사각형 ABCD에서 x, y의 값을 각각 구하여라.

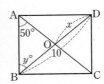

02

오른쪽 그림과 같은 정사각형 ABCD에서 x, y의 값을 각각 구하여라.

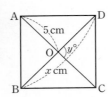

핵심 정리

직사각형
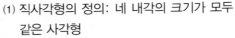
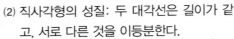
(1) 직사각형의 정의: 네 내각의 크기가 모두 같은 사각형
(2) 직사각형의 성질: 두 대각선은 길이가 같고, 서로 다른 것을 이등분한다.

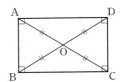

마름모
(1) 마름모의 정의: 네 변의 길이가 모두 같은 사각형
(2) 마름모의 성질: 두 대각선은 서로 다른 것을 수직이등분한다.

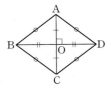

정사각형
(1) 정사각형의 정의: 네 내각의 크기가 모두 같고, 네 변의 길이가 모두 같은 사각형
(2) 정사각형의 성질: 두 대각선은 길이가 같고, 서로 다른 것을 수직이등분한다.

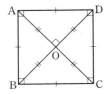

등변사다리꼴
(1) 등변사다리꼴의 정의: 밑변의 양 끝각의 크기가 같은 사다리꼴
(2) 등변사다리꼴의 성질: 평행하지 않은 한 쌍의 대변의 길이가 같고, 두 대각선의 길이가 같다.

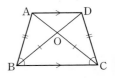

참고 • 평행사변형이 직사각형이 되는 조건
  ⇨ 한 내각이 직각이거나 두 대각선의 길이가 같다.
• 평행사변형이 마름모가 되는 조건
  ⇨ 이웃하는 두 변의 길이가 같거나 두 대각선이 직교한다.

대표예제

• 정답 및 풀이 17쪽

01

오른쪽 그림과 같은 평행사변형 ABCD에서 두 대각선 AC와 BD의 길이가 같으면 이 평행사변형은 직사각형임을 설명하여라.

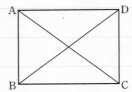

풀이 △ABC와 △DCB에서 주어진 조건으로부터 $\overline{AC}=\overline{DB}$ … ㉠

평행사변형의 대변의 길이는 같으므로 $\overline{AB}=\boxed{}$ … ㉡

한편 $\overline{BC}$는 공통인 변   … ㉢

㉠, ㉡, ㉢으로부터 대응하는 세 변의 길이가 각각 같으므로 △ABC≡△DCB이다.

따라서 ∠ABC$=\boxed{}$ … ㉣

또한 □ABCD는 평행사변형이므로 ∠B$=\boxed{}$, ∠A$=\boxed{}$ … ㉤

㉣, ㉤로부터 ∠A=∠B=∠C=∠D이므로 □ABCD는 직사각형이다.

> 한 내각이 직각이면 평행사변형의 성질에 의하여 네 내각이 모두 직각이 된다.

02 오른쪽 그림과 같은 직사각형 ABCD에서 점 E, F, G, H는 각 변의 중점이다. 이때 □EFGH는 마름모임을 설명하여라.

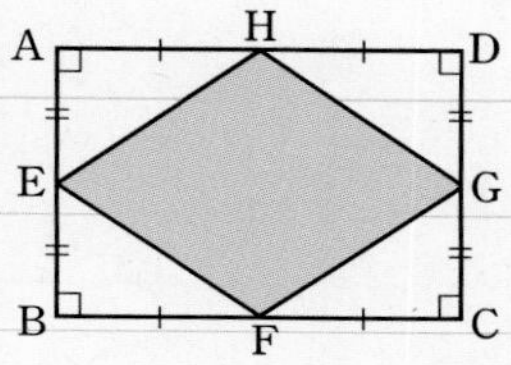

풀이 △EAH와 △EBF에서 주어진 조건으로부터

$\overline{AE}=\overline{BE}$, ∠A=∠B=90°   … ㉠

한편 □ABCD는 직사각형이므로 $\overline{AD}=\boxed{}$

$\overline{AH}=\boxed{}\,\overline{AD}=\boxed{}\,\overline{BC}=\overline{BF}$에서 $\overline{AH}=\boxed{}$ … ㉡

㉠, ㉡으로부터 대응하는 두 변의 길이가 각각 같고, 그 끼인각의 크기가 같으므로
△EAH≡△EBF이다.

∴ $\overline{EH}=\boxed{}$ … ㉢

마찬가지 방법으로 하면

△EBF≡△GCF에서 $\overline{EF}=\boxed{}$ … ㉣

△GCF≡△GDH에서 $\overline{GF}=\boxed{}$ … ㉤

㉢, ㉣, ㉤으로부터 $\overline{EH}=\overline{EF}=\overline{GF}=\overline{GH}$이므로 □EFGH는 마름모이다.

> 직사각형은 평행사변형도 되므로 평행사변형의 성질을 모두 만족한다.

03 오른쪽 그림에서 □ABCD는 $\overline{AD}\,/\!/\,\overline{BC}$인 사다리꼴이다. 두 대각선의 교점을 O라고 할 때, △AOB=△DOC임을 설명하여라.

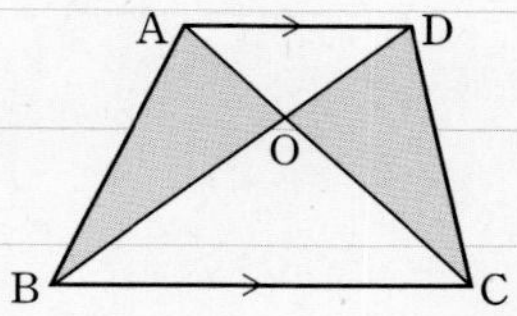

풀이 △ABC와 △DCB에서 밑변의 길이와 $\boxed{}$가 같으므로

△ABC=△DCB

△AOB=△ABC$-\boxed{}$=△DCB$-\boxed{}$=△DOC

따라서 △AOB=△DOC이다.

> 높이가 같은 두 삼각형의 넓이의 비는 밑변의 길이의 비와 같다.

여러 가지 사각형 사이의 관계

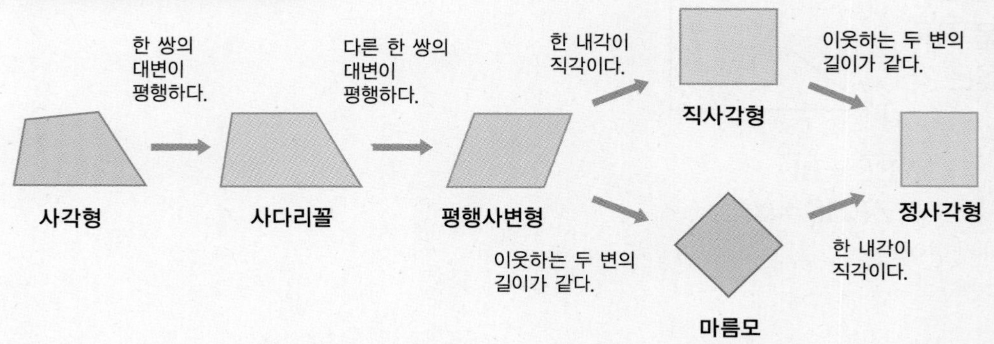

사각형 → (한 쌍의 대변이 평행하다.) → 사다리꼴 → (다른 한 쌍의 대변이 평행하다.) → 평행사변형

평행사변형 → (한 내각이 직각이다.) → 직사각형

평행사변형 → (이웃하는 두 변의 길이가 같다.) → 마름모

직사각형 → (이웃하는 두 변의 길이가 같다.) → 정사각형

마름모 → (한 내각이 직각이다.) → 정사각형

어떤 교과서에나 나오는 문제

01 오른쪽 그림과 같은 직사
각형 ABCD에서 점 O는
두 대각선의 교점일 때,
∠DOC의 크기는?

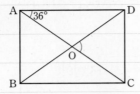

① 52°　　② 56°
③ 62°　　④ 66°
⑤ 72°

02 오른쪽 그림과 같은 평행
사변형 ABCD에서 점 O
는 두 대각선의 교점이다.
∠ODC＝∠OCD이면
□ABCD는 어떤 사각형인지 구하여라.

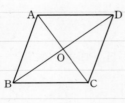

03 오른쪽 그림과 같은 평행
사변형 ABCD에 대하여
다음 중 마름모가 되는 조
건이 아닌 것을 모두 고르
면? (정답 2개)

① $\overline{AB}=\overline{BC}$
② $\overline{BO}=\overline{CO}$
③ ∠AOB＝∠AOD
④ ∠ABC＋∠BAD＝180°
⑤ ∠CBD＝∠CDB

04 오른쪽 그림과 같은 직사
각형 ABCD에서 대각선
$\overline{BD}$의 수직등분선을 $\overline{EF}$
라 할 때, 다음 중 옳은 것
은?

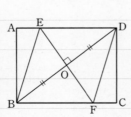

① $\overline{EB}=\overline{BF}$　　② $\overline{EF}=\overline{BD}$
③ $\overline{EO}=\overline{DO}$　　④ ∠EBF＝90°
⑤ □EBFD는 정사각형이다.

05 사각형 ABCD에서 대각선 AC, BD의 교점을 O라 할 때, $\overline{AO}=\overline{BO}=\overline{CO}=\overline{DO}$, $\overline{AC}\perp\overline{BD}$ 이면 사각형 ABCD는 어떤 사각형인지 구하여라.

중요도 ☐ 손도 못댐 ☐ 과정 실수 ☐ 틀린 이유:

06 오른쪽 그림과 같이 $\overline{AD}\,//\,\overline{BC}$인 등변사다리꼴 ABCD에서 $\overline{BC}$의 길이는?

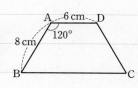

① 5 cm　　② 7 cm　　③ 10 cm
④ 12 cm　　⑤ 14 cm

중요도 ☐ 손도 못댐 ☐ 과정 실수 ☐ 틀린 이유:

07 오른쪽 그림에서 $\overline{AC}\,//\,\overline{DE}$이고 $\overline{BC}:\overline{CE}=3:2$이다. □ABCD=30 cm²일 때, △ACD의 넓이는?

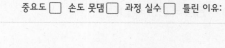

① 8 cm²　　② 9 cm²　　③ 10 cm²
④ 11 cm²　　⑤ 12 cm²

중요도 ☐ 손도 못댐 ☐ 과정 실수 ☐ 틀린 이유:

08 오른쪽 그림과 같이 넓이가 20 cm²인 평행사변형 ABCD에서 변 AD의 중점을 E라 할 때, △CDE의 넓이는?

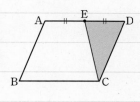

① 2 cm²　　② 3 cm²　　③ 4 cm²
④ 5 cm²　　⑤ 6 cm²

중요도 ☐ 손도 못댐 ☐ 과정 실수 ☐ 틀린 이유:

01 다음 중 평행사변형이 직사각형이 되는 조건으로
옳은 것은?

① 이웃하는 두 변의 길이가 같다.
② 두 대각선이 직교한다.
③ 한 쌍의 대변의 길이가 같다.
④ 이웃하는 두 내각의 크기가 같다.
⑤ 두 대각선은 서로 다른 것을 이등분한다.

02 오른쪽 그림과 같은 평행
사변형 ABCD에서 다음
조건을 추가했을 때, 직
사각형이 되지 <u>않는</u> 것
은?

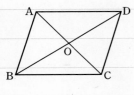

① $\overline{AC}=\overline{BD}$
② $\overline{AB}=\overline{BC}$
③ $\angle A=90°$
④ $\angle A=\angle B$
⑤ $\overline{AO}=\overline{BO}=\overline{CO}=\overline{DO}$

03 오른쪽 그림과 같은 직사
각형 ABCD에서 $\overline{AO}$의
길이는?

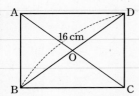

① 5 cm   ② 6 cm
③ 7 cm   ④ 8 cm
⑤ 9 cm

04 오른쪽 그림과 같은 마름
모 ABCD에 대하여 다
음 중 옳지 <u>않는</u> 것은?

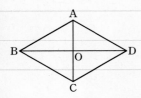

① $\overline{AB}=\overline{AD}$
② $\angle OAB=\angle OCD$
③ $\angle ADO=\angle CDO$
④ $\angle AOD=90°$
⑤ $\overline{OA}=\overline{OB}$

05 오른쪽 그림과 같은 마름모 ABCD에서 $\overline{CD}$의 길이는?

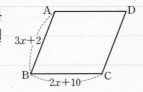

① 26   ② 28

③ 30   ④ 32

⑤ 34

06 다음 보기에서 '두 대각선이 서로 다른 것을 수직이등분'하는 사각형을 모두 고른 것은?

> **보기**
> ㄱ. 사다리꼴   ㄴ. 평행사변형
> ㄷ. 직사각형   ㄹ. 마름모
> ㅁ. 정사각형

① ㄱ, ㄴ   ② ㄷ, ㄹ   ③ ㄷ, ㅁ

④ ㄹ, ㅁ   ⑤ ㄱ, ㄹ, ㅁ

07 오른쪽 그림과 같은 정사각형 ABCD의 넓이는?

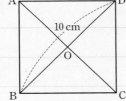

① 40 cm²   ② 45 cm²

③ 50 cm²   ④ 55 cm²

⑤ 60 cm²

08 오른쪽 그림에서 □ABCD, □OEFG는 모두 한 변의 길이가 6 cm인 정사각형일 때, 이 두 정사각형이 겹치는 부분의 넓이는? (단, 점 O는 □ABCD의 두 대각선의 교점이다.)

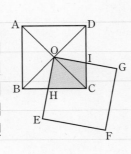

① 5 cm²   ② 6 cm²   ③ 7 cm²

④ 8 cm²   ⑤ 9 cm²

09 오른쪽 그림과 같은 직사각형 ABCD에서 $\overline{AD}=2\overline{AB}$이고, $\overline{AD}$와 $\overline{BC}$의 중점을 각각 M, N이라 할 때, □MPNQ는 어떤 사각형인지 구하여라.

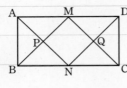

10 오른쪽 그림의 □ABCD는 $\overline{AD} /\!/ \overline{BC}$인 등변사다리꼴일 때, ∠DBC의 크기는?

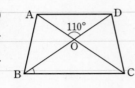

① 32°   ② 33°   ③ 34°
④ 35°   ⑤ 36°

11 오른쪽 그림의 사각형 ABCD는 $\overline{AD} /\!/ \overline{BC}$인 등변사다리꼴이다. 점 A에서 $\overline{BC}$에 내린 수선의 발을 H라고 할 때, $\overline{BH}$의 길이를 구하여라.

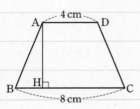

12 오른쪽 그림과 같이 $\overline{AD} /\!/ \overline{BC}$인 등변사다리꼴 ABCD에 대하여 다음 중 옳지 <u>않은</u> 것은?

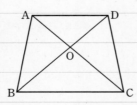

① $\overline{AC} \perp \overline{BD}$
② ∠ABC = ∠DCB
③ $\overline{OB} = \overline{OC}$
④ $\overline{AB} = \overline{DC}$
⑤ △ABC ≡ △DCB

중요도 ☐ 손도 못댐 ☐ 과정 실수 ☐ 틀린 이유:

13 오른쪽 그림과 같은 평행사변형 ABCD에서 각 변의 중점을 P, Q, R, S라 할 때, □PQRS는 어떤 사각형인지 구하여라.

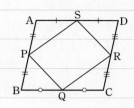

중요도 ☐ 손도 못댐 ☐ 과정 실수 ☐ 틀린 이유:

14 오른쪽 그림과 같은 평행사변형 ABCD에서 네 내각의 이등분선의 교점을 각각 E, F, G, H라 할 때, □EFGH의 성질이 <u>아닌</u> 것은?

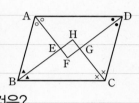

① 네 변의 길이가 모두 같다.
② 두 대각선의 길이가 서로 같다.
③ 네 각의 크기가 모두 같다.
④ 두 쌍의 대변의 길이가 각각 같다.
⑤ 한 쌍의 대변이 평행하고, 그 길이가 같다.

중요도 ☐ 손도 못댐 ☐ 과정 실수 ☐ 틀린 이유:

15 다음 사각형 중에서 두 대각선이 서로 다른 것을 이등분하는 것은 x개이고, 두 대각선의 길이가 같은 것은 y개, 두 대각선이 서로 직교하는 것은 z개이다. $x+y+z$의 값은?

사다리꼴	등변사다리꼴	평행사변형
마름모	직사각형	정사각형

① 5   ② 6   ③ 7
④ 8   ⑤ 9

중요도 ☐ 손도 못댐 ☐ 과정 실수 ☐ 틀린 이유:

16 오른쪽 그림과 같이 $\overline{AD} /\!/ \overline{BC}$인 사다리꼴 ABCD에서 $\overline{AE} /\!/ \overline{DC}$일 때, □ABED의 넓이를 구하여라.

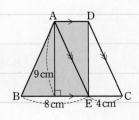

01 중요도☐ 손도 못댐☐ 과정 실수☐ 틀린 이유:

오른쪽 그림과 같은 평행사변형 ABCD에서 점 O는 두 대각선의 교점일 때, △ABO의 둘레의 길이는?

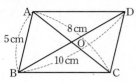

① 11 cm   ② 12 cm   ③ 13 cm
④ 14 cm   ⑤ 15 cm

02 중요도☐ 손도 못댐☐ 과정 실수☐ 틀린 이유:

오른쪽 그림과 같은 평행사변형 ABCD에서
∠BAE : ∠EAD=2 : 1일 때, ∠AED의 크기는?

① 66°   ② 68°   ③ 70°
④ 72°   ⑤ 78°

03 중요도☐ 손도 못댐☐ 과정 실수☐ 틀린 이유:

사각형 ABCD가 다음 조건을 만족할 때, 평행사변형이 되지 <u>않는</u> 것은? (단, O는 두 대각선의 교점이다.)

① $\overline{AB}/\!/\overline{DC}$, $\overline{AD}=\overline{BC}=5$ cm
② ∠A=∠C=115°, $\overline{AB}/\!/\overline{DC}$
③ $\overline{AO}=\overline{CO}=6$ cm, $\overline{DO}=\overline{BO}=5$ cm
④ $\overline{AB}=\overline{CD}=10$ cm, $\overline{AD}=\overline{BC}=4$ cm
⑤ ∠A=105°, ∠B=75°, ∠C=105°

04 중요도☐ 손도 못댐☐ 과정 실수☐ 틀린 이유:

오른쪽 그림과 같이 평행사변형ABCD에서 ∠A, ∠D의 이등분선의 교점을 P라 할 때, ∠APD의 크기는?

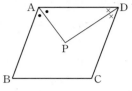

① 80°   ② 85°   ③ 90°
④ 95°   ⑤ 100°

05 중요도☐ 손도 못댐☐ 과정 실수☐ 틀린 이유:

오른쪽 그림과 같은 평행사변형 ABCD에서 $\overline{AE}=\overline{BE}$ 이고, △APD=10 cm², △BCP=21 cm², △CDP=15 cm²일 때, △AEP의 넓이는?

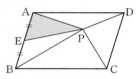

① 8 cm²   ② 9 cm²   ③ 10 cm²
④ 11 cm²   ⑤ 12 cm²

06 중요도☐ 손도 못댐☐ 과정 실수☐ 틀린 이유:

오른쪽 그림과 같이 평행사변형 ABCD의 두 대각선의 교점 O를 지나는 직선이 $\overline{AD}$, $\overline{BC}$와 만나는 점을 각각 P, Q라 할 때, 다음 중 옳지 <u>않</u>은 것은?

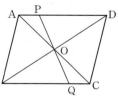

① $\overline{AO}=\overline{CO}$ ② $\overline{AP}=\overline{CQ}$
③ ∠DPO=∠DOP   ④ ∠PAO=∠QCO
⑤ △AOP≡△COQ

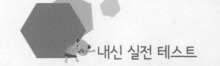
07 중요도 ☐ 손도 못댐 ☐ 과정 실수 ☐ 틀린 이유:

다음 중 평행사변형 ABCD가 직사각형이 되는 조건이 아닌 것을 모두 고르면? (정답 2개)

① $\angle B = \angle C = 90°$
② $\overline{AB} = \overline{CD}$, $\overline{BC} = \overline{DA}$
③ $\overline{AC} \perp \overline{BD}$
④ $\angle A = \angle B$, $\angle C = \angle D$
⑤ $\overline{AC} = \overline{BD}$

08 중요도 ☐ 손도 못댐 ☐ 과정 실수 ☐ 틀린 이유:

오른쪽 그림과 같은 평행사변형 ABCD에서 $\angle ABD = \angle CBD$일 때, □ABCD는 어떤 사각형인가?

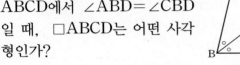

① 사다리꼴   ② 평행사변형   ③ 직사각형
④ 마름모   ⑤ 정사각형

09 중요도 ☐ 손도 못댐 ☐ 과정 실수 ☐ 틀린 이유:

오른쪽 그림과 같이 정사각형 ABCD의 각 변의 중점을 E, F, G, H라 할 때, □EFGH에 대한 설명 중 옳지 <u>않은</u> 것은?

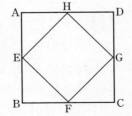

① $\square EFGH = \dfrac{1}{2} \square ABCD$
② $\overline{EF} = \overline{FG} = \overline{GH} = \overline{HE}$
③ $\angle E = \angle G$, $\angle F = \angle H$
④ $\angle EHG + \angle EFG > 180°$
⑤ 두 대각선은 서로 다른 것을 수직이등분한다.

10 중요도 ☐ 손도 못댐 ☐ 과정 실수 ☐ 틀린 이유:

오른쪽 그림과 같은 직사각형 ABCD에서 $\overline{BE} = \overline{DE}$, $\angle BDE = \angle EDC$일 때, $\angle DEC$의 크기는?

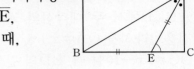

① 60°   ② 62.5°   ③ 65°
④ 67.5°   ⑤ 70°

11 중요도 ☐ 손도 못댐 ☐ 과정 실수 ☐ 틀린 이유:

오른쪽 그림과 같이 $\overline{AD} /\!/ \overline{BC}$인 사각형 ABCD에서 $\triangle ABO = 16\ cm^2$, $\triangle DBC = 56\ cm^2$일 때, $\triangle AOD$의 넓이는?

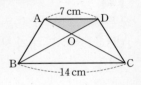

① $10\ cm^2$ ② $11\ cm^2$ ③ $12\ cm^2$
④ $13\ cm^2$ ⑤ $14\ cm^2$

12 중요도 ☐ 손도 못댐 ☐ 과정 실수 ☐ 틀린 이유:

오른쪽 그림과 같이 마름모 ABCD의 꼭짓점 A에서 $\overline{BC}$, $\overline{CD}$에 내린 수선의 발을 각각 P, Q라 할 때, $\angle AQP$의 크기는?

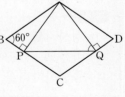

① 56°   ② 57°   ③ 58°
④ 59°   ⑤ 60°

13
중요도☐ 손도 못댐☐ 과정 실수☐ 틀린 이유:

오른쪽 그림과 같은 직사각형 ABCD에서 두 대각선의 교점을 O라 하자. $\overline{OA}=x+5$, $\overline{OC}=2x-10$일 때, $\overline{BD}$의 길이는?

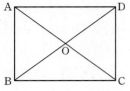

① 36　　　② 38　　　③ 40
④ 42　　　⑤ 44

14
중요도☐ 손도 못댐☐ 과정 실수☐ 틀린 이유:

오른쪽 그림과 같은 마름모 ABCD에서 대각선 AC의 길이는?

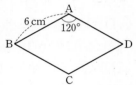

① 5 cm　　② 6 cm
③ 7 cm　　④ 8 cm
⑤ 9 cm

15
중요도☐ 손도 못댐☐ 과정 실수☐ 틀린 이유:

보기에서 '두 대각선의 길이는 서로 같다.'는 성질을 갖는 사각형을 모두 고른 것은?

> **보기**
> ㄱ. 정사각형　　　　ㄴ. 직사각형
> ㄷ. 마름모　　　　　ㄹ. 평행사변형
> ㅁ. 등변사다리꼴

① ㄱ, ㄷ　　② ㄷ, ㄹ　　③ ㄱ, ㄴ, ㄷ
④ ㄱ, ㄴ, ㅁ　⑤ ㄷ, ㄹ, ㅁ

16
중요도☐ 손도 못댐☐ 과정 실수☐ 틀린 이유:

오른쪽 그림에서 □ABCD는 정사각형이고 $\overline{AD}=\overline{AE}$일 때, ∠EBC의 크기는?

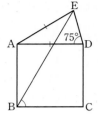

① 45°　　　② 50°
③ 55°　　　④ 60°
⑤ 65°

17
중요도☐ 손도 못댐☐ 과정 실수☐ 틀린 이유:

오른쪽 그림에서 $\overline{AC}\,/\!/\,\overline{DE}$이고, △ABC=20 cm², △ACE=28 cm²일 때, □ABCD의 넓이는?

① 46 cm²　　② 48 cm²
③ 50 cm²　　④ 52 cm²
⑤ 54 cm²

18
중요도☐ 손도 못댐☐ 과정 실수☐ 틀린 이유:

오른쪽 그림과 같은 정사각형 ABCD에서 $\overline{AD}$, $\overline{BF}$의 연장선의 교점을 E라 할 때, △EFC의 넓이는?

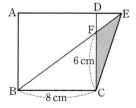

① 4 cm²　　② 5 cm²
③ 6 cm²　　④ 7 cm²
⑤ 8 cm²

19 중요도 □ 손도 못댐 □ 과정 실수 □ 틀린 이유:

오른쪽 그림은 평행사변형 ABCD 내부의 점 P를 지나 두 변 AD, AB와 각각 평행한 선분 EF, GH를 그은 것이다. 이때 ∠BEP의 크기를 구하여라.

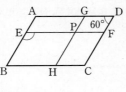

20 중요도 □ 손도 못댐 □ 과정 실수 □ 틀린 이유:

오른쪽 그림과 같이 평행사변형 ABCD의 변 BC, DC의 연장선 위에 $\overline{BC}=\overline{CE}$, $\overline{DC}=\overline{CF}$인 점 E, F를 잡는다. □ABCD의 넓이가 34 cm²일 때, △CFE의 넓이를 구하여라.

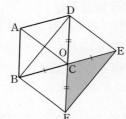

21 🖊서술형 중요도 □ 손도 못댐 □ 과정 실수 □ 틀린 이유:

오른쪽 그림과 같은 평행사변형 ABCD에서 $\overline{BE}:\overline{EO}=\overline{DF}:\overline{FO}=2:3$이다. □ABCD=20 cm²일 때, □AECF의 넓이를 구하여라.

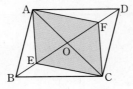

22 🖊서술형 중요도 □ 손도 못댐 □ 과정 실수 □ 틀린 이유:

오른쪽 그림과 같은 직사각형 ABCD에서 ∠ABM=∠DBM, ∠BDN=∠CDN이다. □MBND가 마름모일 때, ∠BMD의 크기를 구하여라.

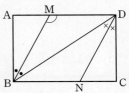

23 중요도 □ 손도 못댐 □ 과정 실수 □ 틀린 이유:

다음 조건을 모두 만족하는 □ABCD는 어떤 사각형인지 구하여라.

(가) $\overline{AD}=\overline{BC}$, $\overline{AD}\,/\!/\,\overline{BC}$
(나) $\overline{AC}\perp\overline{BD}$, ∠C=90°

24 🖊서술형 중요도 □ 손도 못댐 □ 과정 실수 □ 틀린 이유:

오른쪽 그림과 같은 평행사변형 ABCD에서 $\overline{AP}:\overline{PD}=1:2$, $\overline{AC}\,/\!/\,\overline{PQ}$이다. □ABCD=48 cm²일 때, △BCQ의 넓이를 구하여라.

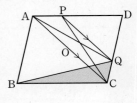

07 닮은 도형

기본 체크

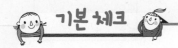

01

아래 그림에서 △ABC∽△DEF일 때, 다음을 구하여라.

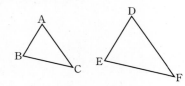

(1) 꼭짓점 C에 대응하는 점

(2) 변 AC에 대응 하는 변

(3) ∠E에 대응하는 각

02

아래 그림에서 △ABC∽△DEF일 때, 닮음조건을 구하여라.

핵심 정리

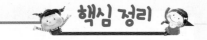

닮은 도형

(1) 한 도형을 일정한 비율로 확대 또는 축소하여 다른 도형과 합동이 될 때, 이 두 도형은 서로 닮음인 관계에 있다고 한다.
이때 닮음인 관계에 있는 두 도형을 닮은 도형이라 한다. 합동인 두 도형은 닮은 도형이다.

(2) △ABC와 △DEF가 닮은 도형일 때, 기호 ∽를 사용하여 △ABC∽△DEF와 같이 나타낸다.
닮음 기호 ∽를 사용하여 나타낼 때는 대응하는 꼭짓점의 순서대로 쓴다.

(3) 닮음비: 두 닮은 도형에서 대응하는 변의 길이의 비
닮음비는 가장 간단한 자연수의 비로 나타낸다.

삼각형의 닮음조건

두 삼각형이 다음 조건 중 어느 하나를 만족하면 닮은 도형이다.

(1) 세 쌍의 대응하는 변의 길이의 비가 같다. (SSS 닮음)
⇨ $a : a' = b : b' = c : c'$

(2) 두 쌍의 대응하는 변의 길이의 비가 같고, 그 끼인각의 크기가 같다. (SAS 닮음)
⇨ $a : a' = c : c'$, ∠B = ∠B'

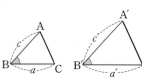

(3) 두 쌍의 대응하는 각의 크기가 각각 같다. (AA 닮음)
⇨ ∠A = ∠A', ∠B = ∠B'

참고 두 쌍의 각의 크기가 같으면 나머지 한 쌍의 각의 크기도 같다.
즉, ∠C = ∠C'

대표예제

· 정답 및 풀이 21쪽

01

오른쪽 그림에서 △ABC∽△DEF일 때, 다음을 구하여라.

(1) △ABC와 △DEF의 닮음비

(2) $\overline{AC}$의 길이

(3) ∠C의 크기

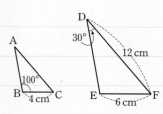

풀이 (1) $\overline{BC}$와 $\square$는 서로 대응하는 변이므로

$\overline{BC}:\square=4:\square=\square$

따라서 △ABC와 △DEF의 닮음비는 $\square$이다.

(2) 닮음비가 2 : 3이고 $\overline{AC}$에 대응하는 변이 $\square$이므로

$\overline{AC}:\overline{DF}=\square$, $\overline{AC}:12=\square$

$\therefore\ \overline{AC}=\square$(cm)

(3) ∠D에 대응하는 각은 $\square$이므로 $\square$=∠D=30°이다.

$\therefore\ \angle C=180°-(\angle B+\angle A)=180°-(100°+\square)=\square$

(1) 평면도형에서의 닮음의 성질
① 대응하는 변의 길이의 비는 일정하다.
② 대응하는 각의 크기는 각각 같다.
(2) 입체도형에서의 닮음의 성질
① 대응하는 모서리의 길이의 비는 일정하다.
② 대응하는 면은 닮은 도형이다.

02 오른쪽 그림에서 $\overline{AE}$=6 cm, $\overline{EB}$=6 cm, $\overline{AD}$=8 cm, $\overline{CD}$=1 cm일 때, △ABC∽△ADE임을 설명하여라.

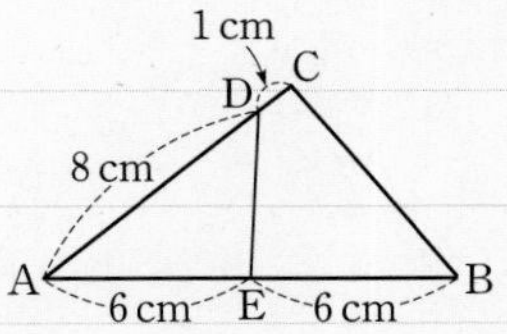

풀이 △ABC와 △ADE에서

$\overline{AB}:\overline{AD}=\square:8=\square$ … ㉠

$\overline{AC}:\overline{AE}=\square:6=\square$ … ㉡

$\square$는 공통인 각 … ㉢

㉠, ㉡, ㉢으로부터 두 쌍의 대응하는 변의 길이의 비가 같고, 그 끼인각의 크기가 같으므로 △ABC∽△ADE이다.

삼각형의 합동조건과 닮음조건의 차이점
합동은 각의 크기와 변의 길이가 모두 같아야 하지만, 닮음은 각의 크기가 같고, 변의 길이의 비만 같으면 된다.

03 오른쪽 그림과 같이 ∠A=90°인 직각삼각형 ABC의 꼭짓점 A에서 빗변 BC에 내린 수선의 발을 D라고 할 때, 다음 물음에 답하여라.

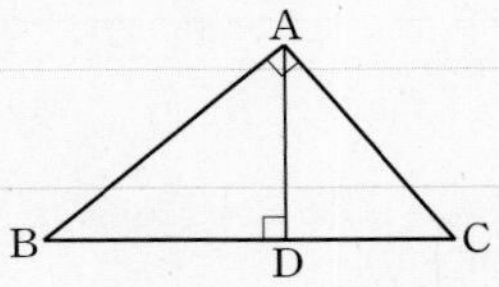

(1) △ABC∽△DBA임을 설명하여라.

(2) $\overline{AB}^2=\overline{BD}\cdot\overline{BC}$임을 설명하여라.

직각삼각형은 한 내각의 크기가 90°로 정해져 있으므로 한 예각의 크기가 같으면 두 삼각형은 AA 닮음이다.

풀이 (1) △ABC와 △DBA에서

∠BAC=∠BDA=$\square$ … ㉠

$\square$는 공통 … ㉡

㉠, ㉡에서 두 쌍의 대응하는 각의 크기가 각각 같으므로

△ABC∽△DBA

(2) △ABC∽△DBA이므로

$\overline{AB}:\square=\overline{BC}:\square$, 즉 $\overline{AB}^2=\overline{BD}\cdot\overline{BC}$

직각삼각형에서의 닮음

∠A=90°인 직각삼각형 ABC의 꼭짓점 A에서 빗변 BC에 내린 수선의 발을 H라 하면

△ABC∽△HAC∽△HBA (AA 닮음)

이고, 다음이 성립한다.

$\overline{AB}^2=\overline{BH}\times\overline{BC}$, $\overline{AC}^2=\overline{CH}\times\overline{BC}$, $\overline{AH}^2=\overline{BH}\times\overline{CH}$

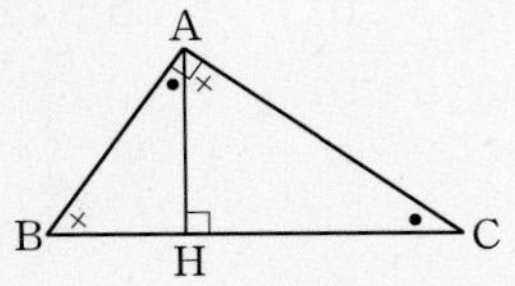

어떤 교과서에나 나오는 문제

01 다음 그림에서 □ABCD∽□A′B′C′D′일 때,
$\overline{BC}$의 길이를 a로 나타내면?

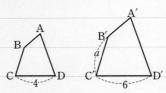

① $\dfrac{1}{6}a$　　② $\dfrac{1}{3}a$　　③ $\dfrac{1}{2}a$

④ $\dfrac{2}{3}a$　　⑤ $\dfrac{5}{6}a$

02 오른쪽 그림에서 두
삼각형은 닮은 도형
이다. 두 삼각형의
닮음비는?

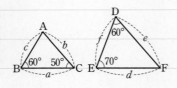

① $a:d$　　② $b:d$　　③ $c:e$
④ $a:f$　　⑤ $b:f$

03 다음 중 옳지 <u>않은</u> 것은?

① 모든 원은 닮은 도형이다.
② 한 내각의 크기가 같은 두 이등변삼각형은 닮
  은 도형이다.
③ 중심각과 호의 길이가 각각 같은 두 부채꼴은
  닮은 도형이다.
④ 한 예각의 크기가 같은 두 직각삼각형은 닮은
  도형이다.
⑤ 모든 정육면체는 닮은 도형이다.

04 오른쪽 그림에서 $\overline{AB}$의
길이는?

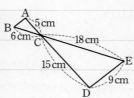

① 2 cm　　② 2.5 cm
③ 3 cm　　④ 3.5 cm
⑤ 4 cm

• 정답 및 풀이 21쪽

중요도 ☐ 손도 못댐 ☐ 과정 실수 ☐ 틀린 이유:

05 오른쪽 그림에서 $\overline{AC}$의 길이는?

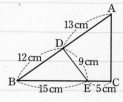

① 6 cm ② 9 cm

③ 12 cm ④ 15 cm

⑤ 18 cm

중요도 ☐ 손도 못댐 ☐ 과정 실수 ☐ 틀린 이유:

06 오른쪽 그림에서 $\angle ABD = \angle ACB$일 때, $\overline{AD}$의 길이는?

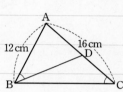

① 6 cm ② 7 cm

③ 8 cm ④ 9 cm

⑤ 10 cm

중요도 ☐ 손도 못댐 ☐ 과정 실수 ☐ 틀린 이유:

07 오른쪽 그림과 같이 $\angle B = 90°$인 직각삼각형 ABC에서 $\overline{AE} = \overline{CE}$이고 $\overline{AC} \perp \overline{DE}$일 때, $\overline{AD}$의 길이를 구하여라.

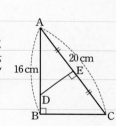

중요도 ☐ 손도 못댐 ☐ 과정 실수 ☐ 틀린 이유:

08 오른쪽 그림과 같이 $\angle A = 90°$인 삼각형 ABC에서 $\overline{BC} \perp \overline{AH}$일 때, $\overline{BH}$의 길이는?

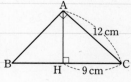

① 4 cm ② 5 cm ③ 6 cm

④ 7 cm ⑤ 8 cm

시험에 꼭 나오는 문제

중요도 ☐ 손도 못댐 ☐ 과정 실수 ☐ 틀린 이유:

01 다음 중 항상 닮은 도형인 것을 모두 고르면?

(정답 2개)

① 두 구   ② 두 사각뿔   ③ 두 정육면체
④ 두 원기둥   ⑤ 두 원뿔

중요도 ☐ 손도 못댐 ☐ 과정 실수 ☐ 틀린 이유:

02 오른쪽 그림에서 $\triangle ABC \sim \triangle DEF$ 일 때, $\triangle ABC$와 $\triangle DEF$의 닮음비는?

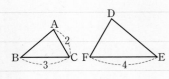

① 2 : 1   ② 3 : 1   ③ 3 : 2
④ 3 : 4   ⑤ 4 : 3

중요도 ☐ 손도 못댐 ☐ 과정 실수 ☐ 틀린 이유:

03 오른쪽 그림에서 두 삼각기둥이 서로 닮은 도형일 때, $x+y$의 값은?

① 10   ② 11
③ 12   ④ 13
⑤ 14

중요도 ☐ 손도 못댐 ☐ 과정 실수 ☐ 틀린 이유:

04 오른쪽 그림에서 두 원뿔 A, B가 서로 닮은 도형일 때, 원뿔 B의 밑면의 넓이를 구하여라.

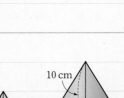
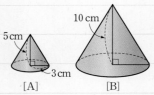

05 오른쪽 그림에서
△ABC∽△DEF일 때,
∠E＋∠F의 크기는?

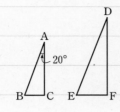

중요도 ☐ 손도 못댐 ☐ 과정 실수 ☐ 틀린 이유:

① 120°　② 130°
③ 140°　④ 150°
⑤ 160°

06 오른쪽 그림에서 $\overline{BC}$의
길이는?

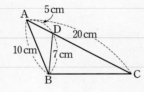

중요도 ☐ 손도 못댐 ☐ 과정 실수 ☐ 틀린 이유:

① 10 cm　② 12 cm
③ 14 cm　④ 16 cm
⑤ 18 cm

07 오른쪽 그림에서
∠A＝∠DEC일 때, $\overline{BE}$
의 길이는?

중요도 ☐ 손도 못댐 ☐ 과정 실수 ☐ 틀린 이유:

① 10 cm　② 11 cm
③ 12 cm　④ 13 cm
⑤ 14 cm

08 오른쪽 그림과 같이
∠A＝90°인 삼각형 ABC에
서 $\overline{BD}$의 길이는?

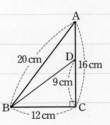

중요도 ☐ 손도 못댐 ☐ 과정 실수 ☐ 틀린 이유:

① 13 cm　② 14 cm
③ 15 cm　④ 16 cm
⑤ 17 cm

09 오른쪽 그림과 같은 직사각형 ABCD에서 $\overline{EF}$가 대각선 $\overline{BD}$를 수직이등분할 때, $\overline{DE}$의 길이는?

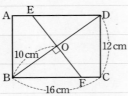

① 11 cm   ② $\dfrac{23}{2}$ cm

③ 12 cm   ④ $\dfrac{25}{2}$ cm

⑤ 13 cm

10 오른쪽 그림과 같이 평행사변형 ABCD의 변 AD 위의 점 E와 꼭짓점 B를 이은 선분과 대각선 AC의 교점을 F라 할 때, $\overline{AE}$의 길이는?

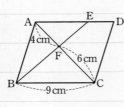

① 4 cm   ② 4.5 cm   ③ 5 cm

④ 5.5 cm   ⑤ 6 cm

11 오른쪽 그림과 같이 ∠A = 90°인 직각삼각형 ABC의 꼭짓점 A에서 $\overline{BC}$에 내린 수선의 발을 D라 할 때, △ABC의 넓이는?

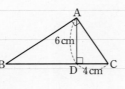

① 27 cm²   ② 30 cm²   ③ 33 cm²

④ 36 cm²   ⑤ 39 cm²

12 오른쪽 그림과 같이 ∠A = 90°인 직각삼각형 ABC에서 $\overline{AH} \perp \overline{BC}$일 때, $x + y$의 값은?

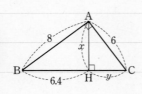

① 8   ② 8.2   ③ 8.4

④ 8.6   ⑤ 8.8

13 오른쪽 그림에서
∠A＝∠EDC＝90°일
때, $\overline{AE}$의 길이는?

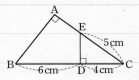

① 2 cm   ② 2.5 cm

③ 3 cm   ④ 3.5 cm

⑤ 4 cm

14 오른쪽 그림에서 $\overline{AB}$,
$\overline{PH}$, $\overline{DC}$는 모두 $\overline{BC}$와
수직일 때, $\overline{PH}$의 길이
는?

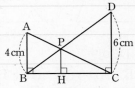

① 2 cm   ② 2.2 cm   ③ 2.4 cm

④ 2.6 cm   ⑤ 2.8 cm

15 오른쪽 그림에서
∠BAC＝∠CAD,
∠ACB＝∠ADC＝90°
일 때, $\overline{AD}$의 길이는?

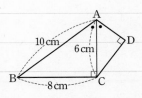

① 2.4 cm   ② 2.8 cm   ③ 3 cm

④ 3.2 cm   ⑤ 3.6 cm

16 오른쪽 그림과 같이 직
사각형 ABCD에서 $\overline{BF}$
를 접은 선으로 하여 점
C가 $\overline{AD}$ 위의 점 E에
오도록 접을 때, $\overline{BE}$의 길이는?

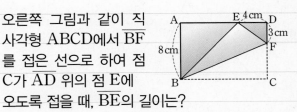

① 8 cm   ② 8.5 cm   ③ 9 cm

④ 9.5 cm   ⑤ 10 cm

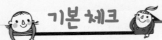

08 삼각형과 평행선

기본 체크

01

오른쪽 그림에서
$\overline{BC} \,\|\, \overline{DE}$일 때, 다음
□ 안에 알맞은 것을
써넣어라.

(1) $\overline{AB} : \overline{AD} = \overline{AC} :$ □
$= \overline{BC} :$ □

(2) $\overline{AD} : \overline{DB} =$ □ $: \overline{EC}$

02

다음 그림에서 $\overline{BC} \,\|\, \overline{DE}$인 것을 골라라.

(1) 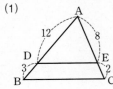　(2)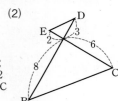

핵심 정리

✿ 삼각형에서 평행선과 선분의 길이의 비

△ABC에서 $\overline{AB}$, $\overline{AC}$ 또는 그 연장선 위에 각각 점 D, E가 있을 때,

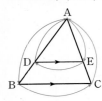　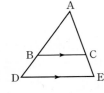　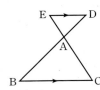

$\overline{BC} \,\|\, \overline{DE}$이면

(1) $\overline{AB} : \overline{AD} = \overline{AC} : \overline{AE} = \overline{BC} : \overline{DE}$

(2) $\overline{AD} : \overline{DB} = \overline{AE} : \overline{EC}$

주의 $\overline{AD} : \overline{DB} \neq \overline{DE} : \overline{BC}$임에 주의한다.

참고 (1) $\overline{AB} : \overline{AD} = \overline{AC} : \overline{AE} = \overline{BC} : \overline{DE}$이면 $\overline{BC} \,\|\, \overline{DE}$
(2) $\overline{AD} : \overline{DB} = \overline{AE} : \overline{EC}$이면 $\overline{BC} \,\|\, \overline{DE}$

대표예제

• 정답 및 풀이 23쪽

01

△ABC에서 변 BC에 평행한 직선과 변 AB, AC의 교점을 각각 D, E라고 하면 $\overline{AB} : \overline{AD} = \overline{AC} : \overline{AE} = \overline{BC} : \overline{DE}$임을 설명하여라.

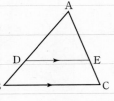

풀이 △ABC와 △ADE에서

∠ABC= □ (동위각), □ 는 공통인 각

즉, 두 쌍의 대응하는 각의 크기가 각각 같으므로 △ABC∽ □ 이다.

이때 두 닮은 삼각형에서 세 쌍의 대응하는 변의 길이의 비는 모두 같으므로

$\overline{AB} :$ □ $= \overline{AC} :$ □ $= \overline{BC} :$ □

임을 알 수 있다.

> 삼각형에서 평행선과 선분의 길이의 식을 무조건 외우기보다 닮은 두 삼각형을 대응시킨 후 선분의 길이의 비를 생각하는 것이 좋다.

02 △ABC에서 변 BC에 평행한 직선과 변 AB, AC의 교점을 각각 D, E라고 하면 $\overline{AD} : \overline{DB} = \overline{AE} : \overline{EC}$임을 설명하여라.

풀이 점 E를 지나고 변 AB에 평행한 직선과 변 BC의 교점을 F라고 하면

△ADE와 △EFC에서

∠DAE=☐ (동위각)

∠AED=☐ (동위각)

이므로 △ADE∽△EFC

따라서 $\overline{AD} :$ ☐ $= \overline{AE} :$ ☐ ⋯ ㉠

또, □DBFE는 평행사변형이므로

$\overline{DB}=$ ☐ ⋯ ㉡

㉠, ㉡에 의하여 $\overline{AD} : \overline{DB} = \overline{AE} : \overline{EC}$

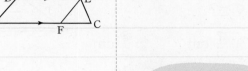
평행사변형의 두 쌍의 대변의 길이는 각각 같다.

03 오른쪽 그림과 같은 △ABC에서 $\overline{AB}=10\,\text{cm}$, $\overline{AC}=12\,\text{cm}$, $\overline{AD}=5\,\text{cm}$, $\overline{AE}=6\,\text{cm}$일 때, $\overline{BC} /\!/ \overline{DE}$임을 설명하여라.

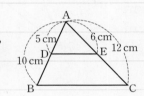

풀이 △ABC와 △ADE에서

$\overline{AB} : \overline{AD}=10 : 5=2 : 1$

$\overline{AC} : \overline{AE}=12 : 6=2 : 1$

∴ $\overline{AB} : \overline{AD} = \overline{AC} : \overline{AE}$ ⋯ ㉠

☐ 는 공통인 각 ⋯ ㉡

㉠, ㉡에서 두 쌍의 대응하는 변의 길이의 비가 같고,

그 끼인각의 크기가 같으므로

△ABC∽△ADE

∴ ∠B=☐

따라서 동위각의 크기가 서로 같으므로 $\overline{BC} /\!/ \overline{DE}$이다.

동위각 또는 엇각의 크기가 같은 두 직선은 평행하다.

🐱 삼각형의 각의 이등분선

(1) △ABC에서 ∠A의 이등분선이 $\overline{BC}$와 만나는 점을 D라 하면

$\overline{AB} : \overline{AC} = \overline{BD} : \overline{CD}$

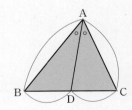

(2) △ABC에서 ∠A의 외각의 이등분선이 $\overline{BC}$의 연장선과 만나는 점을 D라 하면

$\overline{AB} : \overline{AC} = \overline{BD} : \overline{CD}$

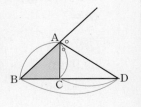

어떤 교과서에나 나오는 문제

01 오른쪽 그림에서 $\overline{PQ} /\!/ \overline{BC}$일 때, $\overline{AQ}$의 길이는?

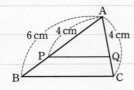

① $\dfrac{7}{3}$ cm   ② $\dfrac{8}{3}$ cm

③ 3 cm   ④ $\dfrac{10}{3}$ cm

⑤ $\dfrac{11}{3}$ cm

02 오른쪽 그림에서 $\overline{AB} /\!/ \overline{CD}$일 때, $\overline{CD}$의 길이는?

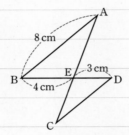

① 5 cm   ② 5.5 cm

③ 6 cm   ④ 6.5 cm

⑤ 7 cm

03 오른쪽 그림에서 $\overline{DE} /\!/ \overline{BC}$일 때, $\overline{AD}$의 길이는?

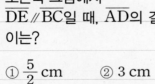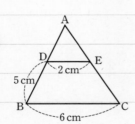

① $\dfrac{5}{2}$ cm   ② 3 cm

③ $\dfrac{7}{2}$ cm   ④ 4 cm

⑤ $\dfrac{9}{2}$ cm

04 오른쪽 그림에서 $\overline{BC} /\!/ \overline{DE}$일 때, $\overline{DE}$의 길이는?

① 7 cm   ② 8 cm

③ 9 cm   ④ 10 cm

⑤ 11 cm

중요도 ☐ 손도 못댐 ☐ 과정 실수 ☐ 틀린 이유:

05 오른쪽 그림에서 $\overline{BC} \parallel \overline{DE}$이고 점 P는 $\overline{BC}$ 위의 점이며 점 Q는 $\overline{AP}$와 $\overline{DE}$의 교점일 때, $\overline{PC}$의 길이를 구하여라.

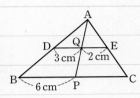

중요도 ☐ 손도 못댐 ☐ 과정 실수 ☐ 틀린 이유:

06 오른쪽 그림과 같은 △ABC에서 ∠A의 이등분선과 $\overline{BC}$의 교점을 D라고 할 때, $\overline{CD}$의 길이는?

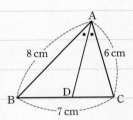

① 1 cm　　② 2 cm
③ 3 cm　　④ 4 cm
⑤ 5 cm

중요도 ☐ 손도 못댐 ☐ 과정 실수 ☐ 틀린 이유:

07 오른쪽 그림과 같은 △ABC에서 $\overline{AD}$가 ∠A의 외각의 이등분선일 때, $\overline{CD}$의 길이는?

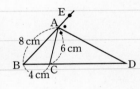

① 10 cm　　② 11 cm　　③ 12 cm
④ 13 cm　　⑤ 14 cm

중요도 ☐ 손도 못댐 ☐ 과정 실수 ☐ 틀린 이유:

08 오른쪽 그림과 같은 △ABC에서 $\overline{AD}$가 ∠A의 외각의 이등분선일 때, △ABC와 △ACD의 넓이의 비를 구하여라.

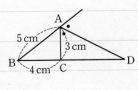

시험에 꼭 나오는 문제

01 오른쪽 그림에서 $\overline{BC} /\!/ \overline{DE}$일 때, $\overline{AC}$의 길이는?

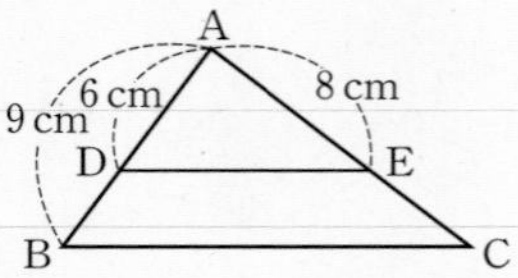

① 10 cm ② 11 cm
③ 12 cm ④ 13 cm
⑤ 14 cm

02 오른쪽 그림에서 $\overline{BC} /\!/ \overline{DE}$일 때, $x+y$의 값은?

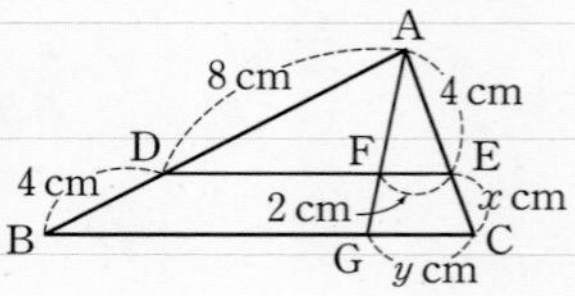

① 2 ② 3
③ 4 ④ 5
⑤ 6

03 오른쪽 그림에서 $\overline{PQ} /\!/ \overline{BC}$일 때, $x+y$의 값은?

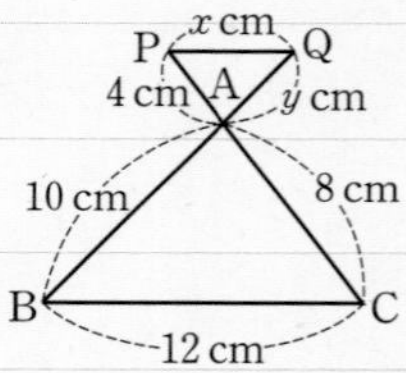

① 9 ② 10
③ 11 ④ 12
⑤ 13

04 오른쪽 그림에서 $\overline{AB} /\!/ \overline{CD} /\!/ \overline{EF}$일 때, $\overline{BE}$의 길이는?

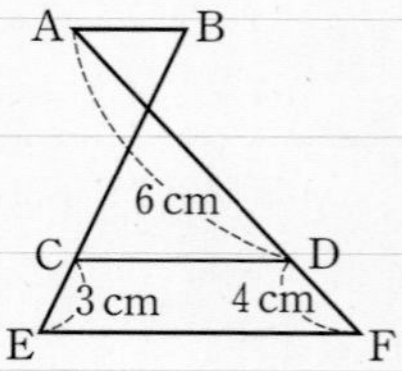

① $\dfrac{13}{2}$ cm ② 7 cm
③ $\dfrac{15}{2}$ cm ④ 8 cm
⑤ $\dfrac{17}{2}$ cm

05 오른쪽 그림에서 □ABCD가 평행사변형일 때, $\overline{CE}$의 길이는?

중요도 ☐ 손도 못댐 ☐ 과정 실수 ☐ 틀린 이유:

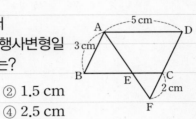

① 1 cm ② 1.5 cm
③ 2 cm ④ 2.5 cm
⑤ 3 cm

06 오른쪽 그림과 같은 직사각형 ABCD에서 $\overline{BM}=\overline{CM}$일 때, $\overline{BP}$의 길이는?

중요도 ☐ 손도 못댐 ☐ 과정 실수 ☐ 틀린 이유:

① $\frac{1}{3}$ cm ② $\frac{2}{3}$ cm

③ 1 cm ④ $\frac{4}{3}$ cm

⑤ $\frac{5}{3}$ cm

07 오른쪽 그림에서 $\overline{DE}\,/\!/\,\overline{BC}$, $\overline{FE}\,/\!/\,\overline{DC}$일 때, $\overline{AF}$의 길이는?

중요도 ☐ 손도 못댐 ☐ 과정 실수 ☐ 틀린 이유:

① 3 cm ② 3.2 cm
③ 3.6 cm ④ 4 cm
⑤ 4.2 cm

08 오른쪽 그림에서 □FBDE는 마름모일 때, 이 마름모의 한 변의 길이는?

중요도 ☐ 손도 못댐 ☐ 과정 실수 ☐ 틀린 이유:

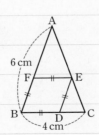

① 2.4 cm ② 2.6 cm
③ 2.8 cm ④ 3 cm
⑤ 3.2 cm

중요도 ☐ 손도 못댐 ☐ 과정 실수 ☐ 틀린 이유:

09 다음 중 $\overline{BC} /\!/ \overline{DE}$인 것은?

①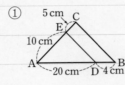

②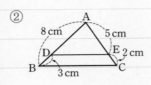

③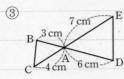

④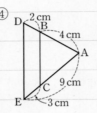

⑤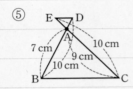

중요도 ☐ 손도 못댐 ☐ 과정 실수 ☐ 틀린 이유:

10 오른쪽 그림과 같은 △ABC에서 $\overline{AB}$, $\overline{BC}$, $\overline{CA}$ 위의 세 점 D, E, F 에 대하여 다음 중 옳은 것은?

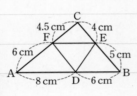

① $\overline{DE} /\!/ \overline{CA}$ ② $\overline{EF} /\!/ \overline{BA}$

③ $\overline{DE} /\!/ \overline{CF}$ ④ $\overline{DF} /\!/ \overline{BC}$

⑤ $\overline{EF} /\!/ \overline{BD}$

중요도 ☐ 손도 못댐 ☐ 과정 실수 ☐ 틀린 이유:

11 오른쪽 그림에서 ∠BAD＝∠CAD일 때, $\overline{BD}$의 길이는?

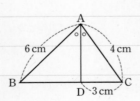

① 4 cm   ② 4.5 cm

③ 5 cm   ④ 5.5 cm

⑤ 6 cm

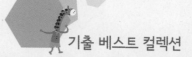
중요도 ☐ 손도 못댐 ☐ 과정 실수 ☐ 틀린 이유:

12 오른쪽 그림의 △ABC
에서 ∠A의 외각의 이등
분선과 $\overline{BC}$의 연장선의
교점을 D라 할 때, $\overline{BC}$의
길이는?

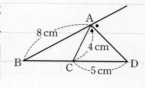

① 4 cm   ② 4.5 cm   ③ 5 cm
④ 5.5 cm   ⑤ 6 cm

중요도 ☐ 손도 못댐 ☐ 과정 실수 ☐ 틀린 이유:

13 오른쪽 그림의 △ABC에
서 $\overline{AD}$가 ∠A의 외각의
이등분선일 때,
△ABC와 △ABD의 넓
이의 비를 구하여라.

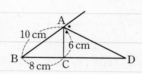

중요도 ☐ 손도 못댐 ☐ 과정 실수 ☐ 틀린 이유:

14 오른쪽 그림에서 $\overline{AD}$는
∠A의 이등분선이고
△ABD와 △ACD의 넓
이를 각각 S_1, S_2라 할 때,
$S_1 : S_2$는?

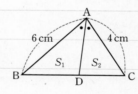

① 2 : 1   ② 3 : 2   ③ 4 : 3
④ 5 : 4   ⑤ 7 : 6

중요도 ☐ 손도 못댐 ☐ 과정 실수 ☐ 틀린 이유:

15 오른쪽 그림에서 $\overline{AC}$와
$\overline{AF}$가 각각 ∠BAD,
∠DAE의 이등분선일 때,
$\overline{CF}$의 길이는?

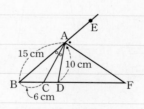

① 16 cm   ② 18 cm
③ 20 cm   ④ 22 cm
⑤ 24 cm

09 평행선과 선분의 길이의 비

학습목표 • 평행선 사이의 선분의 길이의 비를 구할 수 있다.

기본 체크

01

아래 그림에서 $l /\!/ m /\!/ n$, $q /\!/ q'$일 때,
다음 □ 안에 알맞은 것을 써넣어라.

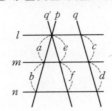

(1) $a : b = e :$ □

(2) $e =$ □ , $f =$ □

(3) $a : b =$ □ $: d$

핵심 정리

⚙ 평행선 사이의 선분의 길이의 비

세 개 이상의 평행선이 다른 두 직선과 만날 때, 그 두 직선이 평행선으로 잘려 생긴 대응하는 선분의 길이의 비는 같다.

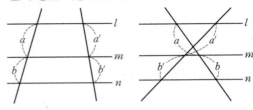

즉, 위의 그림에서 $l /\!/ m /\!/ n$일 때
$a : b = a' : b'$ 또는 $a : a' = b : b'$

주의 선분의 길이의 비가 같다고 해서 평행한 것은 아니다. 예를 들어 오른쪽 그림에서
$\overline{AB} : \overline{BC} = \overline{A'B'} : \overline{B'C'}$이지만 세 직선 l, m, n은 평행하지 않다.

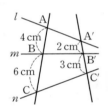

대표예제

• 정답 및 풀이 25쪽

01

오른쪽 그림에서 $l /\!/ m /\!/ n$일 때,
$\overline{AB} : \overline{BC} = \overline{DE} : \overline{EF}$임을 설명하여라.

풀이 오른쪽 그림과 같이 점 A를 지나 직선 □ 에 평행한 직선을
그어서 직선 m, n과 만나는 점을 각각 E′, F′이라고 하면
$\overline{BE'} /\!/$ □ 이므로
$\overline{AB} : \overline{BC} =$ □ $:$ □ ⋯ ㉠
또한, □AE′ED와 □E′F′FE가 □ 이므로
$\overline{AE'} =$ □ , $\overline{E'F'} =$ □ ⋯ ㉡
㉠, ㉡에서 $\overline{AB} : \overline{BC} = \overline{DE} : \overline{EF}$

주어진 직선과 평행한 직선을 그어 삼각형을 만들면 삼각형에서 평행선과 선분의 길이의 비를 이용할 수 있다.

02 오른쪽 그림에서 $l /\!/ m /\!/ n$일 때,
$\overline{AB} : \overline{BC} = \overline{A'B'} : \overline{B'C'}$임을 설명하여라.

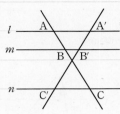

풀이 점 B를 지나고 직선 $A'C'$에 평행한 직선이 두 직선 l, n과
만나는 점을 각각 D, E라고 하자.

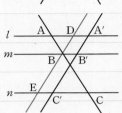

$\overline{AD} /\!/ \boxed{}$이므로

$\overline{AB} : \overline{BC} = \boxed{} : \boxed{}$ ⋯ ㉠

이때 $\square DBB'A'$과 $\square BEC'B'$은 모두 $\boxed{}$이므로

$\overline{DB} : \boxed{}$, $\overline{BE} : \boxed{}$ ⋯ ㉡

㉠, ㉡에서 $\overline{AB} : \overline{BC} = \overline{A'B'} : \overline{B'C'}$

> 평행사변형은 두 쌍의 대변의 길이가 같다.

03 오른쪽 그림에서 $\overline{AD} /\!/ \overline{EF} /\!/ \overline{BC}$이고 $\overline{CD} /\!/ \overline{AH}$일 때, $\overline{EF}$의 길이를 구하여라.

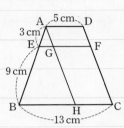

풀이 $\overline{EG} /\!/ \overline{BH}$이고

$\overline{HC} = \overline{GF} = \boxed{} = \boxed{}$(cm)이므로

$\overline{AB} : \overline{AE} = \overline{BH} : \boxed{}$에서

$12 : 3 = (13-5) : \boxed{}$, $12\overline{EG} = 24$

$\therefore \overline{EG} = \boxed{}$(cm)

$\therefore \overline{EF} = \overline{EG} + \overline{GF} = \boxed{}$(cm)

> $\overline{AD} /\!/ \overline{BC}$인 사다리꼴 ABCD에서 $\overline{AD}$ 또는 $\overline{BC}$의 길이를 구하는 문제는 점 A를 지나고 $\overline{DC}$에 평행한 보조선을 그어 구하면 편리하다.

04 오른쪽 그림에서 $\overline{AD} /\!/ \overline{EF} /\!/ \overline{BC}$일 때, $\overline{EF}$의 길이를 구하여라.

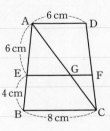

풀이 $\triangle ABC$에서 $\overline{AE} : \overline{AB} = \boxed{} : \overline{BC}$이므로

$6 : 10 = \boxed{} : 8$, $10\overline{EG} = 48$

$\therefore \overline{EG} = \boxed{}$(cm)

$\triangle CDA$에서 $\overline{CF} : \overline{CD} = \boxed{} : \overline{AD}$이므로

$4 : 10 = \boxed{} : 6$, $10\overline{GF} = 24$

$\therefore \overline{GF} = \boxed{}$(cm)

$\therefore \overline{EF} = \overline{EG} + \overline{GF} = \boxed{}$(cm)

> $\overline{AD} /\!/ \overline{BC}$인 사다리꼴 ABCD에서 $\overline{EF}$의 길이를 구하는 문제는 계산이 편리한 보조선을 그어 구한다.

🐱 **사다리꼴에서의 평행선과 선분의 길이의 비**

$\overline{AD} /\!/ \overline{BC}$인 사다리꼴 ABCD에서 $\overline{EF} /\!/ \overline{BC}$이고 $\overline{AD} = a$, $\overline{BC} = b$, $\overline{AE} = m$, $\overline{EB} = n$일 때, 오른쪽 그림과 같이 두 가지 방법으로 보조선을 그어 $\overline{EF}$의 길이를 구하면 $\overline{EF} = \dfrac{an+bm}{m+n}$

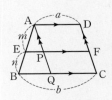 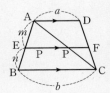

중요도 ☐ 손도 못댐 ☐ 과정 실수 ☐ 틀린 이유:

01 오른쪽 그림에서 $l /\!/ m /\!/ n$일 때, x의 값은?

① 6   ② 7

③ 8   ④ 9

⑤ 10

l 3 cm   4 cm
m 6 cm x cm
n

중요도 ☐ 손도 못댐 ☐ 과정 실수 ☐ 틀린 이유:

02 오른쪽 그림에서 $l /\!/ m /\!/ n$일 때, x의 값은?

① $\dfrac{19}{5}$ ② $\dfrac{21}{5}$

③ $\dfrac{23}{5}$ ④ 5

⑤ $\dfrac{27}{5}$

l 9 cm
m x cm   2 cm
n 3 cm

중요도 ☐ 손도 못댐 ☐ 과정 실수 ☐ 틀린 이유:

03 오른쪽 그림에서 $l /\!/ m /\!/ n$일 때, x의 값은?

① 2   ② $\dfrac{9}{4}$

③ $\dfrac{5}{2}$ ④ $\dfrac{11}{4}$

⑤ 3

l A   B
  6 cm   6 cm   8 cm
m C P D
n x cm   3 cm
  E F
  4 cm

중요도 ☐ 손도 못댐 ☐ 과정 실수 ☐ 틀린 이유:

04 오른쪽 그림에서 $l /\!/ m /\!/ n$일 때, x의 값은?

① 10.5   ② 11

③ 11.5   ④ 12

⑤ 12.5

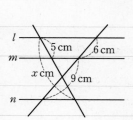

l
m 5 cm   6 cm
  x cm   9 cm
n

05 오른쪽 그림에서
$\overline{AD}\,/\!/\,\overline{MN}\,/\!/\,\overline{BC}$이고
$\overline{AM}:\overline{MB}=1:1$일
때, $\overline{MN}$의 길이는?

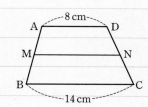

중요도 ☐ 손도 못댐 ☐ 과정 실수 ☐ 틀린 이유:

① 9 cm   ② 10 cm
③ 11 cm   ④ 12 cm
⑤ 13 cm

06 오른쪽 그림에서
$\overline{AD}\,/\!/\,\overline{EF}\,/\!/\,\overline{BC}$일 때,
$\overline{EF}$의 길이를 구하여라.

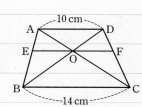

중요도 ☐ 손도 못댐 ☐ 과정 실수 ☐ 틀린 이유:

07 오른쪽 그림에서
$\overline{AB}\,/\!/\,\overline{PQ}\,/\!/\,\overline{DC}$일 때,
$\overline{DC}$의 길이는?

중요도 ☐ 손도 못댐 ☐ 과정 실수 ☐ 틀린 이유:

① 12 cm   ② 13 cm
③ 14 cm   ④ 15 cm
⑤ 16 cm

08 오른쪽 그림에서
$\overline{AB}\,/\!/\,\overline{PQ}\,/\!/\,\overline{CD}$일 때,
$\overline{PQ}$의 길이를 구하여라.

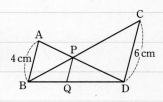

중요도 ☐ 손도 못댐 ☐ 과정 실수 ☐ 틀린 이유:

시험에 꼭 나오는 문제

01 오른쪽 그림에서 $l /\!/ m /\!/ n$
일 때, x의 값은?

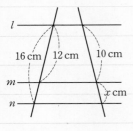

① $\dfrac{8}{3}$ ② 3

③ $\dfrac{10}{3}$ ④ $\dfrac{11}{3}$

⑤ 4

02 오른쪽 그림에서 $l /\!/ m /\!/ n$
일 때, x의 값은?

① 10   ② 11

③ 12   ④ 13

⑤ 14

03 오른쪽 그림에서 $l /\!/ m /\!/ n$
일 때, $6xy$의 값은?

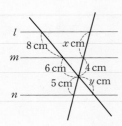

① 200   ② 220

③ 240   ④ 260

⑤ 280

04 오른쪽 그림에서 $l /\!/ m /\!/ n$
일 때, $x+y$의 값은?

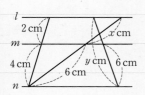

① 11   ② 12

③ 13   ④ 14

⑤ 15

05 오른쪽 그림에서 $l /\!/ m /\!/ n$일 때, x의 값은?

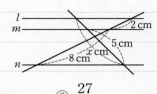

① $\dfrac{25}{4}$ ② $\dfrac{13}{2}$ ③ $\dfrac{27}{4}$

④ 7 ⑤ $\dfrac{29}{4}$

06 오른쪽 그림에서 $a /\!/ b /\!/ c /\!/ d$일 때, $x+y$의 값은?

① 10 ② 11

③ 12 ④ 13

⑤ 14

07 오른쪽 그림에서 $k /\!/ l /\!/ m /\!/ n$일 때, $x+y$의 값은?

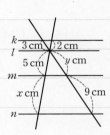

① 13 ② 13.5

③ 14 ④ 14.5

⑤ 15

08 오른쪽 그림에서 $\overline{AD} /\!/ \overline{PQ} /\!/ \overline{BC}$일 때, $x+y$의 값은?

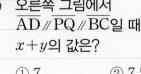
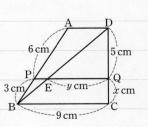

① 7 ② 7.5

③ 8 ④ 8.5

⑤ 9

09 오른쪽 그림과 같은 사다리꼴 ABCD에서 $\overline{AD} /\!/ \overline{EF} /\!/ \overline{BC}$일 때, 다음 중 옳지 <u>않은</u> 것은?

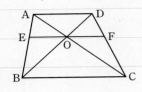

① $\triangle AOD \backsim \triangle COB$
② $\triangle AEO \backsim \triangle ABC$
③ $\overline{EO} = \overline{FO}$
④ $\overline{AD} : \overline{BC} = \overline{AO} : \overline{OC}$
⑤ $\overline{AE} : \overline{EB} = \overline{EO} : \overline{BC}$

10 오른쪽 그림에서 $l /\!/ m /\!/ n$일 때, x의 값은?

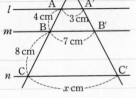

① 14   ② 15
③ 16   ④ 17
⑤ 18

11 오른쪽 그림에서 $l /\!/ m /\!/ n$일 때, x의 값은?

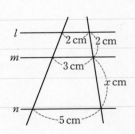

① 1   ② 2
③ 3   ④ 4
⑤ 5

12 오른쪽 그림에서 $\overline{AD} /\!/ \overline{EF} /\!/ \overline{BC}$ 이고 $\overline{AE} = 2\overline{EB}$일 때, $\overline{MN}$의 길이를 구하여라.

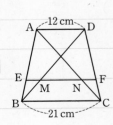

13 오른쪽 그림에서
$\overline{AD}\,/\!/\,\overline{EF}\,/\!/\,\overline{BC}$일 때, $\overline{EF}$의
길이를 구하여라.

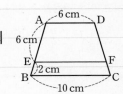

14 오른쪽 그림에서 $\overline{AB}$,
$\overline{DC}$, $\overline{PH}$ 모두 $\overline{BC}$에
수직일 때, $\overline{AB}$의 길이
는?

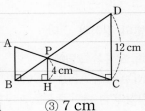

① 5 cm   ② 6 cm   ③ 7 cm

④ 8 cm   ⑤ 9 cm

15 오른쪽 그림에서
$\overline{AD}\,/\!/\,\overline{EF}\,/\!/\,\overline{CD}$일 때,
$\overline{BF}$의 길이를 구하여
라.

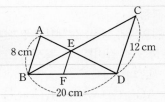

16 오른쪽 그림에서
$\overline{AB}\,/\!/\,\overline{CD}\,/\!/\,\overline{EF}\,/\!/\,\overline{GH}\,/\!/\,\overline{IJ}$,
$\overline{AC}=\overline{CE}=\overline{EG}=\overline{GI}$일
때, $\overline{CD}$의 길이는?

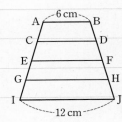

① 7.5 cm   ② 8 cm

③ 8.5 cm   ④ 9 cm

⑤ 9.5 cm

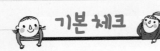 **10** 삼각형의 무게중심

학습목표 •삼각형의 무게중심의 뜻을 이해하고, 이를 활용할 수 있다.

기본 체크

01

오른쪽 그림에서 점 M, N은 각각 변 AB, AC의 중점일 때, 다음을 구하여라.

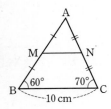

(1) ∠ANM의 크기

(2) $\overline{MN}=$의 길이

02

오른쪽 그림에서 점 G는 △ABC의 무게중심일 때, x의 값을 구하여라.

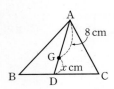

핵심 정리

삼각형의 중점 연결 정리

(1) 삼각형의 두 변의 중점을 연결한 선분은 나머지 한 변과 평행하고, 그 길이는 나머지 한 변의 길이의 $\frac{1}{2}$이다. 즉, 오른쪽 그림에서 $\overline{AM}=\overline{MB}$, $\overline{AN}=\overline{NC}$이면 $\overline{MN}/\!/\overline{BC}$, $\overline{MN}=\frac{1}{2}\overline{BC}$

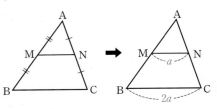

$\overline{AB}:\overline{AM}=\overline{AC}:\overline{AN}=2:1$이므로 $\overline{MN}/\!/\overline{BC}$이다.

(2) 삼각형의 한 변의 중점을 지나고 다른 한 변에 평행한 직선은 나머지 변의 중점을 지난다. 즉, 위의 그림에서 $\overline{AM}=\overline{MB}$, $\overline{MN}/\!/\overline{BC}$이면 $\overline{AN}=\overline{NC}$

삼각형의 무게중심

(1) 중선: 삼각형에서 한 꼭짓점과 그 대변의 중점을 이은 선분

(2) 삼각형의 무게중심: 삼각형의 세 중선의 교점

(3) 무게중심의 성질: 삼각형의 무게중심은 세 중선의 길이를 각 꼭짓점으로부터 2 : 1로 나눈다.
   ⇨ $\overline{AG}:\overline{GD}=\overline{BG}:\overline{GE}=\overline{CG}:\overline{GF}=2:1$

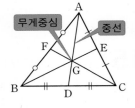

참고 정삼각형의 무게중심, 외심, 내심은 모두 일치한다. 또, 이등변삼각형의 무게중심, 외심, 내심은 모두 꼭지각의 이등분선 위에 있다.

대표예제

• 정답 및 풀이 28쪽

01 오른쪽 그림의 △ABC에서 점 D, E, F는 각각 변 AB, BC, AC의 중점이다.
$\overline{AB}=8$ cm, $\overline{BC}=12$ cm, $\overline{AC}=10$ cm일 때, △DEF의 둘레의 길이를 구하여라.

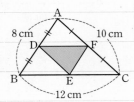

풀이 점 D, F는 각각 변 AB, AC의 중점이므로 $\overline{DF}=\dfrac{1}{2}\boxed{}=\boxed{}$(cm)

점 D, E는 각각 변 AB, BC의 중점이므로 $\overline{DE}=\dfrac{1}{2}\boxed{}=\boxed{}$(cm)

점 E, F는 각각 변 BC, AC의 중점이므로 $\overline{FE}=\dfrac{1}{2}\boxed{}=\boxed{}$(cm)

따라서 △DEF의 둘레의 길이는 $\boxed{}+\boxed{}+\boxed{}=\boxed{}$(cm)이다.

02 오른쪽 그림에서 $\overline{AM}$은 △ABC의 중선이고, 점 P는 $\overline{AM}$의 중점이다. △ACP의 넓이가 $4\ cm^2$일 때, △ABC의 넓이를 구하여라.

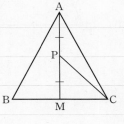

풀이 $\overline{CP}$가 △AMC의 중선이므로

△AMC=$\boxed{}$△ACP=$\boxed{}\times4=\boxed{}$(cm²)

또한, $\overline{AM}$이 △ABC의 중선이므로

△ABC=$\boxed{}$△AMC=$\boxed{}\times8=\boxed{}$(cm²)

> 삼각형의 중선은 그 삼각형의 넓이를 이등분한다.
> 즉, △ABC에서 $\overline{AM}$이 중선이면 △ABM=△ACM

03 오른쪽 그림에서 $\overline{AD}$는 △ABC의 중선이고, 점 G, G′은 각각 △ABC, △GBC의 무게중심이다. $\overline{AD}=27\ cm$일 때, $\overline{GG'}$의 길이를 구하여라.

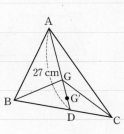

풀이 점 G가 △ABC의 무게중심이므로

$\overline{GD}=\boxed{}\overline{AD}=\boxed{}\times27=\boxed{}$(cm)

또한, 점 G′이 △GBC의 무게중심이므로

$\overline{GG'}=\boxed{}\overline{GD}=\boxed{}\times9=\boxed{}$(cm)

> 삼각형의 무게중심은 세 중선의 길이를 각 꼭짓점으로부터 2 : 1로 나눈다.

04 오른쪽 그림에서 점 G는 △ABC의 무게중심이다. △GBD=$5\ cm^2$일 때, △ABC의 넓이를 구하여라.

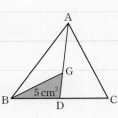

풀이 $\overline{AG}:\overline{GD}=2:1$이므로

△ABG : △GBD=$\boxed{}$

∴ △ABD=$\boxed{}$△GBD

이때 △ABD=△ACD이므로

△ABC=$\boxed{}$△ABD=$\boxed{}\times\boxed{}$△GBD

　　　=$\boxed{}$△GBD=$\boxed{}\times5=\boxed{}$(cm²)

> 삼각형의 무게중심과 세 꼭짓점을 이어서 생기는 3개의 삼각형의 넓이는 모두 같다.

삼각형의 무게중심과 넓이

오른쪽 그림에서 점 G가 △ABC의 무게중심일 때

(1) △AFG=△BGF=△BDG=△CDG=△CEG=△AEG=$\dfrac{1}{6}$△ABC

(2) △ABG=△BCG=△CAG=$\dfrac{1}{3}$△ABC

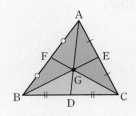

어떤 교과서에나 나오는 문제

01 오른쪽 그림과 같은 △ABC에서 $\overline{AM}=\overline{MB}$, $\overline{AN}=\overline{NC}$일 때, $\overline{BC}$의 길이는?

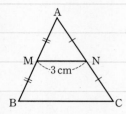

① 6 cm ② 6.5 cm
③ 7 cm ④ 7.5 cm
⑤ 8 cm

02 오른쪽 그림과 같은 △ABC에서 $\overline{AM}=\overline{MB}$, $\overline{MN}/\!/\overline{BC}$일 때, $\overline{NC}$의 길이는?

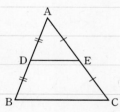

① 1 cm ② 1.5 cm
③ 2 cm ④ 2.5 cm
⑤ 3 cm

03 오른쪽 그림과 같은 △ABC에서 점 D, E는 각각 $\overline{AB}$, $\overline{AC}$의 중점일 때, 다음 중 옳지 <u>않은</u> 것은?

① △ADE∽△ABC
② $\overline{DE}/\!/\overline{BC}$
③ $\dfrac{\triangle ADE}{\square DBCE}=\dfrac{1}{4}$
④ $\overline{DE}:\overline{BC}=1:2$
⑤ △ADE와 △ABC의 닮음비는 1 : 2이다.

04 오른쪽 그림에서 점 G는 △ABC의 무게중심일 때, $\overline{CD}+\overline{GD}$의 길이를 구하여라.

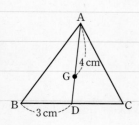

05 오른쪽 그림에서 점 G는
△ABC의 무게중심일 때,
$\overline{DE}$의 길이는?

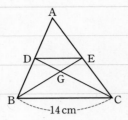

① 5 cm   ② 6 cm

③ 7 cm   ④ 8 cm

⑤ 9 cm

06 오른쪽 그림에서 점 G는
∠A＝90°인 △ABC의 무
게중심일 때, $\overline{AG}$의 길이
는?

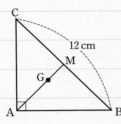

① 2 cm   ② 3 cm

③ 4 cm   ④ 5 cm

⑤ 6 cm

07 오른쪽 그림에서 점 G는
△ABC의 무게중심이고,
△ABC＝60 cm²일 때,
다음의 넓이를 각각 구하
여라.

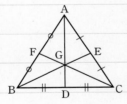

(1) △AFG

(2) △GBC

(3) □AFGE

08 오른쪽 그림에서 점 G는
△ABC의 무게중심이다.
△ABC＝48 cm²일 때,
△DGE의 넓이는?

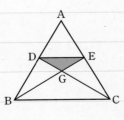

① 4 cm²   ② 6 cm²

③ 8 cm²   ④ 10 cm²

⑤ 12 cm²

시험에 꼭 나오는 문제

01 오른쪽 그림에서 점 M, N 은 각각 $\overline{AB}$, $\overline{CD}$의 중점 이고, $\overline{AD}\,/\!/\,\overline{MN}\,/\!/\,\overline{BC}$일 때, $\overline{PQ}$의 길이는?

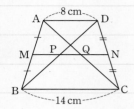

① 1 cm   ② 2 cm
③ 3 cm   ④ 4 cm
⑤ 5 cm

02 오른쪽 그림과 같은 △ABC 에서 점 D, E, F는 각각 $\overline{AB}$, $\overline{BC}$, $\overline{CA}$의 중점일 때, △DEF의 둘레의 길이는?

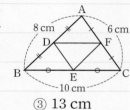

① 11 cm   ② 12 cm   ③ 13 cm
④ 14 cm   ⑤ 15 cm

03 오른쪽 그림과 같은 □ABCD의 네 변의 중점 을 각각 E, F, G, H라 하자. $\overline{AC}=16$ cm, $\overline{BD}=18$ cm일 때, □EFGH의 둘레의 길이는?

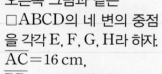
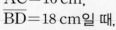

① 26 cm   ② 28 cm   ③ 30 cm
④ 32 cm   ⑤ 34 cm

04 오른쪽 그림과 같은 △ABC 에서 $\overline{AC}$의 중점을 D, $\overline{AB}$를 삼등분하는 점을 각각 E, F 라 하고, $\overline{BD}$와 $\overline{CF}$의 교점을 G라 할 때, $\overline{FC}$의 길이는?

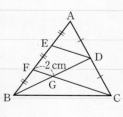

① 4 cm   ② 6 cm   ③ 8 cm
④ 10 cm   ⑤ 12 cm

05 오른쪽 그림과 같은 □ABCD에서 변 AD, BC의 중점을 각각 P, Q라 하고, 대각선 AC, BD의 중점을 각각 R, S라 할 때, □PSQR는 어떤 사각형인지와 □PSQR의 둘레의 길이를 알맞게 짝지은 것은?

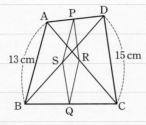

중요도 □ 손도 못댐 □ 과정 실수 □ 틀린 이유:

① 평행사변형, 28 cm ② 평행사변형, 27 cm
③ 평행사변형, 26 cm ④ 마름모, 28 cm
⑤ 마름모, 26 cm

06 오른쪽 그림과 같은 평행사변형 ABCD에서 점 E, F, G, H는 각 변의 중점이고 $\overline{BH}=12$ cm, $\overline{AG}=13$ cm일 때, □PQRS의 둘레의 길이는?

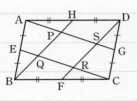

중요도 □ 손도 못댐 □ 과정 실수 □ 틀린 이유:

① 20 cm ② 22 cm ③ 24 cm
④ 26 cm ⑤ 28 cm

07 오른쪽 그림에서 점 G는 △ABC의 무게중심이고 점 G′은 △GBC의 무게중심일 때, $\overline{G'D}$의 길이는?

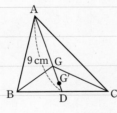

중요도 □ 손도 못댐 □ 과정 실수 □ 틀린 이유:

① 1 cm ② 1.5 cm
③ 2 cm ④ 2.5 cm
⑤ 3 cm

08 오른쪽 그림에서 점 G는 △ABC의 무게중심이고 점 G′은 △GBC의 무게중심일 때, $\overline{GG'}$의 길이는?

중요도 □ 손도 못댐 □ 과정 실수 □ 틀린 이유:

① 2 cm ② 2.5 cm
③ 3 cm ④ 3.5 cm
⑤ 4 cm

중요도 ☐ 손도 못댐 ☐ 과정 실수 ☐ 틀린 이유:

09 오른쪽 그림과 같은 평행사변형 ABCD에서 두 점 M, N을 각각 $\overline{BC}$, $\overline{AD}$의 중점이고 □AOQN의 넓이가 4 cm² 일 때, □PMCQ의 넓이는?

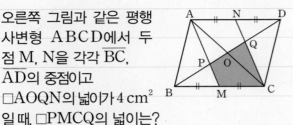

① 5 cm²   ② 6 cm²   ③ 7 cm²
④ 8 cm²   ⑤ 9 cm²

중요도 ☐ 손도 못댐 ☐ 과정 실수 ☐ 틀린 이유:

10 오른쪽 그림에서 점 G는 ∠C=90°인 △ABC의 무게중심이고, 점 G′은 △AGB의 무게중심일 때, $\overline{GG'}$의 길이는?

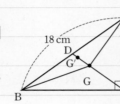

① 1 cm   ② 2 cm   ③ 3 cm
④ 4 cm   ⑤ 5 cm

중요도 ☐ 손도 못댐 ☐ 과정 실수 ☐ 틀린 이유:

11 오른쪽 그림에서 점 G는 △ABC의 무게중심이고, 두 점 D, E는 각각 $\overline{BG}$, $\overline{CG}$의 중점이다.
△ABC=12 cm²일 때, 색칠한 부분의 넓이는?

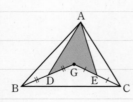

① 2 cm²   ② 3 cm²   ③ 4 cm²
④ 5 cm²   ⑤ 6 cm²

중요도 ☐ 손도 못댐 ☐ 과정 실수 ☐ 틀린 이유:

12 오른쪽 그림과 같은 평행사변형 ABCD에서 $\overline{BC}$, $\overline{CD}$의 중점을 각각 E, F 라 하고 $\overline{AE}$, $\overline{AF}$와 $\overline{BD}$의 교점을 각각 P, Q라 하자. △ABP의 넓이가 8 cm²일 때, 색칠한 부분의 넓이는?

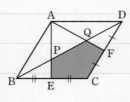

① 10 cm²   ② 12 cm²   ③ 14 cm²
④ 16 cm²   ⑤ 18 cm²

• 정답 및 풀이 29쪽

13 오른쪽 그림과 같은 △ABC에서 $\overline{AE}=\overline{EB}$, $\overline{AF}=\overline{FC}$, $\overline{BD}:\overline{DC}=2:1$일 때, $\overline{EG}$의 길이는?

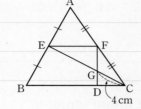

중요도 ☐ 손도 못댐 ☐ 과정 실수 ☐ 틀린 이유:

① 5 cm　　② 6 cm
③ 7 cm　　④ 8 cm
⑤ 9 cm

14 오른쪽 그림과 같은 평행사변형 ABCD에서 점 E, F는 각각 $\overline{BC}$, $\overline{CD}$의 중점이고, 점 G, H는 각각 $\overline{BD}$와 $\overline{AE}$, $\overline{AF}$의 교점이다. △AGH의 넓이가 12 cm²일 때, △CFE의 넓이는?

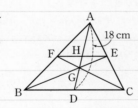

중요도 ☐ 손도 못댐 ☐ 과정 실수 ☐ 틀린 이유:

① 7 cm²　　② 8 cm²　　③ 9 cm²
④ 10 cm²　　⑤ 11 cm²

15 오른쪽 그림에서 점 G는 △ABC의 무게중심일 때, $\overline{HG}$의 길이는?

중요도 ☐ 손도 못댐 ☐ 과정 실수 ☐ 틀린 이유:

① 2 cm　　② 3 cm
③ 4 cm　　④ 5 cm
⑤ 6 cm

16 오른쪽 그림에서 두 점 D, E는 $\overline{BC}$의 삼등분점이고, 점 F는 $\overline{AE}$의 중점이다. △BDG=2 cm²일 때, △ABC의 넓이는?

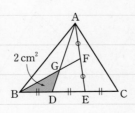

중요도 ☐ 손도 못댐 ☐ 과정 실수 ☐ 틀린 이유:

① 16 cm²　　② 17 cm²　　③ 18 cm²
④ 19 cm²　　⑤ 20 cm²

11 닮은 도형의 활용

학습목표 • 닮음비를 이용하여 닮은 도형의 넓이와 부피를 구할 수 있다.
• 닮은 도형의 성질을 이용하여 여러 가지 문제를 해결할 수 있다.

 기본 체크

01
닮음비가 1 : 2인 두 평면도형에 대하여 다음을 구하여라.

(1) 두 평면도형의 둘레의 길이의 비

(2) 두 평면도형의 넓이의 비

02
다음의 두 닮은 입체도형에 대하여 부피의 비를 구하여라.

(1) 닮음비가 2 : 3인 두 원뿔

(2) 닮음비가 1 : 4인 두 사면체

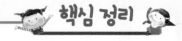 핵심 정리

닮은 도형의 넓이의 비
닮음인 두 도형의 닮음비가
$m : n$일 때

(1) 둘레의 길이의 비 ⇨ $m : n$

(2) 넓이의 비 ⇨ $m^2 : n^2$

참고 오른쪽 그림의 두 삼각형의 넓이는

$$\triangle ABC = \frac{1}{2} \times ma \times mc = \frac{1}{2}m^2 ac$$

$$\triangle DEF = \frac{1}{2} \times na \times nc = \frac{1}{2}n^2 ac$$

따라서 △ABC와 △DEF의 넓이의 비는

$$\triangle ABC : \triangle DEF = \frac{1}{2}m^2 ac : \frac{1}{2}n^2 ac = m^2 : n^2$$

닮은 입체도형의 겉넓이와 부피의 비
닮음인 두 입체도형의 닮음비가
$m : n$일 때

(1) 겉넓이의 비 ⇨ $m^2 : n^2$

(2) 부피의 비 ⇨ $m^3 : n^3$

참고 오른쪽 그림의 두 직육면체의 부피는

$(F의 \ 부피) = ma \times mb \times mc = m^3 abc$

$(F'의 \ 부피) = na \times nb \times nc = n^3 abc$

따라서 두 직육면체의 부피의 비는

$(F의 \ 부피) : (F'의 \ 부피) = m^3 abc : n^3 abc = m^3 : n^3$

 대표예제

• 정답 및 풀이 31쪽

01
오른쪽 그림에서 □ABCD와 □EFGH는 서로 닮은 도형이다. 두 사각형의 닮음비가 3 : 5이고 □ABCD의 넓이가 18 cm²일 때, □EFGH의 넓이를 구하여라.

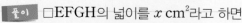

풀이 □EFGH의 넓이를 x cm²라고 하면

□ABCD : □EFGH $= 3^2 :$ ☐ $=$ ☐ $: x$

$9x =$ ☐ $\times 18$ ∴ $x =$ ☐

따라서 □EFGH의 넓이는 ☐ cm²이다.

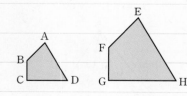
닮은 도형의 넓이의 비의 활용 문제 푸는 순서
(ⅰ) 닮은 도형을 찾는다.
(ⅱ) 닮음비를 구한다.
(ⅲ) 넓이의 비를 구한다.
(ⅳ) 넓이를 구한다.

02 오른쪽 그림에서 △ABC∽△ADE이고 $\overline{AD}=10$ cm, $\overline{BD}=5$ cm이다. △ABC의 넓이가 12 cm²일 때, △ADE의 넓이를 구하여라.

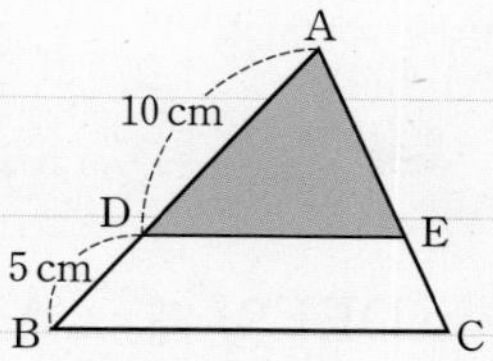

풀이 △ABC∽△ADE이므로 닮음비는

$\overline{AB} : \boxed{} = 15 : \boxed{} = \boxed{}$ 이다.

이때 넓이의 비는 $\boxed{} = \boxed{}$ 이므로

$\triangle ABC : \triangle ADE = 12 : \triangle ADE = \boxed{}$

$\therefore \triangle ADE = \boxed{}$ (cm²)

닮음비가 $m : n$인 도형의 넓이의 비는 $m^2 : n^2$이다.

03 오른쪽 그림의 두 삼각뿔 A와 B는 닮음비가 2 : 3인 닮은 도형이다. 삼각뿔 A의 부피가 32 cm³일 때, 삼각뿔 B의 부피를 구하여라.

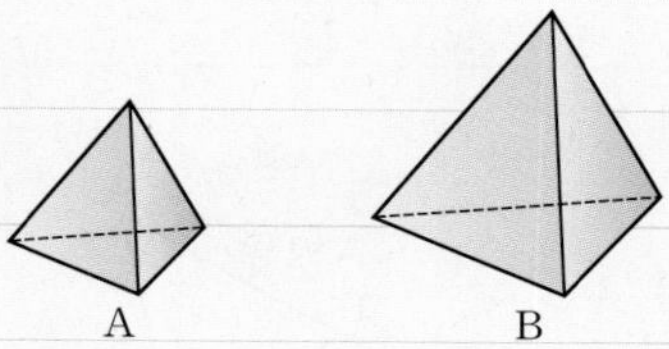

풀이 닮은 두 삼각뿔 A와 B의 부피를 각각 V, V'이라고 하면

A와 B의 닮음비가 2 : 3이므로 부피의 비는

$V : V' = \boxed{} = \boxed{}$

이때 $V = 32$ cm³이므로 $32 : V' = \boxed{}$

$\therefore V' = \boxed{}$ (cm³)

닮은 도형의 부피의 비의 활용 문제 푸는 순서
(ⅰ) 닮은 도형을 찾는다.
(ⅱ) 닮음비를 구한다.
(ⅲ) 부피의 비를 구한다.
(ⅳ) 부피를 구한다.

04 $\dfrac{1}{2000000}$로 축소한 지도에서 울릉도에서 독도까지의 거리를 재어 보았더니 4.37 cm이었다. 울릉도와 독도 사이의 실제 거리는 몇 km인지 구하여라.

풀이 (지도상의 거리) : (실제의 거리) $= \boxed{}$ 이므로

지도의 모양과 실제의 모양의 닮음비는 $\boxed{}$ 이다.

따라서 울릉도와 독도 사이의 실제 거리를 x라고 하면

$4.37 : x = \boxed{}$

$\therefore x = 4.37 \times \boxed{}$ (cm) $= \boxed{}$ (km)

지도에서 축척은 $1 : 25000$ 또는 $\dfrac{1}{25000}$과 같이 나타낸다. 이는 지도에서의 거리와 실제 거리의 닮음비가 $1 : 25000$임을 뜻한다.

축도와 축척

직접 측정하기 어려운 높이나 거리 등은 도형의 닮음을 이용한 축도를 그려서 구할 수 있다.
(1) 축도: 어떤 도형을 일정한 비율로 줄인 그림
(2) 축척: 축도에서 실제 도형을 줄인 비율, (축척) $= \dfrac{(축도에서의 길이)}{(실제 길이)}$

중요도 ☐ 손도 못댐 ☐ 과정 실수 ☐ 틀린 이유:

01 다음 그림에서 △ABC∽△DEF일 때, △ABC
와 △DEF의 둘레의 길이의 비는?

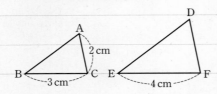

① 1 : 2　　② 2 : 3　　③ 3 : 4
④ 3 : 5　　⑤ 9 : 16

중요도 ☐ 손도 못댐 ☐ 과정 실수 ☐ 틀린 이유:

02 오른쪽 그림에서
△ABC와 △EBD의 넓
이의 비는?

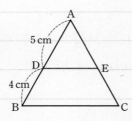

① 2 : 1　　② 3 : 1
③ 3 : 2　　④ 4 : 1
⑤ 9 : 4

중요도 ☐ 손도 못댐 ☐ 과정 실수 ☐ 틀린 이유:

03 오른쪽 그림에서
$\overline{DE}\,/\!/\,\overline{BC}$일 때, △ABC와
△ADE의 둘레의 길이의
비를 구하여라.

중요도 ☐ 손도 못댐 ☐ 과정 실수 ☐ 틀린 이유:

04 부피의 비가 8 : 27인 닮은 두 원기둥의 밑면의
넓이의 비는?

① 2 : 3　　② 4 : 9　　③ 6 : 9
④ 8 : 27　　⑤ 16 : 81

05 닮음인 두 직육면체의 겉넓이의 비가 9 : 25이다. 큰 직육면체의 부피가 500 cm³일 때, 작은 직육면체의 부피는?

① 96 cm³ ② 108 cm³ ③ 180 cm³
④ 250 cm³ ⑤ 300 cm³

06 오른쪽 그림과 같은 삼각뿔에서 세 점 P, Q, R는 세 모서리의 중점이다. 삼각뿔 O−ABC의 부피가 40 cm³일 때, 삼각뿔 O−PQR의 부피는?

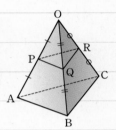

① 4 cm³ ② 5 cm³
③ 8 cm³ ④ 12 cm³
⑤ 16 cm³

07 지름의 길이가 1 m인 쇠공을 녹여서 지름의 길이가 5 cm인 쇠공을 만들려고 한다. 몇 개나 만들 수 있는가?

① 6000개 ② 7000개 ③ 8000개
④ 9000개 ⑤ 10000개

08 실제 거리가 5 km인 두 지점 사이의 거리가 축척이 $\dfrac{1}{10000}$인 지도에서 그려지는 거리는?

① 0.5 cm ② 5 cm ③ 50 cm
④ 5 m ⑤ 50 m

01 오른쪽 그림과 같은
△ABC에서 $\overline{DE} /\!/ \overline{BC}$이
고 $\overline{AD} : \overline{DB} = 3 : 4$이다.
△ADE = 9 cm²일 때,
□DBCE의 넓이는?

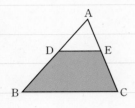

① 20 cm²　② 25 cm²　③ 30 cm²
④ 35 cm²　⑤ 40 cm²

02 오른쪽 그림과 같이 원의
중심이 같고 반지름의 길
이의 비가 1 : 2 : 3인 세
원에서 세 부분 A, B, C의
넓이의 비는?

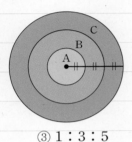

① 1 : 1 : 1　② 1 : 2 : 3　③ 1 : 3 : 5
④ 1 : 4 : 9　⑤ 1 : 5 : 13

03 오른쪽 그림과 같은
△ABC에서 $\overline{BC}$, $\overline{AC}$의
중점을 각각 D, E라고
하자. △ABC의 넓이가
36 cm²일 때, △CED의
넓이는?

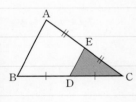

① 3 cm²　② 6 cm²　③ 9 cm²
④ 12 cm²　⑤ 18 cm²

04 어느 피자 가게에서 피자의 가격은 피자의 윗면
의 넓이에 정비례한다고 한다. 지름의 길이가
30 cm인 피자의 가격이 8000원이라 할 때, 지름
의 길이가 45 cm인 피자의 가격은? (단, 피자의
두께는 일정하다.)

① 12000원　② 18000원　③ 27000원
④ 36000원　⑤ 45000원

05 다음 중 옳지 <u>않은</u> 것은?

① 닮음비가 $1 : 3$인 두 삼각형의 넓이의 비는 $1 : 9$이다.

② 닮음비가 $2 : 3$인 두 사각형의 넓이의 비는 $4 : 9$이다.

③ 닮음비가 $1 : 2$인 두 사면체의 겉넓이의 비는 $1 : 8$이다.

④ 닮음비가 $2 : 3$인 두 원기둥의 부피의 비는 $8 : 27$이다.

⑤ 닮음비가 $1 : 3$인 두 부채꼴의 둘레의 길이의 비는 $1 : 3$이다.

06 닮은 두 직육면체의 겉넓이의 비가 $9 : 81$이고, 작은 직육면체의 부피가 $270 \ \mathrm{cm}^3$일 때, 큰 직육면체의 부피를 구하여라.

07 오른쪽 그림과 같이 높이가 $30 \ \mathrm{cm}$인 원뿔 모양의 그릇에 수면의 높이가 $15 \ \mathrm{cm}$가 되도록 물을 넣었을 때, 물과 그릇의 부피의 비는?

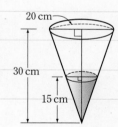

① $1 : 2$ ② $1 : 4$

③ $1 : 8$ ④ $1 : 16$

⑤ $1 : 32$

08 닮음비가 $2 : 3$인 두 개의 공이 있다. 작은 공을 색칠하는데 $200 \ \mathrm{g}$의 페인트가 쓰였을 때, 큰 공을 색칠하기 위해 필요한 페인트의 양은?

① $300 \ \mathrm{g}$ ② $350 \ \mathrm{g}$ ③ $400 \ \mathrm{g}$

④ $450 \ \mathrm{g}$ ⑤ $500 \ \mathrm{g}$

중요도 ☐ 손도 못댐 ☐ 과정 실수 ☐ 틀린 이유:

09 두 닮은 원기둥 A와 B의 높이의 비가 2 : 3이고, A의 부피가 40π cm³일 때, B의 부피는?

① 120π cm³   ② 125π cm³   ③ 130π cm³
④ 135π cm³   ⑤ 140π cm³

중요도 ☐ 손도 못댐 ☐ 과정 실수 ☐ 틀린 이유:

10 한 변의 길이가 100 m인 정사각형 모양의 땅을 축척이 $\dfrac{1}{500}$인 축도로 나타낼 때, 축도에서의 넓이는?

① 100 cm²   ② 400 cm²   ③ 500 cm²
④ 1000 cm²   ⑤ 2500 cm²

중요도 ☐ 손도 못댐 ☐ 과정 실수 ☐ 틀린 이유:

11 연못가의 두 나무 A, B 사이의 거리를 구하기 위하여 오른쪽 그림과 같은 축도를 그려 선분 AB의 길이를 재었더니 2.7 cm로 나타났다. 이 축도에서 실제 거리 100 m가 3 cm로 나타난다면 두 나무 A, B 사이의 실제 거리는?

① 90 m   ② 93 m   ③ 96 m
④ 99 m   ⑤ 102 m

중요도 ☐ 손도 못댐 ☐ 과정 실수 ☐ 틀린 이유:

12 한 변의 길이가 100 cm인 정사각형 모양의 색종이를 오려 한 변의 길이가 2 cm인 정사각형을 몇 개 만들 수 있는가?

① 1000개   ② 1500개   ③ 2000개
④ 2500개   ⑤ 3000개

중요도 ☐ 손도 못댐 ☐ 과정 실수 ☐ 틀린 이유:

13 큰 쇠구슬을 녹여서 크기가 같은 작은 쇠구슬 여러 개를 만들려고 한다. 이때 작은 쇠구슬의 반지름의 길이가 큰 구슬의 반지름의 길이의 $\frac{1}{3}$이면 작은 쇠구슬은 모두 몇 개 만들 수 있는지 구하여라.

중요도 ☐ 손도 못댐 ☐ 과정 실수 ☐ 틀린 이유:

14 오른쪽 그림과 같이 원뿔의 높이 $\overline{OH}$를 이등분하는 밑면에 평행한 평면 P로 이 원뿔을 자를 때 생기는 두 입체도형의 부피의 비는?

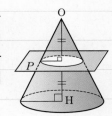

① 1 : 7 　　② 1 : 8
③ 2 : 5 　　④ 3 : 4
⑤ 4 : 7

중요도 ☐ 손도 못댐 ☐ 과정 실수 ☐ 틀린 이유:

15 오른쪽 그림과 같이 부피가 54 cm³인 원뿔을 원뿔의 높이를 삼등분하여 밑면에 평행인 평면으로 잘랐을 때, 가운데에 있는 원뿔대의 부피를 구하여라.

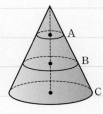

중요도 ☐ 손도 못댐 ☐ 과정 실수 ☐ 틀린 이유:

16 오른쪽 그림과 같은 원뿔 모양의 그릇에 물의 높이가 $\frac{3}{4}$이 되도록 일정한 속도로 물을 채우는데 54분이 걸렸다. 그릇에 물을 가득 채우려면 시간이 얼마나 더 걸리는가?

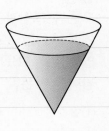

① 70분 　　② 74분 　　③ 78분
④ 82분 　　⑤ 86분

01 중요도 ☐ 손도 못댐 ☐ 과정 실수 ☐ 틀린 이유:

다음 중 두 도형이 항상 닮음인 관계에 있다고 할 수 <u>없는</u> 것은?

① 직각을 낀 두 변의 비가 같은 두 직각삼각형
② 꼭지각의 크기가 같은 두 이등변삼각형
③ 세 각의 크기가 같은 두 삼각형
④ 반지름의 길이가 같은 두 부채꼴
⑤ 한 밑각의 크기가 같은 두 이등변삼각형

02 중요도 ☐ 손도 못댐 ☐ 과정 실수 ☐ 틀린 이유:

오른쪽 그림과 같은 △ABC 에서 ∠ABD=∠ACB일 때, $\overline{CD}$의 길이는?

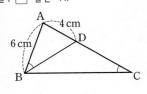

① 4.5 cm ② 5 cm
③ 5.5 cm ④ 6 cm
⑤ 6.5 cm

03 중요도 ☐ 손도 못댐 ☐ 과정 실수 ☐ 틀린 이유:

오른쪽 그림과 같은 △ABC 에서 ∠AED=∠ABC일 때, $\overline{BD}$의 길이는?

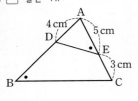

① 5 cm ② 5.5 cm
③ 5.6 cm ④ 5.8 cm
⑤ 6 cm

04 중요도 ☐ 손도 못댐 ☐ 과정 실수 ☐ 틀린 이유:

오른쪽 그림과 같이 ∠A=90°인 △ABC에서 점 M은 $\overline{BC}$의 중점이고 $\overline{AD}\perp\overline{BC}$, $\overline{DH}\perp\overline{AM}$일 때, $\overline{DH}$의 길이는?

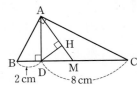

① 2 cm ② 2.2 cm ③ 2.4 cm
④ 2.6 cm ⑤ 2.8 cm

05 중요도 ☐ 손도 못댐 ☐ 과정 실수 ☐ 틀린 이유:

오른쪽 그림과 같은 △ABC 에서 $\overline{BC}\,/\!/\,\overline{DE}$일 때, $\dfrac{y}{x}$의 값은?

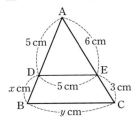

① 2 ② 2.5
③ 3 ④ 3.5
⑤ 4

06 중요도 ☐ 손도 못댐 ☐ 과정 실수 ☐ 틀린 이유:

오른쪽 그림과 같은 △ABC 에서 $\overline{AD}$는 ∠A의 이등분선 일 때, △ABD와 △ADC의 넓이의 비는?

① 2 : 1 ② 16 : 3 ③ 5 : 7
④ 4 : 9 ⑤ 3 : 7

07 중요도☐ 손도 못댐☐ 과정 실수☐ 틀린 이유:

오른쪽 그림에서 $\overline{AB}$와 $\overline{DE}$가 평행이 되도록 하는 $\overline{CD}$의 길이는?

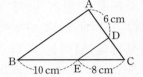

① 4.5 cm ② 4.6 cm
③ 4.8 cm ④ 5 cm
⑤ 5.2 cm

08 중요도☐ 손도 못댐☐ 과정 실수☐ 틀린 이유:

오른쪽 그림에서 $\overline{AD}/\!/\overline{EF}/\!/\overline{BC}$일 때, $\overline{EF}$의 길이는?

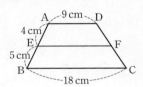

① 11 cm ② 12 cm
③ 13 cm ④ 14 cm
⑤ 15 cm

09 중요도☐ 손도 못댐☐ 과정 실수☐ 틀린 이유:

오른쪽 그림에서 $\overline{AB}/\!/\overline{EF}/\!/\overline{CD}$일 때, $\overline{CD}$의 길이는?

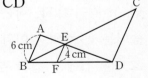

① 9 cm ② 10 cm
③ 11 cm ④ 12 cm
⑤ 13 cm

10 중요도☐ 손도 못댐☐ 과정 실수☐ 틀린 이유:

오른쪽 그림에서 $\overline{AD}/\!/\overline{BC}$, $\overline{AD}=4$ cm, $\overline{BC}=10$ cm이고, 점 M, N이 각각 $\overline{AB}$, $\overline{CD}$의 중점일 때, $\overline{PQ}$의 길이는?

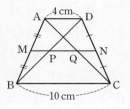

① 2 cm ② 2.5 cm
③ 3 cm ④ 3.5 cm
⑤ 4 cm

11 중요도☐ 손도 못댐☐ 과정 실수☐ 틀린 이유:

오른쪽 그림과 같은 △ABC에서 점 D, E, F는 각각 $\overline{AB}$, $\overline{BC}$, $\overline{CA}$의 중점이다. △DEF의 둘레의 길이는?

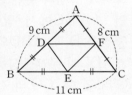

① 10 cm ② 11 cm
③ 12 cm ④ 13 cm
⑤ 14 cm

12 중요도☐ 손도 못댐☐ 과정 실수☐ 틀린 이유:

오른쪽 그림에서 $\overline{AD}=\overline{DB}$, $\overline{DF}=\overline{FE}$일 때, $\overline{CE}$의 길이는?

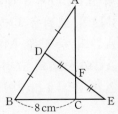

① 2 cm ② 2.5 cm
③ 3 cm ④ 3.5 cm
⑤ 4 cm

13
중요도 ☐ 손도 못댐 ☐ 과정 실수 ☐ 틀린 이유:

오른쪽 그림에서 $\overline{AD}$, $\overline{BR}$, $\overline{CP}$ 는 △ABC의 중선이고 점 G는 무게중심이다. $\overline{AG}$와 $\overline{PR}$이 만나는 점을 Q라고 할 때, $\overline{AQ}:\overline{QG}:\overline{GD}$는?

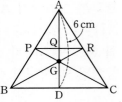

① $3:1:2$ ② $4:1:2$ ③ $5:2:3$
④ $4:2:3$ ⑤ $7:3:4$

14
중요도 ☐ 손도 못댐 ☐ 과정 실수 ☐ 틀린 이유:

오른쪽 그림과 같은 $\overline{AB}=\overline{AC}$ 인 △ABC에서 밑변 BC의 중점을 D, △ABD와 △ADC의 무게중심을 각각 G, G′라 할 때, $\overline{GG'}$의 길이는?

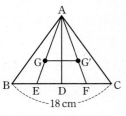

① 6 cm ② 8 cm ③ 10 cm
④ 12 cm ⑤ 14 cm

15
중요도 ☐ 손도 못댐 ☐ 과정 실수 ☐ 틀린 이유:

오른쪽 그림과 같은 평행사변형 ABCD에서 대각선 AC와 BD의 교점을 O라 하고, 변 AD의 중점을 M이라 하자. $\overline{AC}$와 $\overline{BM}$의 교점을 P라 하면 △ABP=4 cm²일 때, □ABCD의 넓이는?

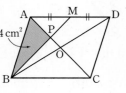

① 24 cm² ② 22 cm² ③ 20 cm²
④ 18 cm² ⑤ 16 cm²

16
중요도 ☐ 손도 못댐 ☐ 과정 실수 ☐ 틀린 이유:

오른쪽 그림과 같이 세 원 O, O′, O″에 의해 나누어지는 세 부분의 넓이를 각각 S_1, S_2, S_3라고 하자. $S_3=2$ cm²일 때, S_1-S_2의 값은?

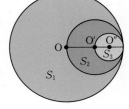

① 16 cm² ② 18 cm²
③ 20 cm² ④ 22 cm²
⑤ 24 cm²

17
중요도 ☐ 손도 못댐 ☐ 과정 실수 ☐ 틀린 이유:

오른쪽 그림과 같은 원뿔 모양의 그릇에 일정한 속도로 물을 가득 채우는데 40분이 걸린다고 한다. 현재 물의 높이가 그릇의 높이의 $\frac{1}{2}$ 만큼 되도록 물이 채워져 있을 때, 나머지를 채우는 데 걸리는 시간은?

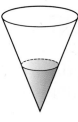

① 5분 ② 10분 ③ 15분
④ 25분 ⑤ 35분

18
중요도 ☐ 손도 못댐 ☐ 과정 실수 ☐ 틀린 이유:

다음 그림과 같이 서로 닮음인 두 컵이 있다. 작은 컵의 높이는 큰 컵의 높이의 $\frac{3}{5}$ 이고, 큰 컵에는 컵의 부피의 $\frac{1}{5}$ 에 해당하는 물 75 cm³가 들어 있다. 작은 컵의 부피는?

① 27 cm³ ② 75 cm³ ③ 81 cm³
④ 125 cm³ ⑤ 175 cm³

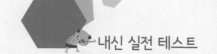

• 정답 및 풀이 33쪽

19 🖊 서술형 　중요도 ☐ 손도 못댐 ☐ 과정 실수 ☐ 틀린 이유:

다음 그림에서 △ABC∽△DEF이고, 닮음비가 2 : 3일 때, △ABC의 둘레의 길이를 구하여라.

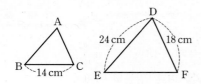

20 　중요도 ☐ 손도 못댐 ☐ 과정 실수 ☐ 틀린 이유:

오른쪽 그림에서 $k /\!/ l /\!/ m /\!/ n$일 때, $a+b+c+d$의 값을 구하여라.

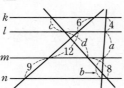

21 🖊 서술형 　중요도 ☐ 손도 못댐 ☐ 과정 실수 ☐ 틀린 이유:

오른쪽 그림에서 점 G는 △ABC의 무게중심이고 $\overline{BF} /\!/ \overline{DE}$일 때, $\overline{BG}$의 길이를 구하여라.

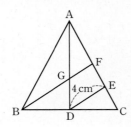

22 　중요도 ☐ 손도 못댐 ☐ 과정 실수 ☐ 틀린 이유:

오른쪽 그림에서 네 점 P, Q, R, S는 □ABCD의 각 변의 중점이다. △PBQ＝12 cm², △QCR＝10 cm², △SRD＝7 cm²일 때, △APS의 넓이를 구하여라.

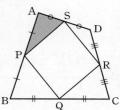

23 🖊 서술형 　중요도 ☐ 손도 못댐 ☐ 과정 실수 ☐ 틀린 이유:

다음 그림과 같이 크기가 같은 정육면체 모양의 두 상자 A, B가 있다. A 상자에는 구슬 1개가 딱맞게 들어가고, B 상자에는 크기가 같은 작은 구슬 8개가 딱맞게 들어갔다. 두 상자 A, B 안에 있는 구슬 전체의 겉넓이의 비를 구하여라.

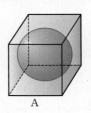 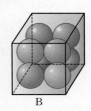

A　　　　　　　　B

24 　중요도 ☐ 손도 못댐 ☐ 과정 실수 ☐ 틀린 이유:

한 변의 길이가 1 km인 정사각형 모양의 땅을 축척이 $\dfrac{1}{20000}$인 축도로 나타낼 때, 축도에서의 넓이를 구하여라.

12 피타고라스 정리

학습목표 • 피타고라스 정리를 이해한다.

기본 체크

01
다음 직각삼각형에서 x의 값을 구하여라.

(1)
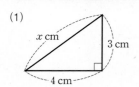

(2)
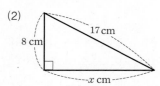

02
삼각형의 세 변의 길이가 각각 다음과 같을 때, 직각삼각형인 것을 찾아라.

(1) 5 cm, 12 cm, 13 cm

(2) 2 cm, 3 cm, 4 cm

핵심 정리

피타고라스 정리
직각삼각형에서 직각을 끼고 있는 두 변의 길이를 각각 a, b라 하고 빗변의 길이를 c라 할 때, 다음이 성립한다.

$$a^2 + b^2 = c^2$$

직각삼각형에서 빗변의 길이의 제곱은 직각을 끼고 있는 두 변의 길이의 제곱의 합과 같다.

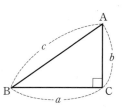

직각삼각형이 될 조건
세 변의 길이가 각각 a, b, c인 삼각형 ABC에서

$$a^2 + b^2 = c^2$$

인 관계가 성립하면 이 삼각형은 빗변의 길이가 c인 직각삼각형이다.

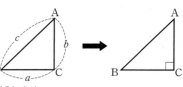

참고 삼각형의 각의 크기와 변의 길이의 관계
(1) ∠C = 90°이면 $c^2 = a^2 + b^2$
(2) ∠C < 90°이면 $c^2 < a^2 + b^2$
(3) ∠C > 90°이면 $c^2 > a^2 + b^2$

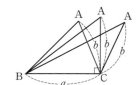

대표예제

• 정답 및 풀이 35쪽

01 다음 직각삼각형에서 x의 값을 구하여라.

(1)
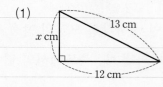

(2)
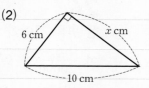

풀이 (1) 피타고라스 정리에 의하여 $\boxed{} + x^2 = \boxed{}$, $x^2 = \boxed{} - \boxed{} = \boxed{}$

따라서 $x = \boxed{}$

(2) 피타고라스 정리에 의하여 $\boxed{} + x^2 = \boxed{}$, $x^2 = \boxed{} - \boxed{} = \boxed{}$

따라서 $x = \boxed{}$

$a^2 + b^2 = c^2$이면
$c^2 = a^2 + b^2$
$a^2 = c^2 - b^2$
$b^2 = c^2 - a^2$

02 오른쪽 그림과 같이 ∠A＝90°인 직각삼각형 ABC에서 $\overline{AD}\perp\overline{BC}$일 때, $\overline{AD}$의 길이를 구하여라.

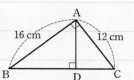

풀이 △ABC에서 $\overline{BC}^2=\boxed{}+\boxed{}=\boxed{}$

$\overline{BC}^2=\boxed{}=\boxed{}$ ∴ $\overline{BC}=\boxed{}$(cm)

$\triangle ABC=\dfrac{1}{2}\times\overline{AB}\times\overline{AC}=\dfrac{1}{2}\times\overline{AD}\times\overline{BC}$이므로

$\dfrac{1}{2}\times16\times12=\dfrac{1}{2}\times\overline{AD}\times\boxed{}$ ∴ $\overline{AD}=\boxed{}$(cm)

> △ABC의 넓이
> (1) $\dfrac{1}{2}\times\overline{AB}\times\overline{AC}$
> (2) $\dfrac{1}{2}\times\overline{AD}\times\overline{BC}$

---

03 세 변의 길이가 각각 다음과 같은 삼각형 중에서 직각삼각형인 것을 모두 골라라.

(1) 3, 4, 5   (2) 2, 3, 3

(3) 5, 12, 13   (4) 5, 13, 15

풀이 (1) $3^2+4^2=5^2$, $5^2=25$이므로 $3^2+4^2\boxed{}5^2$

(2) $2^2+3^2=13$, $3^2=9$이므로 $2^2+3^2\boxed{}3^2$

(3) $5^2+12^2=132$, $13^2=169$이므로 $5^2+12^2\boxed{}13^2$

(4) $5^2+13^2=194$, $15^2=225$이므로 $5^2+13^2\boxed{}15^2$

따라서 직각삼각형인 것은 $\boxed{}$, $\boxed{}$이다.

> 피타고라스 정리를 만족하는 세 자연수 a, b, c를 피타고라스의 수라고 한다. 예를 들면 (3, 4, 5), (5, 12, 13), (6, 8, 10), (7, 24, 25), (8, 15, 17) 등이 있다.

---

04 오른쪽 그림과 같은 □ABCD에서 두 대각선이 서로 직교할 때, x^2의 값을 구하여라.

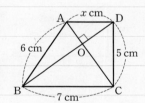

풀이 △AOB, △BOC, △COD, △DOA는 모두 직각삼각형이므로 피타고라스 정리에 의하여

$\overline{OA}^2+\overline{OB}^2=\boxed{}$ … ㉠, $\overline{OB}^2+\overline{OC}^2=\boxed{}$ … ㉡

$\overline{OC}^2+\overline{OD}^2=\boxed{}$ … ㉢, $\overline{OD}^2+\overline{OA}^2=\boxed{}$ … ㉣

㉠과 ㉢을 변끼리 더하면 $\overline{OA}^2+\overline{OB}^2+\overline{OC}^2+\overline{OD}^2=\boxed{}+\boxed{}$ … ㉤

㉡과 ㉣을 변끼리 더하면 $\overline{OB}^2+\overline{OC}^2+\overline{OD}^2+\overline{OA}^2=\boxed{}+\boxed{}$ … ㉥

㉤과 ㉥에 의하여 $\boxed{}+\boxed{}=7^2+x^2$

∴ $x^2=\boxed{}$

> 사각형 ABCD에서 두 대각선이 직교할 때, 다음이 성립한다.
> $\overline{AB}^2+\overline{CD}^2=\overline{AD}^2+\overline{BC}^2$

🐱 **피타고라스 정리의 이용**

(1) 직사각형 ABCD의 내의 한 점 P에 대하여
$\overline{AP}^2+\overline{CP}^2=\overline{BP}^2+\overline{DP}^2$

(2) 직각삼각형 ABC의 세 변을 각각 지름으로 하는 반원의 넓이를 각각 P, Q, R라 할 때, P＋Q＝R

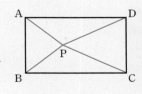
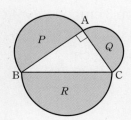

중요도 ☐ 손도 못댐 ☐ 과정 실수 ☐ 틀린 이유:

01 오른쪽 그림과 같은 □ABCD는 정사각형이고, □EFGH의 넓이가 100 cm²일 때, □ABCD의 넓이를 구하여라.

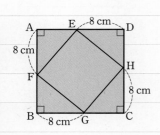

중요도 ☐ 손도 못댐 ☐ 과정 실수 ☐ 틀린 이유:

02 오른쪽 그림과 같은 삼각형 ABC에서 $\overline{AH} \perp \overline{BC}$ 일 때, $\overline{BH}^2$의 길이는?

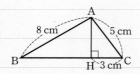

① 9 cm   ② 25 cm
③ 27 cm   ④ 40 cm
⑤ 48 cm

중요도 ☐ 손도 못댐 ☐ 과정 실수 ☐ 틀린 이유:

03 오른쪽 그림과 같은 직각삼각형 ABC에서 $y - x$의 값은?

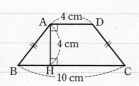

① 5   ② 6
③ 7   ④ 8
⑤ 9

중요도 ☐ 손도 못댐 ☐ 과정 실수 ☐ 틀린 이유:

04 오른쪽 그림과 같은 사다리꼴 ABCD에서 $\overline{AB} = \overline{CD}$일 때, $\overline{AB}$의 길이는?

① 3 cm   ② 4 cm
③ 4.5 cm   ④ 5 cm
⑤ 5.5 cm

중요도 ☐   손도 못댐 ☐   과정 실수 ☐   틀린 이유:

05 오른쪽 그림과 같은 직각삼각형 ABC에서 $\overline{AD}\perp\overline{BC}$일 때, $\overline{AD}$의 길이는?

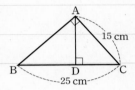

① 10 cm   ② 11 cm
③ 12 cm   ④ 13 cm
⑤ 14 cm

중요도 ☐   손도 못댐 ☐   과정 실수 ☐   틀린 이유:

06 오른쪽 그림과 같은 직각삼각형 ABC에서 점 D가 $\overline{BC}$의 중점일 때, $\overline{CD}$의 길이를 구하여라.

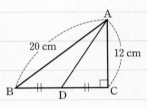

중요도 ☐   손도 못댐 ☐   과정 실수 ☐   틀린 이유:

07 오른쪽 그림에서
$\overline{AB}=\overline{BC}=\overline{CD}=\overline{DE}$
　　$=2$ cm,
$\angle ABC=\angle ACD=\angle ADE$
　　$=90°$
일 때, $\overline{AE}$의 길이를 구하여라.

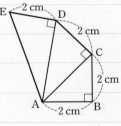

중요도 ☐   손도 못댐 ☐   과정 실수 ☐   틀린 이유:

08 오른쪽 그림은 넓이가 각각 36 cm², 16 cm²인 두 정사각형을 이어 붙인 것이다. x^2의 값을 구하여라.

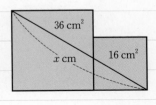

[01~02] 오른쪽 그림은 ∠A=90°인 직각삼각형 ABC의 세 변을 각각 한 변으로 하는 정사각형을 그린 것이다. 다음 물음에 답하여라.

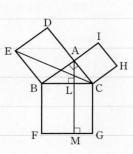

01 다음 중 △EBC와 넓이가 같지 않은 것은?

(정답 2개)

① △ABF ② △BCH ③ △BLF
④ △EBA ⑤ △ABC

중요도 ☐ 손도 못댐 ☐ 과정 실수 ☐ 틀린 이유:

02 $\overline{BC}=10$ cm, $\overline{AC}=6$ cm일 때, △ABF의 넓이는?

① 8 cm^2 ② 24 cm^2 ③ 32 cm^2
④ 36 cm^2 ⑤ 64 cm^2

중요도 ☐ 손도 못댐 ☐ 과정 실수 ☐ 틀린 이유:

03 오른쪽 그림은 4개의 합동인 직각삼각형을 맞추어 정사각형 ABCD를 만든 것이다. □PQRS의 넓이를 구하여라.

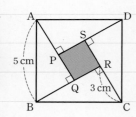

중요도 ☐ 손도 못댐 ☐ 과정 실수 ☐ 틀린 이유:

04 오른쪽 그림과 같은 직각삼각형 ABC에서 점 M은 △ABC의 외심일 때, $\overline{AM}$의 길이는?

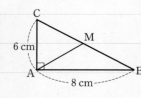

① 3 cm ② 4 cm ③ 5 cm
④ 6 cm ⑤ 7 cm

중요도 ☐ 손도 못댐 ☐ 과정 실수 ☐ 틀린 이유:

• 정답 및 풀이 36쪽

05 중요도 ☐ 손도 못댐 ☐ 과정 실수 ☐ 틀린 이유:

지면에 수직으로 서 있던 나무가 오른쪽 그림과 같이 쓰려졌다. 지면에서부터 부러지지 않은 부분까지의 높이가 6 m일 때, 부러진 부분의 길이를 구하여라.

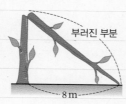

부러진 부분

8 m

06 중요도 ☐ 손도 못댐 ☐ 과정 실수 ☐ 틀린 이유:

오른쪽 그림에서 호는 점 O를 중심으로 하고 $\overline{OA'}$, $\overline{OB'}$, $\overline{OC'}$을 각각 반지름으로 하여 그린 것이다. $\overline{OC}^2 = 12$ cm일 때, $\overline{OA}$의 길이는?

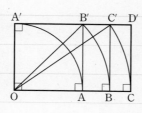

① 0.5 cm ② 1 cm ③ 2 cm
④ 2.5 cm ⑤ 3 cm

07 중요도 ☐ 손도 못댐 ☐ 과정 실수 ☐ 틀린 이유:

오른쪽 그림에서 $\overline{PF}^2$의 값은?

① 4 ② 5
③ 6 ④ 7
⑤ 8

08 중요도 ☐ 손도 못댐 ☐ 과정 실수 ☐ 틀린 이유:

△ABC에서 ∠A, ∠B, ∠C의 대변의 길이를 각각 a, b, c라 하자. ∠C>90°일 때, 다음 중 옳은 것을 모두 고르면? (정답 2개)

① $a+b>c$ ② $a+b<c$ ③ $a^2+b^2<c^2$
④ $a^2+b^2>c^2$ ⑤ $a^2+b^2=c^2$

시험에 꼭 나오는 문제

중요도 ☐ 손도 못댐 ☐ 과정 실수 ☐ 틀린 이유:

09 오른쪽 그림에서
∠BAC＝90°일 때,
△ACD는 어떤 삼각형
인가?

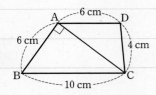

① 예각삼각형　　② 이등변삼각형
③ 정삼각형　　　④ 직각삼각형
⑤ 둔각삼각형

중요도 ☐ 손도 못댐 ☐ 과정 실수 ☐ 틀린 이유:

10 세 변의 길이가 각각 다음과 같은 삼각형 중 직각
삼각형이 <u>아닌</u> 것은?

① 3, 4, 5　　② 5, 12, 13　③ 7, 8, 13
④ 8, 15, 17　⑤ 12, 16, 20

중요도 ☐ 손도 못댐 ☐ 과정 실수 ☐ 틀린 이유:

11 오른쪽 그림의 □ABCD에
서 $\overline{AC} \perp \overline{BD}$일 때, $\overline{AD}^2$의
값은?

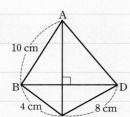

① 145 cm　　② 148 cm
③ 152 cm　　④ 154 cm
⑤ 156 cm

중요도 ☐ 손도 못댐 ☐ 과정 실수 ☐ 틀린 이유:

12 오른쪽 그림과 같은 직사
각형 ABCD의 내부의
한 점 P에 대하여 $\overline{DP}^2$
의 값은?

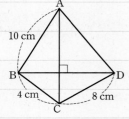

① 10 cm　　② 16 cm　　③ 18 cm
④ 24 cm　　⑤ 64 cm

13 오른쪽 그림에서
$\triangle ABE \equiv \triangle ECD$이고
세 점 B, E, C는 일직
선 위에 있다.
$\triangle AED = 50 \text{ cm}^2$일 때, 사다리꼴 ABCD의 넓
이를 구하여라.

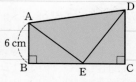

14 오른쪽 그림과 같이 직각삼
각형 ABC의 세 변을 각각
지름으로 하는 반원의 넓이
를 P, Q, R이라 하자. Q의
넓이가 $8\pi \text{ cm}^2$일 때, R의
넓이를 구하여라.

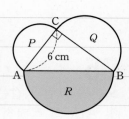

15 오른쪽 그림과 같이 직사각
형 ABCD를 대각선
BD를 접는 선으로 하여 접
었다. $\overline{AB} = 6 \text{ cm}$,
$\overline{AF} : \overline{BF} = 3 : 5$일 때,
$\overline{AF}$의 길이를 구하여라.

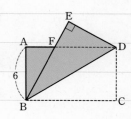

16 오른쪽 그림과 같이 직각
삼각형 ABC의 점 A가
$\overline{BC}$의 중점 D에 오도록
$\overline{EF}$를 따라 접었다.
$\triangle BDF$의 넓이가 5일 때,
$\overline{BF}$의 길이는?

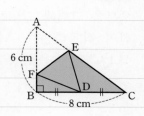

① $\dfrac{4}{3}$ cm ② $\dfrac{5}{2}$ cm ③ 2 cm

④ $\dfrac{7}{3}$ cm ⑤ $\dfrac{8}{3}$ cm

01 중요도☐ 손도 못댐☐ 과정 실수☐ 틀린 이유:

오른쪽 그림과 같은 직각삼각형 ABD에서 $\overline{AD}^2$의 값은?

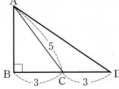

① 44   ② 48
③ 52   ④ 56
⑤ 60

02 중요도☐ 손도 못댐☐ 과정 실수☐ 틀린 이유:

오른쪽 그림과 같이 직각삼각형 ABC의 세 변을 각각 한 변으로 하는 정사각형을 그렸을 때, □BFML의 넓이는?

① 64 cm²   ② 60 cm²
③ 56 cm²   ④ 52 cm²
⑤ 48 cm²

03 중요도☐ 손도 못댐☐ 과정 실수☐ 틀린 이유:

삼각형의 세 변의 길이가 다음과 같을 때, 둔각삼각형인 것은? (정답 2개)

① 3 cm, 3 cm, 4 cm
② 2 cm, 5 cm, 6 cm
③ 4 cm, 5 cm, 6 cm
④ 4 cm, 6 cm, 8 cm
⑤ 10 cm, 11 cm, 13 cm

04 중요도☐ 손도 못댐☐ 과정 실수☐ 틀린 이유:

오른쪽 그림에서 $x+y$의 값은?

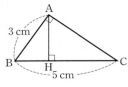

① 16   ② 17
③ 18   ④ 19   ⑤ 20

05 중요도☐ 손도 못댐☐ 과정 실수☐ 틀린 이유:

오른쪽 그림과 같은 직각삼각형 ABC의 꼭짓점 A에서 빗변에 내린 수선의 발을 H라 할 때, $\overline{AH}$의 길이는?

① 2 cm   ② $\frac{12}{5}$ cm   ③ $\frac{14}{5}$ cm

④ $\frac{16}{5}$ cm   ⑤ $\frac{18}{5}$ cm

06 중요도☐ 손도 못댐☐ 과정 실수☐ 틀린 이유:

오른쪽 그림과 같이 두 대각선이 직교하는 □ABCD에서 $\overline{BC}^2$의 값은?

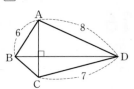

① 20   ② 21
③ 22   ④ 24
⑤ 25

07 중요도 □ 손도 못댐 □ 과정 실수 □ 틀린 이유:

오른쪽 그림과 같이 직각삼각형 ABC의 세 변을 각각 지름으로 하는 반원을 그렸다. $\overline{AB}=4$ cm, $\overline{AC}=6$ cm일 때, 색칠한 부분의 넓이는?

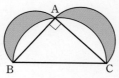

① 12 cm^2 ② 14 cm^2 ③ 16 cm^2
④ 18 cm^2 ⑤ 20 cm^2

08 중요도 □ 손도 못댐 □ 과정 실수 □ 틀린 이유:

오른쪽 그림과 같은 □ABCD에서 x의 값은?

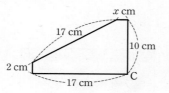

① 17 ② 18
③ 19 ④ 20
⑤ 21

09 중요도 □ 손도 못댐 □ 과정 실수 □ 틀린 이유:

오른쪽 그림과 같은 직사각형 모양의 종이의 한 부분을 잘랐을 때, x의 값을 구하여라.

① 0.5 ② 1
③ 1.5 ④ 2 ⑤ 2.5

10 중요도 □ 손도 못댐 □ 과정 실수 □ 틀린 이유:

오른쪽 그림에서 xy의 값은?

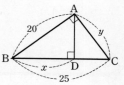

① 210 ② 220
③ 240 ④ 250
⑤ 270

11 중요도 □ 손도 못댐 □ 과정 실수 □ 틀린 이유:

오른쪽 그림과 같이 $\overline{AB}=\overline{AC}$인 이등변삼각형 ABC의 밑변 BC 위의 한 점 P에서 두 변 AB, AC에 내린 수선의 발을 각각 Q, R라 할 때, $\overline{PQ}=\overline{PR}$의 길이는?

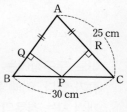

① 26 cm ② 25 cm ③ 24 cm
④ 23 cm ⑤ 22 cm

12 🖉 서술형 중요도 □ 손도 못댐 □ 과정 실수 □ 틀린 이유:

세 변의 길이가 각각 9, 40, 41인 삼각형의 넓이를 구하여라.

13 경우의 수

학습목표 • 사건의 뜻을 알고, 경우의 수를 구할 수 있다.

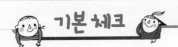 기본 체크

01

책꽂이에 꽂혀 있는 서로 다른 5권의 수학책과 서로 다른 3권의 영어책 중에서 한 권의 책을 고르는 경우의 수를 구하여라.

02

어느 문구점에는 볼펜 5종류, 연필 6종류가 있다. 이때 볼펜과 연필을 각각 한 개씩 사는 경우의 수를 구하여라.

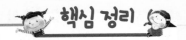 핵심 정리

사건과 경우의 수

(1) 사건: 같은 조건 아래에서 여러 번 반복한 실험이나 관찰을 통하여 얻을 수 있는 결과

(2) 경우의 수: 어떤 사건이 일어날 수 있는 모든 가짓수
→ 경우의 수를 구할 때에는 중복되지 않게, 빠짐없이 구해야 한다.

사건 A 또는 사건 B가 일어나는 경우의 수

두 사건 A, B가 동시에 일어나지 않을 때, 사건 A가 일어나는 경우의 수가 m, 사건 B가 일어나는 경우의 수가 n이면

(사건 A 또는 사건 B가 일어나는 경우의 수)$=m+n$
→ 경우의 수의 합의 법칙

두 사건 A, B가 동시에 일어나는 경우의 수

사건 A가 일어나는 경우의 수가 m, 그 각각에 대하여 사건 B가 일어나는 경우의 수가 n이면

(두 사건 A, B가 동시에 일어나는 경우의 수)$=m \times n$
→ 경우의 수의 곱의 법칙

참고 '두 사건 A와 B가 동시에 일어난다.'는 의미는 시간적으로 동시에 일어난다는 것만을 의미하는 것이 아니라 두 사건 A와 B가 모두 일어나는 것을 의미한다.

 대표예제

• 정답 및 풀이 38쪽

01

도자기 축제에 참여한 민서는 도자기에 스티커를 붙여 나만의 도자기를 만들고자 한다. 도자기에는 스티커를 한 장씩만 붙일 수 있는데, 스티커의 종류는 오른쪽 그림과 같았다. 민서가 스티커를 붙여 나만의 도자기를 만드는 경우의 수를 구하여라.

풀이 꽃 그림 스티커를 붙이는 경우의 수는 ☐이고,

동물 그림 스티커를 붙이는 경우의 수는 ☐이다.

이때 두 사건은 동시에 일어나지 않으므로 구하는 경우의 수는

☐＝☐

02 서로 다른 두 개의 주사위를 동시에 던질 때, 나오는 두 눈의 곱이 3 또는 6이 되는 경우의 수를 구하여라.

풀이 두 눈의 곱이 3이 되는 경우는 (1, 3), ☐의 ☐가지이고,

두 눈의 곱이 6이 되는 경우는 (1, 6), (2, 3), ☐, ☐의 ☐가지이다.

그런데 두 눈의 곱이 3이 되는 사건과 6이 되는 사건은 동시에 일어나지 않으므로 구하는 경우의 수는

☐=☐

일반적으로 문제에 '또는', '~이거나'라는 표현이 있으면 합의 법칙을 이용한다.

03 예림이네 중학교 2학년 학생들은 단체로 2박 3일 수련회를 떠났다. 수련회 프로그램에는 주간에 산을 오르는 체력 단련 코스가 3가지, 야간에 진행하는 담력 훈련 코스가 2가지가 있어 학생별로 선택할 수 있다고 한다. 예림이가 체력 단련 코스와 담력 훈련 코스를 각각 1가지씩 선택하는 방법의 경우의 수를 구하여라.

풀이 체력 단련 코스 중 1가지를 선택하는 경우의 수는 ☐이고,

담력 훈련 코스 중 1가지를 선택하는 경우의 수는 ☐이다.

따라서 각 코스를 1가지씩 선택하는 방법의 경우의 수는

☐=☐

일반적으로 문제에 '동시에', '그리고', '~와', '~하고 나서'라는 표현이 있으면 곱의 법칙을 이용한다.

04 네 개의 숫자 1, 2, 3, 4가 하나씩 적힌 4장의 카드에서 2장을 뽑아 만들 수 있는 두 자리 자연수는 모두 몇 개인지 구하여라.

풀이 두 자리 자연수에서 십의 자리에 올 수 있는 숫자는 1, 2, 3, 4의 ☐가지이고, 그 각각에 대하여 일의 자리에 올 수 있는 숫자는 십의 자리의 숫자를 제외한 ☐가지이다.

따라서 만들 수 있는 두 자리 자연수는 모두 ☐=☐(개)이다.

0이 포함된 카드가 있는 경우에 두 자리 자연수를 만들 때 십의 자리에는 0이 올 수 없음을 알아야 한다.

여러 가지 경우의 수

(1) n명을 일렬로 세우는 경우의 수: $n \times (n-1) \times (n-2) \times \cdots \times 2 \times 1$

(2) n명 중 2명을 뽑아 일렬로 세우는 경우의 수: $n \times (n-1)$

(3) n명 중 3명을 뽑아 일렬로 세우는 경우의 수: $n \times (n-1) \times (n-2)$

(4) n명 중에서 자격이 다른 2명의 대표를 뽑는 경우의 수: $n \times (n-1)$

(5) n명 중에서 자격이 같은 2명의 대표를 뽑는 경우의 수: $\dfrac{n \times (n-1)}{2}$

주의 자격이 같은 대표를 뽑는 경우에는 중복이 되는 경우의 수로 나누어 주어야 한다.

(6) 한 직선 위에 있지 않은 n개의 점 중에서 세 점을 이은 삼각형의 개수: $\dfrac{n \times (n-1) \times (n-2)}{3 \times 2 \times 1}$

01   1에서 30까지의 숫자가 적힌 30장의 카드가 있다. 이 카드에서 임의로 한 장을 뽑았을 때, 4의 배수가 나오는 경우의 수를 구하여라.

02   1에서 15까지의 숫자가 적힌 15장의 카드가 있다. 이 카드에서 임의로 한 장을 뽑았을 때, 3의 배수 또는 7의 배수가 나오는 경우의 수를 구하여라.

03   두 개의 주사위를 동시에 던질 때, 나오는 눈의 차가 2가 될 경우의 수는?

① 4   ② 6   ③ 8
④ 10   ⑤ 12

04   100원짜리, 50원짜리, 10원짜리 동전이 각각 6개씩 있다. 이 동전을 사용하여 330원을 지불하는 방법은 모두 몇 가지인가?

① 3가지   ② 4가지   ③ 5가지
④ 6가지   ⑤ 7가지

• 정답 및 풀이 39쪽

05 서로 다른 동전 3개와 주사위 1개를 동시에 던질 때, 일어날 수 있는 모든 경우의 수는?

중요도 ☐ 손도 못댐 ☐ 과정 실수 ☐ 틀린 이유:

① 32　② 48　③ 60
④ 120　⑤ 144

06 A, B, C, D, E 5명을 일렬로 세울 때, C를 가운데에 서게 하는 경우의 수는?

중요도 ☐ 손도 못댐 ☐ 과정 실수 ☐ 틀린 이유:

① 20　② 22　③ 24
④ 26　⑤ 28

07 0, 1, 2, 3, 4의 숫자가 각각 적힌 5장의 카드 중에서 2장을 뽑아 만들 수 있는 두 자리 정수 중 20 미만인 수의 개수는?

중요도 ☐ 손도 못댐 ☐ 과정 실수 ☐ 틀린 이유:

① 3　② 4　③ 5
④ 6　⑤ 7

08 어느 중학교 학생회장 선거에 출마한 후보 10명 중에서 대의원 2명을 뽑는 경우의 수를 구하여라.

중요도 ☐ 손도 못댐 ☐ 과정 실수 ☐ 틀린 이유:

시험에 꼭 나오는 문제

01 집에서 학교로 가는 버스 노선은 4가지가 있고, 지하철 노선은 3가지가 있다. 버스나 지하철을 이용하여 집에서 학교로 가는 방법의 경우의 수는?

① 7   ② 8   ③ 9
④ 10   ⑤ 12

02 두 개의 주사위를 동시에 던질 때, 나온 두 눈의 수의 차가 3이 되는 경우의 수는?

① 2   ② 4   ③ 6
④ 8   ⑤ 10

03 1에서 10까지의 숫자가 각각 적힌 10장의 카드가 있다. 이 카드 중에서 임의로 한 장을 뽑을 때, 4 미만 또는 7 이상의 수가 나올 경우의 수는?

① 3   ② 4   ③ 5
④ 6   ⑤ 7

04 4개의 자음 ㄷ, ㄹ, ㅁ, ㅂ과 3개의 모음 ㅏ, ㅓ, ㅗ가 있다. 이 중에서 자음 1개와 모음 1개를 짝지어 만들 수 있는 글자의 개수는?

① 3   ② 4   ③ 7
④ 9   ⑤ 12

05 서로 다른 두 개의 주사위를 동시에 던질 때, 나온 두 눈의 수의 곱이 홀수가 되는 경우의 수는?

중요도 ☐ 손도 못댐 ☐ 과정 실수 ☐ 틀린 이유:

① 6　　　　② 9　　　　③ 12
④ 15　　　　⑤ 18

06 1에서 5까지의 숫자가 각각 적힌 5장의 카드에서 2장을 뽑아 만들 수 있는 두 자리 정수 중 홀수의 개수는?

중요도 ☐ 손도 못댐 ☐ 과정 실수 ☐ 틀린 이유:

① 8　　　　② 10　　　　③ 12
④ 18　　　　⑤ 20

07 알파벳 a, b, c, d 문자를 사전식으로 배열할 때, $cbad$는 몇 번째인지 구하여라.

중요도 ☐ 손도 못댐 ☐ 과정 실수 ☐ 틀린 이유:

08 A, B, C, D, E의 5명 중에서 회장, 부회장, 총무를 각각 1명씩 뽑는 방법은 몇 가지인가?

중요도 ☐ 손도 못댐 ☐ 과정 실수 ☐ 틀린 이유:

① 15가지　　　② 30가지　　　③ 40가지
④ 60가지　　　⑤ 120가지

중요도 ☐ 손도 못댐 ☐ 과정 실수 ☐ 틀린 이유:

09 오른쪽 그림과 같이 원 위에 5개의 점이 있다. 세 점을 이어서 만들 수 있는 삼각형의 개수는?

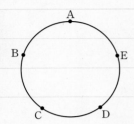

① 5   ② 9
③ 10   ④ 16
⑤ 20

중요도 ☐ 손도 못댐 ☐ 과정 실수 ☐ 틀린 이유:

10 예림, 유림, 준희, 재희 4명이 한 줄로 설 때, 예림이와 유림이가 이웃하여 서는 경우의 수는?

① 3   ② 6   ③ 8
④ 12   ⑤ 16

중요도 ☐ 손도 못댐 ☐ 과정 실수 ☐ 틀린 이유:

11 부모를 포함하여 5명의 가족이 나란히 앉아서 가족 사진을 찍을 때, 부모님 사이에 3명의 자녀가 앉는 경우의 수는?

① 8   ② 10   ③ 12
④ 14   ⑤ 16

중요도 ☐ 손도 못댐 ☐ 과정 실수 ☐ 틀린 이유:

12 영어 단어 KOREA의 5개의 문자를 일렬로 배열할 때, E 또는 A가 맨 앞에 오는 경우의 수를 구하여라.

13 남자 2명, 여자 2명을 한 줄로 세울 때, 여자 한 명을 두 번째에 오도록 세우는 경우의 수는?

중요도 ☐ 손도 못댐 ☐ 과정 실수 ☐ 틀린 이유:

① 8　　　　② 10　　　　③ 12
④ 14　　　　⑤ 16

14 민서는 100원, 50원, 10원짜리 동전을 각각 5개씩 가지고 있다. 이 동전을 사용하여 민서가 200원을 지불하는 경우의 수는?

중요도 ☐ 손도 못댐 ☐ 과정 실수 ☐ 틀린 이유:

① 4　　　　② 5　　　　③ 6
④ 7　　　　⑤ 8

15 0, 2, 4, 6, 8의 숫자가 각각 적힌 5장의 카드에서 2장을 뽑아 만들 수 있는 두 자리 정수의 개수는?

중요도 ☐ 손도 못댐 ☐ 과정 실수 ☐ 틀린 이유:

① 8　　　　② 10　　　　③ 12
④ 14　　　　⑤ 16

16 오른쪽 그림과 같이 A, B, C, D의 네 부분에 빨간색, 노란색, 파란색, 초록색의 네 가지 색을 칠하려고 한다. 같은 색을 중복해서 사용해도 좋으나 이웃한 곳에는 서로 다른 색을 칠할 때, 칠하는 경우의 수는?

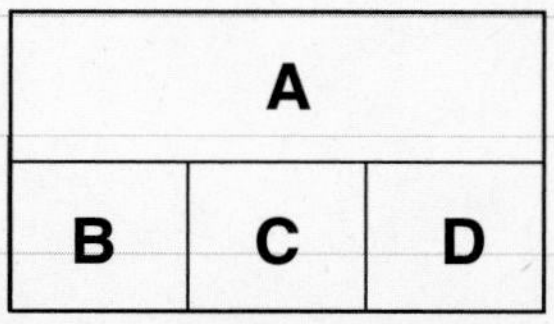

중요도 ☐ 손도 못댐 ☐ 과정 실수 ☐ 틀린 이유:

A		
B	C	D

① 12　　　　② 24　　　　③ 36
④ 48　　　　⑤ 60

14 확률의 뜻과 성질

학습목표 • 확률의 의미와 그 기본 성질을 이해한다.

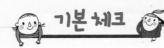 기본 체크

01

1에서 5까지의 수가 각각 적힌 5장의 카드에서 한 장을 뽑을 때, 카드에 적힌 수가 짝수일 확률을 구하여라.

02

주사위 한 개를 던질 때, 다음을 구하여라.

(1) 4의 눈이 나올 확률
(2) 4 이외의 눈이 나올 확률

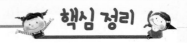 핵심 정리

확률
확률은 어떤 사건이 일어날 가능성을 수로 나타낸 것이다.
어떤 실험이나 관찰에서 각 경우가 일어날 가능성이 같을 때, 일어날 수 있는 모든 경우의 수를 n, 사건 A가 일어나는 경우의 수를 a 라고 하면 사건 A가 일어날 확률 p는

$$p = \frac{(\text{사건 A가 일어나는 경우의 수})}{(\text{모든 경우의 수})} = \frac{a}{n}$$

확률의 성질
(1) 어떤 사건이 일어날 확률을 p라 하면 $0 \leq p \leq 1$이다.
(2) 반드시 일어나는 사건의 확률은 1이다.
(3) 절대로 일어날 수 없는 사건의 확률은 0이다.

어떤 사건 A에 대하여 A가 일어나지 않을 사건을 A의 여사건이라 한다.

어떤 사건이 일어나지 않을 확률
사건 A가 일어날 확률을 p라고 하면
(사건 A가 일어나지 않을 확률)$=1-p$
주사위 1개를 던질 때, 2의 눈이 나오지 않을 확률은

$$1 - (\text{2의 눈이 나올 확률}) = 1 - \frac{1}{6} = \frac{5}{6}$$

참고 사건 A가 일어날 확률을 p, 사건 A가 일어나지 않을 확률을 q라 하면 $p + q = 1$

대표예제

• 정답 및 풀이 41쪽

01
서로 다른 두 개의 주사위를 동시에 던질 때, 나온 눈의 수의 합이 6일 확률을 구하여라.

풀이 서로 다른 주사위 A, B를 동시에 던질 때, 나올 수 있는 모든 경우의 수는

$6 \times \boxed{} = \boxed{}$

나온 눈의 수의 합이 6인 경우는

$(1, 5), (2, 4), \boxed{}, \boxed{}, (5, 1)$의 $\boxed{}$가지

따라서 구하는 확률은 $\boxed{}$이다.

> 같은 조건 아래에서 실험이나 관찰을 여러 번 반복할 때, 어떤 사건이 일어나는 상대도수가 일정한 값에 가까워지면 이 일정한 값을 그 사건이 일어날 확률이라 한다.

02 철인 3종 경기는 선수 한 명이 바다 수영, 사이클, 마라톤의 세 가지 종목을 차례로 모두 실시하는 경기로 극한의 인내심을 요구하는 스포츠이다. 다음을 구하여라.

(1) 철인 3종 경기를 완주한 선수가 마라톤에 참가했을 확률

(2) 마라톤을 완주하지 못한 선수가 우승할 확률

풀이 (1) 철인 3종 경기를 완주한 선수는 마라톤에 참가한 경우이므로 반드시 일어나는 사건이다.

따라서 구하는 확률은 $\boxed{}$ 이다.

(2) 마라톤을 완주하지 못하면 우승할 수 없으므로 절대로 일어나지 않는 사건이다.

따라서 구하는 확률은 $\boxed{}$ 이다.

> • 반드시 일어나는 사건의 확률 ⇨ 1
> • 절대로 일어날 수 없는 사건의 확률 ⇨ 0

03 서로 다른 두 개의 주사위를 동시에 던질 때, 나온 눈의 수가 서로 다를 확률을 구하여라.

풀이 두 주사위를 던질 때, 나오는 모든 경우의 수는 $6 \times \boxed{} = \boxed{}$ 이고,

같은 눈이 나오는 경우의 수는

$(1, 1), (2, 2), (3, 3), (4, 4), (5, 5), \boxed{}$

의 $\boxed{}$ 가지이므로 같은 눈이 나올 확률은 $\dfrac{\boxed{}}{36} = \boxed{}$ 이다.

따라서 구하는 확률은

$1 - ($같은 눈이 나올 확률$) = 1 - \boxed{} = \boxed{}$

> ' ~가 아닐 확률', '~을 못 할 확률' 등의 조건이 붙은 사건의 확률은 어떤 사건이 일어나지 않을 확률을 이용하면 편리하다.

04 서로 다른 두 개의 동전을 동시에 던질 대, 적어도 한 개는 앞면이 나올 확률을 구하여라.

풀이 서로 다른 두 개의 동전을 동시에 던질 때, 일어날 수 있는 모든 경우의 수는

$2 \times \boxed{} = \boxed{}$

모두 뒷면이 나오는 경우는 (뒷면, 뒷면)이므로 경우의 수는 $\boxed{}$ 이다.

즉, 두 개의 동전을 던질 때, 모두 뒷면이 나올 확률은 $\boxed{}$ 이다.

따라서 구하는 확률은

$1 - ($모두 뒷면이 나올 확률$) = 1 - \boxed{} = \boxed{}$

> '적어도 하나는 ~일 확률'은 어떤 사건이 일어나지 않을 확률을 이용하면 편리하다.

🦝 도형에서의 확률

모든 경우의 수는 도형의 전체 넓이로, 어떤 사건이 일어나는 경우의 수는 해당하는 부분의 넓이로 생각한다. 즉,

$($도형에서의 확률$) = \dfrac{(\text{해당하는 부분의 넓이})}{(\text{도형의 전체 넓이})}$

중요도 ☐ 손도 못댐 ☐ 과정 실수 ☐ 틀린 이유:

01 한 개의 주사위를 던질 때, 소수의 눈이 나올 확률은?

① $\frac{1}{6}$ ② $\frac{1}{5}$ ③ $\frac{1}{3}$

④ $\frac{3}{5}$ ⑤ $\frac{1}{2}$

중요도 ☐ 손도 못댐 ☐ 과정 실수 ☐ 틀린 이유:

02 두 개의 주사위를 동시에 던져서 나온 눈의 수를 각각 x, y라 할 때, $2x+y=10$일 확률은?

① $\frac{1}{12}$ ② $\frac{1}{9}$ ③ $\frac{1}{6}$

④ $\frac{2}{9}$ ⑤ $\frac{5}{12}$

중요도 ☐ 손도 못댐 ☐ 과정 실수 ☐ 틀린 이유:

03 1에서 5까지의 숫자가 각각 적힌 5장의 카드 중에서 두 장을 뽑아 두 자리 정수를 만들 때, 60 미만일 확률을 구하여라.

중요도 ☐ 손도 못댐 ☐ 과정 실수 ☐ 틀린 이유:

04 주머니 속에 흰 바둑돌 3개, 검은 바둑돌 5개가 들어 있다. 이 주머니에서 한 개의 바둑돌을 꺼낼 때, 빨간 바둑돌이 나올 확률을 구하여라.

05 20개의 제비 중에 당첨 제비가 5개 들어 있다. 제비 1개를 뽑을 때, 이것이 당첨 제비가 아닐 확률을 구하여라.

06 세 개의 동전을 동시에 던질 때, 적어도 한 개는 뒷면이 나올 확률은?

① $\dfrac{1}{8}$　　② $\dfrac{3}{8}$　　③ $\dfrac{1}{2}$

④ $\dfrac{3}{4}$　　⑤ $\dfrac{7}{8}$

07 내일은 야외 수업을 하는 날이다. 비가 오면 실내 수업을 하기로 하였는데 일기예보에 따르면 내일 비가 올 확률은 60 %이다. 이때 내일 야외 수업을 할 확률을 구하여라.

08 재희는 ○ 또는 ×를 표시하는 3개의 문제를 풀고 있다. 재희가 임의로 답을 표시할 때, 적어도 한 문제는 맞힐 확률을 구하여라.

중요도 ☐ 손도 못댐 ☐ 과정 실수 ☐ 틀린 이유:

01 두 개의 주사위를 동시에 던질 때, 나오는 눈의 수의 합이 6일 확률은?

① $\dfrac{1}{36}$ ② $\dfrac{1}{18}$ ③ $\dfrac{1}{9}$

④ $\dfrac{5}{36}$ ⑤ $\dfrac{1}{2}$

중요도 ☐ 손도 못댐 ☐ 과정 실수 ☐ 틀린 이유:

02 0에서 4까지의 숫자가 각각 적힌 5장의 카드 중에서 2장을 뽑아 두 자리 정수를 만들 때, 이 정수가 31 미만이 될 확률은?

① $\dfrac{9}{16}$ ② $\dfrac{1}{2}$ ③ $\dfrac{3}{8}$

④ $\dfrac{5}{16}$ ⑤ $\dfrac{1}{4}$

중요도 ☐ 손도 못댐 ☐ 과정 실수 ☐ 틀린 이유:

03 한 개의 주사위를 두 번 던져서 처음에 나온 눈의 수를 x, 다음에 나온 눈의 수를 y라 할 때, $2x+y=5$일 확률은?

① $\dfrac{1}{36}$ ② $\dfrac{1}{18}$ ③ $\dfrac{1}{9}$

④ $\dfrac{1}{6}$ ⑤ $\dfrac{1}{3}$

중요도 ☐ 손도 못댐 ☐ 과정 실수 ☐ 틀린 이유:

04 남학생 2명, 여학생 3명 중에서 대표 2명을 뽑을 때, 여학생만 2명 뽑힐 확률은?

① $\dfrac{1}{10}$ ② $\dfrac{3}{10}$ ③ $\dfrac{1}{3}$

④ $\dfrac{1}{2}$ ⑤ $\dfrac{3}{5}$

05 오른쪽 그림은 정십이면체의 각 면에 1부터 12까지의 수가 적혀 있는 주사위이다. 이 주사위를 한 번 던질 때, 10의 약수가 나올 확률은? (단, 바닥 면과 평행한 윗면에 적혀 있는 수를 읽는다.)

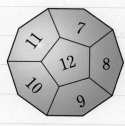

① $\dfrac{1}{6}$ ② $\dfrac{1}{4}$ ③ $\dfrac{1}{3}$

④ $\dfrac{5}{12}$ ⑤ $\dfrac{1}{2}$

06 준희, 재희, 민서가 임의로 한 줄로 서려고 한다. 이때 민서가 가운데 설 확률은?

① $\dfrac{1}{2}$ ② $\dfrac{2}{3}$ ③ $\dfrac{3}{4}$

④ $\dfrac{1}{3}$ ⑤ $\dfrac{1}{6}$

07 2개의 주사위 A, B를 동시에 던질 때, A의 눈의 수를 x, B의 눈의 수를 y라 한다. 이때 $10x+y$가 3의 배수일 확률은?

① $\dfrac{1}{4}$ ② $\dfrac{1}{3}$ ③ $\dfrac{1}{2}$

④ $\dfrac{2}{3}$ ⑤ $\dfrac{3}{4}$

08 A, B, C 3개의 보물 상자와 (가), (나), (다), (라), (마) 5개의 열쇠가 있다. 이 열쇠 5개 중 3개는 각 보물 상자의 열쇠이다. 이 열쇠 중 임의로 3개를 골라 보물 상자를 열 때, 보물 상자 A, B, C가 모두 열릴 확률을 구하여라.

중요도 ☐ 손도 못댐 ☐ 과정 실수 ☐ 틀린 이유:

09 길이가 3 cm, 5 cm, 8 cm, 9 cm인 막대 4개가
있다. 이 막대 중 3개를 골라서 삼각형을 만들
때, 삼각형이 만들어질 확률을 구하여라.

중요도 ☐ 손도 못댐 ☐ 과정 실수 ☐ 틀린 이유:

10 어떤 사건이 일어날 확률을 p, 그 사건이 일어나
지 않을 확률을 q라 할 때, 다음 중 옳은 것은?

① $p \times q = 1$　　② $p + q = 0$　　③ $p = q + 1$
④ $0 < p < 1$　　⑤ $q = 1 - p$

중요도 ☐ 손도 못댐 ☐ 과정 실수 ☐ 틀린 이유:

11 1에서 20까지의 수가 각각 적힌 카드 20장이 있
다. 이 중에서 한 장의 카드를 뽑을 때, 다음 중
확률이 0이 되는 것은?

① 0보다 작은 수가 나올 확률
② 5의 배수가 나올 확률
③ 5의 배수가 나오지 않을 확률
④ 20의 약수가 나올 확률
⑤ 3의 배수이거나 7의 배수가 나올 확률

중요도 ☐ 손도 못댐 ☐ 과정 실수 ☐ 틀린 이유:

12 다음 중 옳지 <u>않은</u> 것은?

① 어떤 사건이 일어날 확률을 p라고 하면
　$0 < p < 1$이다.
② 절대로 일어날 수 없는 사건의 확률은 0이다.
③ 반드시 일어나는 사건의 확률은 1이다.
④ 어떤 사건이 일어날 확률과 일어나지 않을 확
　률의 합은 1이다.
⑤ 사건 A가 일어날 확률이 p일 때, 사건 A가
　일어나지 않을 확률은 $1 - p$이다.

13 어떤 사건 A가 일어날 확률을 p, 일어나지 않을 확률을 q라고 할 때, 보기에서 옳은 것을 모두 고른 것은?

보기
ㄱ. $p+q=1$
ㄴ. $0 \le p \le 1,\ 0 \le q \le 1$
ㄷ. $q=1$이면 사건 A는 반드시 일어난다.

① ㄴ   ② ㄱ, ㄴ   ③ ㄱ, ㄷ
④ ㄴ, ㄷ   ⑤ ㄱ, ㄴ, ㄷ

14 다음 중 그 확률이 1인 것을 모두 고르면?

(정답 2개)

① 동전 1개를 던질 때, 앞면이 나올 확률
② 동전 1개를 던질 때, 앞면과 뒷면이 동시에 나올 확률
③ 주사위 1개를 던질 때, 눈의 수가 6 이하인 수가 나올 확률
④ 주사위 1개를 던질 때, 눈의 수가 6 이상인 수가 나올 확률
⑤ 흰 구슬이 5개 들어 있는 주머니에서 구슬 1개를 꺼낼 때, 흰 구슬이 나올 확률

15 한 개의 동전을 4번 던질 때, 적어도 한 번은 뒷면이 나올 확률은?

① $\dfrac{7}{16}$ ② $\dfrac{9}{16}$ ③ $\dfrac{11}{16}$
④ $\dfrac{13}{16}$ ⑤ $\dfrac{15}{16}$

16 남학생 3명과 여학생 2명이 있다. 이 학생들 중에서 2명의 대표를 뽑을 때, 남학생이 반드시 들어갈 확률은?

① $\dfrac{1}{10}$ ② $\dfrac{3}{10}$ ③ $\dfrac{2}{5}$
④ $\dfrac{3}{5}$ ⑤ $\dfrac{9}{10}$

15 확률의 계산

학습목표 • 사건 A 또는 사건 B가 일어날 확률을 구할 수 있다.
• 두 사건 A, B가 동시에 일어날 확률을 구할 수 있다.

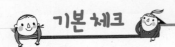 기본 체크

01

1에서 20까지의 자연수가 각각 적힌 20장의 카드에서 한 장의 카드를 뽑을 때, 5의 배수 또는 6의 배수가 나올 확률을 구하여라.

02

두 개의 주사위 A, B를 동시에 던질 때, 주사위 A에서는 5 이상의 눈이 나오고, 주사위 B에서는 짝수의 눈이 나올 확률을 구하여라.

핵심 정리

사건 A 또는 사건 B가 일어날 확률

두 사건 A, B가 동시에 일어나지 않을 때, 사건 A가 일어날 확률을 p, 사건 B가 일어날 확률을 q라고 하면 (한 사건이 일어나면 다른 사건은 절대 일어나지 않는다.)

(사건 A 또는 사건 B가 일어날 확률)$=p+q$ ← 확률의 덧셈

예 (한 개의 주사위를 던질 때 2 이하의 눈 또는 5 이상의 눈이 나올 확률)

$=$ (2 이하의 눈이 나올 확률)$+$(5 이상의 눈이 나올 확률)

$=\dfrac{2}{6}+\dfrac{2}{6}=\dfrac{4}{6}=\dfrac{2}{3}$

두 사건 A, B가 동시에 일어날 확률

두 사건 A, B가 서로 영향을 미치지 않을 때, 사건 A가 일어날 확률을 p, 사건 B가 일어날 확률을 q라고 하면 (사건 A가 일어나는 각각의 경우에 대하여 사건 B가 일어난다.)

(두 사건 A, B가 동시에 일어날 확률)$=p\times q$ ← 확률의 곱셈

예 (주사위 A에서 2 이하의 눈이 나오고 주사위 B에서 5 이상의 눈이 나올 확률)

$=$ (A에서 2 이하의 눈이 나올 확률)$\times$(B에서 5 이상의 눈이 나올 확률)

$=\dfrac{2}{6}\times\dfrac{2}{6}=\dfrac{4}{36}=\dfrac{1}{9}$

 대표예제

• 정답 및 풀이 43쪽

01

다음 표는 준희네 반 학생 33명을 대상으로 좋아하는 계절을 조사한 것이다. 한 학생을 뽑을 때, 그 학생이 여름 또는 겨울을 좋아하는 학생일 확률을 구하여라.

계절	봄	여름	가을	겨울	합계
학생 수(명)	9	5	12	7	33

풀이 한 학생을 뽑을 때, 그 학생이 여름을 좋아하는 학생일 확률은 $\dfrac{5}{33}$이고

겨울을 좋아하는 학생일 확률은 ☐이다.

따라서 구하는 확률은 $\dfrac{5}{33}$☐☐$=$☐$=$☐

일반적으로 문제에 '또는', '~이거나'와 같은 말이 있을 때 확률의 덧셈을 이용한다.

02 상자 속에 1에서 20까지의 수가 각각 적힌 카드 20장이 들어 있다. 이 상자에서 한 장의 카드를 꺼낼 때, 3의 배수 또는 7의 배수가 적힌 카드가 나올 확률을 구하여라.

풀이 한 장의 카드를 꺼낼 때 나올 수 있는 모든 경우의 수는 □이다.

이 중에서 3의 배수가 적힌 카드가 나올 경우의 수는 3, 6, 9, 12, 15, 18의 6이므로

3의 배수가 나올 확률은 □$=\dfrac{3}{10}$이다.

또, 7의 배수가 적힌 카드가 나올 경우의 수는 7, 14의 2이므로

7의 배수가 나올 확률은 □$=\dfrac{1}{10}$이다.

따라서 구하는 확률은 $\dfrac{3}{10}$□$\dfrac{1}{10}=$□$=$□

> (사건 A가 일어날 확률)
> +(사건 B가 일어날 확률)
> ⇨ 확률의 덧셈

03 A중학교 수학 동아리는 재희를 포함한 여학생 7명과 민서를 포함한 남학생 5명으로 이루어져 있다. 수학 체험 박람회에 학생 자원봉사 요원으로 참가할 여학생 대표 1명과 남학생 대표 1명을 뽑기로 하였을 때, 재희와 민서가 뽑힐 확률을 구하여라.

풀이 여학생 대표와 남학생 대표를 뽑는 사건은 서로 영향을 끼치지 않는다.

여학생 7명 중에서 1명의 대표를 뽑을 때 재희가 뽑힐 확률은 □이고

남학생 5명 중에서 1명의 대표를 뽑을 때 민서가 뽑힐 확률은 □이다.

따라서 구하는 확률은 $\dfrac{1}{7}$□$\dfrac{1}{5}=$□

> 일반적으로 문제에 '동시에', '그리고', '~와', '~하고 나서'와 같은 말이 있을 때 확률의 곱셈을 이용한다.

04 노란 공 3개, 파란 공 5개가 들어 있는 상자 A와 노란 공 4개, 파란 공 3개가 들어 있는 상자 B가 있다. 두 상자에서 각각 공 한 개씩 임의로 꺼낼 때, 두 공이 모두 노란 공일 확률을 구하여라.

풀이 상자 A에 들어 있는 공은 모두 3+5=8(개)이다.

이때 노란 공은 3개이므로 상자 A에서 노란 공을 꺼낼 확률은 □이다.

상자 B에 들어 있는 공은 모두 4+3=7(개)이다.

이때 노란 공은 4개이므로 상자 B에서 노란 공을 꺼낼 확률은 □이다.

따라서 구하는 확률은 $\dfrac{3}{8}$□$\dfrac{4}{7}=$□

> (사건 A가 일어날 확률)
> ×(사건 B가 일어날 확률)
> ⇨ 확률의 곱셈

🐭 **연속하여 뽑는 경우의 확률**

(1) 꺼낸 것을 다시 넣고 연속하여 뽑는 경우의 확률: 처음에 뽑은 것을 나중에 다시 뽑을 수 있으므로 처음과 나중의 조건이 같다.

(2) 꺼낸 것을 다시 넣지 않고 연속하여 뽑는 경우의 확률: 처음에 뽑은 것을 나중에 다시 뽑을 수 없으므로 처음과 나중의 조건이 다르다.

어떤 교과서에나 나오는 문제

01 두 개의 주사위를 동시에 던질 때, 나온 눈의 수의 차가 2 또는 3일 확률은?

① $\dfrac{5}{36}$ ② $\dfrac{1}{6}$ ③ $\dfrac{5}{18}$

④ $\dfrac{1}{3}$ ⑤ $\dfrac{7}{18}$

02 1, 2, 3, 4, 5가 각각 적힌 5장의 카드가 있다. 이 중에서 두 장을 뽑아 두 자리 정수를 만들 때, 십의 자리 숫자와 일의 자리 숫자가 모두 홀수일 확률은?

① $\dfrac{3}{10}$ ② $\dfrac{2}{5}$ ③ $\dfrac{1}{2}$

④ $\dfrac{3}{5}$ ⑤ $\dfrac{7}{10}$

03 비가 온 다음 날 비가 올 확률은 $\dfrac{3}{8}$이고, 비가 오지 않은 다음 날 비가 올 확률은 $\dfrac{1}{6}$이라고 한다. 월요일에 비가 왔을 때, 같은 주 수요일에 비가 올 확률을 구하여라.

04 주머니 속에 흰 공 3개와 검은 공 6개가 들어 있다. 이 주머니에서 공 1개를 꺼내 확인하고 다시 넣은 후 다시 1개를 꺼낼 때, 2개 모두 흰 공일 확률은?

① $\dfrac{1}{36}$ ② $\dfrac{1}{18}$ ③ $\dfrac{1}{9}$

④ $\dfrac{1}{6}$ ⑤ $\dfrac{1}{3}$

05 15개의 제비 중 3개의 당첨 제비가 들어 있다. 2개의 제비를 연속하여 뽑을 때, 2개 모두 당첨 제비일 확률을 구하여라. (단, 한 번 꺼낸 제비는 다시 넣지 않는다.)

중요도 ☐ 손도 못댐 ☐ 과정 실수 ☐ 틀린 이유:

06 어떤 시험에 종광이가 합격할 확률은 $\dfrac{3}{5}$, 병욱이가 합격할 확률은 $\dfrac{2}{3}$일 때, 두 사람 중 적어도 한 사람은 합격할 확률을 구하여라.

중요도 ☐ 손도 못댐 ☐ 과정 실수 ☐ 틀린 이유:

07 명중률이 각각 $\dfrac{2}{3}$, $\dfrac{3}{5}$인 두 양궁 선수가 화살을 한 번씩 쏘았을 때, 두 사람 모두 과녁에 명중시키지 못할 확률은?

중요도 ☐ 손도 못댐 ☐ 과정 실수 ☐ 틀린 이유:

① $\dfrac{1}{15}$　　② $\dfrac{2}{15}$　　③ $\dfrac{1}{5}$

④ $\dfrac{4}{15}$　　⑤ $\dfrac{2}{5}$

08 두 야구 선수 A, B의 타율은 각각 3할, 4할이다. A선수가 먼저 타석에 서고 B선수가 두 번째 타석에 설 때, 두 선수가 차례로 안타를 칠 확률을 구하여라.

중요도 ☐ 손도 못댐 ☐ 과정 실수 ☐ 틀린 이유:

시험에 꼭 나오는 문제

01 주머니 속에 빨간 공 3개, 노란 공 3개, 파란 공 4
개가 들어 있다. 이 주머니에서 임의로 한 개의
공을 꺼낼 때, 빨간 공 또는 파란 공이 나올 확률
은?

① $\dfrac{3}{10}$ ② $\dfrac{2}{5}$ ③ $\dfrac{1}{2}$

④ $\dfrac{3}{5}$ ⑤ $\dfrac{7}{10}$

02 어떤 지하철역에서 아침 9시에 도착 예정인 지하
철이 정시에 도착할 확률은 $\dfrac{1}{2}$, 정시보다 늦게
도착할 확률은 $\dfrac{1}{4}$이라고 한다. 이때 지하철이 정
시보다 빨리 도착할 확률을 구하여라.

03 준희, 재희, 민서 세 사람이 사격하여 목표물을
명중시킬 확률이 각각 $\dfrac{3}{4}$, $\dfrac{4}{5}$, $\dfrac{5}{6}$이다. 세 사람이
동시에 한 목표물을 사격할 때, 목표물을 명중시
킬 확률을 구하여라.

04 어떤 수학 문제를 유림이가 풀 확률은 $\dfrac{4}{5}$, 예림
이가 풀지 못할 확률은 $\dfrac{1}{3}$이라고 한다. 이 문제
를 유림이와 예림이 모두 풀지 못할 확률은?

① $\dfrac{1}{15}$ ② $\dfrac{2}{15}$ ③ $\dfrac{1}{5}$

④ $\dfrac{4}{15}$ ⑤ $\dfrac{1}{3}$

05 윤천이를 포함한 5명 중 대표 1명, 부대표 1명을 뽑을 때, 윤천이가 대표 또는 부대표가 될 확률은?

① $\dfrac{1}{10}$ ② $\dfrac{1}{5}$ ③ $\dfrac{3}{10}$

④ $\dfrac{2}{5}$ ⑤ $\dfrac{1}{2}$

06 사격선수 A의 명중률은 0.8, B의 명중률은 0.6이다. 두 선수가 한 발씩 같은 표적에 사격할 때, 적어도 한 발이 표적에 명중될 확률은?

① 0.48 ② 0.52 ③ 0.92

④ 0.94 ⑤ 0.97

07 바둑통에 검은 돌 10개, 흰 돌 5개가 들어 있다. 이 통에서 차례로 바둑돌 2개를 꺼낼 때, 처음에는 검은 돌, 두 번째에 흰 돌이 나올 확률을 구하여라. (단, 처음에 꺼낸 돌은 다시 넣지 않는다.)

08 두 주사위 A, B를 동시에 던져서 나온 눈의 수를 각각 a, b라 할 때, 좌표평면 위의 네 점 O(0, 0), P(a, 0), Q(a, b), R(0, b)로 이루어진 사각형 OPQR의 넓이가 6 또는 8일 확률은?

① $\dfrac{1}{8}$ ② $\dfrac{1}{6}$ ③ $\dfrac{1}{4}$

④ $\dfrac{1}{3}$ ⑤ $\dfrac{1}{2}$

중요도 ☐ 손도 못댐 ☐ 과정 실수 ☐ 틀린 이유:

09 두 자연수 x, y가 짝수일 확률이 각각 $\dfrac{2}{5}$, $\dfrac{1}{3}$일 때, $x+y$가 짝수일 확률은?

① $\dfrac{4}{15}$ ② $\dfrac{1}{3}$ ③ $\dfrac{2}{5}$

④ $\dfrac{7}{15}$ ⑤ $\dfrac{8}{15}$

중요도 ☐ 손도 못댐 ☐ 과정 실수 ☐ 틀린 이유:

10 정육면체 모양 상자의 각 면에 0, 1, 1, 1, -1, -1의 숫자가 적혀 있다. 이 정육면체 모양 상자를 두 번 던져서 나온 숫자의 합이 0이 될 확률은?

① $\dfrac{5}{36}$ ② $\dfrac{7}{36}$ ③ $\dfrac{11}{36}$

④ $\dfrac{13}{36}$ ⑤ $\dfrac{17}{36}$

중요도 ☐ 손도 못댐 ☐ 과정 실수 ☐ 틀린 이유:

11 어떤 시험에 ○ 또는 ×로 답하는 문제가 5개 나왔다. 이 문제를 어느 학생이 임의로 답할 때, 적어도 두 문제 이상 맞힐 확률은?

① $\dfrac{3}{4}$ ② $\dfrac{25}{32}$ ③ $\dfrac{13}{16}$

④ $\dfrac{27}{32}$ ⑤ $\dfrac{7}{8}$

중요도 ☐ 손도 못댐 ☐ 과정 실수 ☐ 틀린 이유:

12 두 자연수 a, b가 홀수일 확률이 각각 $\dfrac{1}{5}$, $\dfrac{2}{3}$일 때, 두 수의 곱 ab가 짝수일 확률은?

① $\dfrac{2}{3}$ ② $\dfrac{11}{15}$ ③ $\dfrac{4}{5}$

④ $\dfrac{13}{15}$ ⑤ $\dfrac{14}{15}$

• 정답 및 풀이 44쪽

13 A팀과 B팀이 세 번 시합을 하여 먼저 두 번을 이기면 우승한다고 한다. A팀의 승률이 0.6일 때, 세 번째 시합에서 A팀이 우승할 확률을 구하여라. (단, 비기는 경우는 없다.)

중요도 ☐ 손도 못댐 ☐ 과정 실수 ☐ 틀린 이유:

14 안개가 낀 날의 다음 날에 안개가 낄 확률이 $\dfrac{1}{5}$ 이고, 안개가 끼지 않은 날의 다음 날에 안개가 낄 확률이 $\dfrac{1}{4}$일 때, 월요일에 안개가 끼었다면 그 주 수요일에 안개가 낄 확률은?

① $\dfrac{4}{25}$　　② $\dfrac{6}{25}$　　③ $\dfrac{8}{25}$

④ $\dfrac{2}{5}$　　⑤ $\dfrac{12}{25}$

중요도 ☐ 손도 못댐 ☐ 과정 실수 ☐ 틀린 이유:

15 점 P는 한 변의 길이가 1 인 정사각형 ABCD의 한 꼭짓점 A를 출발하여 정 사각형의 변을 따라 B의 방향으로 움직인다. 한 개 의 주사위를 두 번 던져서 나온 눈의 수의 합의 길이만큼 점 P가 움직일 때, 점 P가 꼭짓점 C에 있을 확률을 구하여라.

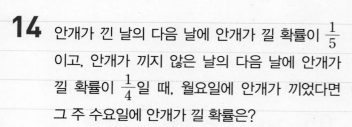

중요도 ☐ 손도 못댐 ☐ 과정 실수 ☐ 틀린 이유:

16 어떤 학생이 버스나 지하철 중 어느 하나를 한 번만 타고 등교한다. 버스를 탄 다음 날 버스를 탈 확률은 $\dfrac{1}{3}$이고 지하철을 탈 확률은 $\dfrac{2}{3}$이다. 또, 지하철을 탄 다음 날 버스를 탈 확률과 지하철을 탈 확률은 각각 $\dfrac{1}{2}$이다. 월요일에 버스로 등교하였다면 그 주 목요일에 지하철로 등교할 확률은?

① $\dfrac{37}{54}$　　② $\dfrac{35}{54}$　　③ $\dfrac{11}{18}$

④ $\dfrac{31}{54}$　　⑤ $\dfrac{29}{54}$

중요도 ☐ 손도 못댐 ☐ 과정 실수 ☐ 틀린 이유:

01 중요도 ☐ 손도 못댐 ☐ 과정 실수 ☐ 틀린 이유:

100원짜리 동전 3개, 500원짜리 동전 2개가 있다. 이 동전으로 지불할 수 있는 물건의 금액은 모두 몇 가지인가?

① 5가지 ② 7가지 ③ 9가지
④ 11가지 ⑤ 13가지

02 중요도 ☐ 손도 못댐 ☐ 과정 실수 ☐ 틀린 이유:

A, B, C 세 사람이 가위바위보 게임을 하여 어느 쪽이든 승부가 결정되는 모든 경우의 수는? (단, 한 사람만 져도 승부가 결정된 것으로 본다.)

① 9 ② 10 ③ 18
④ 20 ⑤ 27

03 중요도 ☐ 손도 못댐 ☐ 과정 실수 ☐ 틀린 이유:

0에서 5까지의 숫자가 각각 적힌 6장의 카드에서 두 장을 뽑아 만들 수 있는 두 자리 정수의 개수는?

① 36 ② 30 ③ 25
④ 20 ⑤ 15

04 중요도 ☐ 손도 못댐 ☐ 과정 실수 ☐ 틀린 이유:

붉은 구슬 1개, 흰 구슬 3개, 푸른 구슬 4개가 들어 있는 주머니에서 구슬 2개를 꺼낼 때, 나올 수 있는 구슬의 색의 경우의 수는 ?

① 3 ② 4 ③ 5
④ 6 ⑤ 7

05 중요도 ☐ 손도 못댐 ☐ 과정 실수 ☐ 틀린 이유:

사건 A가 일어날 확률을 p라고 할 때, 다음 중 옳지 않은 것은?

① $p = \dfrac{(\text{사건 A가 일어나는 경우의 수})}{(\text{모든 경우의 수})}$

② $0 < p < 1$

③ (사건 A가 일어나지 않을 확률) $= 1 - p$

④ (반드시 일어나는 사건의 확률) $= 1$

⑤ (절대로 일어나지 않는 사건의 확률) $= 0$

06 중요도 ☐ 손도 못댐 ☐ 과정 실수 ☐ 틀린 이유:

주머니 속에 1에서 20까지 숫자가 각각 적힌 20개의 구슬이 들어 있다. 이 중에서 1개를 꺼낼 때, 다음 중 옳은 것은?

① 1이 나올 확률은 1이다.

② 0이 나올 확률은 0이다.

③ 20 이하의 수가 나올 확률은 20이다.

④ 3이 나올 확률은 $\dfrac{3}{20}$이다.

⑤ 21이 나올 확률은 1이다.

07 중요도 ☐ 손도 못댐 ☐ 과정 실수 ☐ 틀린 이유:

1부터 20까지의 자연수가 각각 적혀 있는 카드에서 한 장을 뽑을 때, 다음 중 옳지 않은 것은?

① 짝수가 나올 확률은 $\frac{1}{2}$이다.

② 홀수가 나올 확률은 $\frac{1}{2}$이다.

③ 3의 배수가 나올 확률은 $\frac{3}{10}$이다.

④ 20의 약수가 나올 확률은 $\frac{1}{4}$이다.

⑤ 소수가 나올 확률은 $\frac{2}{5}$이다.

08 중요도 ☐ 손도 못댐 ☐ 과정 실수 ☐ 틀린 이유:

A, B 두 개의 주사위를 동시에 던질 때, 나온 눈의 차가 2 또는 5일 확률은?

① $\frac{1}{18}$ ② $\frac{1}{6}$ ③ $\frac{1}{4}$

④ $\frac{8}{15}$ ⑤ $\frac{4}{9}$

09 중요도 ☐ 손도 못댐 ☐ 과정 실수 ☐ 틀린 이유:

동전 1개를 던져서 앞면이 나오면 수직선에서 오른쪽으로 1만큼, 뒷면이 나오면 왼쪽으로 1만큼 움직이기로 하자. 동전을 4회 던질 때, 왼쪽으로 2만큼 움직인 위치에 있을 확률은?

① $\frac{3}{16}$ ② $\frac{1}{4}$ ③ $\frac{5}{16}$

④ $\frac{3}{8}$ ⑤ $\frac{5}{8}$

10 중요도 ☐ 손도 못댐 ☐ 과정 실수 ☐ 틀린 이유:

흰 공 2개, 검은 공 1개가 들어 있는 주머니 A와 흰 공 1개, 검은 공 2개가 들어 있는 주머니 B가 있다. 두 주머니에서 각각 공을 하나씩 꺼낼 때, 두 공이 모두 흰 공일 확률은?

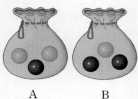
A   B

① $\frac{1}{9}$ ② $\frac{2}{9}$ ③ $\frac{1}{3}$

④ $\frac{4}{9}$ ⑤ $\frac{5}{9}$

11 중요도 ☐ 손도 못댐 ☐ 과정 실수 ☐ 틀린 이유:

한 개의 주사위를 2번 던질 때, 첫 번째는 홀수의 눈이 나오고 두 번째는 짝수의 눈이 나올 확률은?

① $\frac{1}{9}$ ② $\frac{1}{6}$ ③ $\frac{1}{4}$

④ $\frac{1}{3}$ ⑤ $\frac{1}{2}$

12 중요도 ☐ 손도 못댐 ☐ 과정 실수 ☐ 틀린 이유:

서로 다른 두 개의 동전을 동시에 던질 때, 동전 두 개가 모두 앞면이 나오거나 모두 뒷면이 나올 확률은?

① $\frac{1}{2}$ ② $\frac{1}{3}$ ③ $\frac{1}{4}$

④ $\frac{1}{6}$ ⑤ $\frac{1}{9}$

13 중요도 □ 손도 못댐 □ 과정 실수 □ 틀린 이유:

동전 한 개를 던졌을 때, 앞면이 나오면 0점, 뒷면이 나오면 1점을 주는 게임이 있다. 하나의 동전을 세 번 던질 때, 점수의 합이 1이 될 확률은?

① $\dfrac{3}{8}$ ② $\dfrac{1}{2}$ ③ $\dfrac{5}{8}$

④ $\dfrac{3}{4}$ ⑤ $\dfrac{7}{8}$

14 중요도 □ 손도 못댐 □ 과정 실수 □ 틀린 이유:

비가 온 다음날 비 올 확률은 $\dfrac{1}{6}$, 비가 오지 않은 다음날의 비 올 확률은 $\dfrac{1}{5}$이라고 한다. 목요일에 비가 왔다면 그 주 토요일에도 비가 올 확률은?

① $\dfrac{1}{6}$ ② $\dfrac{7}{36}$ ③ $\dfrac{2}{9}$

④ $\dfrac{1}{4}$ ⑤ $\dfrac{5}{18}$

15 중요도 □ 손도 못댐 □ 과정 실수 □ 틀린 이유:

윷놀이를 하는데 윷을 한 번 던져 도가 나올 확률은 $\dfrac{1}{4}$이고, 개가 나올 확률은 $\dfrac{3}{8}$이다. 이때 도나 개가 나오지 않을 확률은?

① $\dfrac{1}{4}$ ② $\dfrac{3}{8}$ ③ $\dfrac{1}{2}$

④ $\dfrac{5}{8}$ ⑤ $\dfrac{3}{4}$

16 중요도 □ 손도 못댐 □ 과정 실수 □ 틀린 이유:

기상청에 의하면 이번주 토요일에 비가 올 확률이 70 %, 일요일에 비가 올 확률이 30 %라고 한다. 토요일에는 비가 오지 않고 일요일에는 비가 올 확률은?

① 0.06 ② 0.09 ③ 0.12

④ 0.15 ⑤ 0.18

17 중요도 □ 손도 못댐 □ 과정 실수 □ 틀린 이유:

재희와 민서가 배드민턴 시합을 하는데, 다섯 게임 중 세 게임을 이기면 승리하는 것으로 하였다. 현재 재희와 민서가 각각 한 게임씩 이겼다면 재희가 이 경기에서 승리할 확률은? (단, 비기는 경우는 없고, 두 사람의 승률은 같다.)

① $\dfrac{1}{2}$ ② $\dfrac{1}{4}$ ③ $\dfrac{1}{8}$

④ $\dfrac{1}{16}$ ⑤ $\dfrac{1}{32}$

18 중요도 □ 손도 못댐 □ 과정 실수 □ 틀린 이유:

상자 속에 1에서 10까지의 숫자가 각각 적힌 10장의 카드가 있다. 이 상자에서 차례로 두 장의 카드를 뽑을 때, 처음에는 홀수, 나중에는 4의 배수가 적힌 카드를 꺼낼 확률은? (단, 처음에 꺼낸 카드는 다시 넣지 않는다.)

① $\dfrac{1}{2}$ ② $\dfrac{1}{3}$ ③ $\dfrac{1}{5}$

④ $\dfrac{1}{7}$ ⑤ $\dfrac{1}{9}$

19 중요도 ☐ 손도 못댐 ☐ 과정 실수 ☐ 틀린 이유:

상자 속에 1에서 10까지의 숫자가 각각 적힌 공이 10개 있다. 이 상자에서 한 개씩 두 번 공을 꺼내서 나온 두 수를 각각 a, b라 할 때, $2a+b<7$이 되는 경우의 수를 구하여라. (단, 꺼낸 공은 다시 상자 속에 넣는다.)

20 서술형 중요도 ☐ 손도 못댐 ☐ 과정 실수 ☐ 틀린 이유:

0, 1, 2, 3, 4, 5, 6의 숫자가 각각 적힌 7개의 카드가 들어 있는 상자에서 2장을 뽑아 두 자리 정수를 만들 때, 30 이상 52 미만이 될 확률을 구하여라.

21 서술형 중요도 ☐ 손도 못댐 ☐ 과정 실수 ☐ 틀린 이유:

1에서 20까지의 숫자가 하나씩 적혀 있는 카드 20장이 있다. 이 중에서 한 장의 카드를 뽑을 때, 카드에 적힌 수가 소수가 아닐 확률을 구하여라.

22 중요도 ☐ 손도 못댐 ☐ 과정 실수 ☐ 틀린 이유:

서로 다른 주사위 2개를 동시에 던져서 나오는 두 눈의 합이 1이 될 확률을 p, 12 이하가 될 확률을 q라고 할 때, 보기에서 옳은 것을 모두 골라라.

> **보기**
>
> ㄱ. $0 \leq q \leq 1$ ㄴ. $p+q=1$ ㄷ. $pq=1$

23 서술형 중요도 ☐ 손도 못댐 ☐ 과정 실수 ☐ 틀린 이유:

준희는 영어 시험에서 객관식 2문제를 풀지 못하여 임의로 답을 체크하여 답안지를 제출하였다. 두 문제 중 한 문제만 맞힐 확률을 구하여라. (단, 객관식 문제는 모두 5개의 보기 중에서 하나를 고르는 문제이다.)

24 중요도 ☐ 손도 못댐 ☐ 과정 실수 ☐ 틀린 이유:

오른쪽 그림과 같은 전기회로에서 A, B 각각의 스위치가 닫힐 확률이 $\dfrac{1}{2}$이라 할 때, 전구에 불이 들어올 확률을 구하여라.

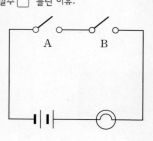

· MEMO ·

한눈에 보는 정답/오답 체크

01 이등변삼각형

	번호	o/x
어떤 교과서에나 나오는 문제	1	
	2	
	3	
	4	
	5	
	6	
	7	
	8	
시험에 꼭 나오는 문제	1	
	2	
	3	
	4	
	5	
	6	
	7	
	8	
	9	
	10	
	11	
	12	
	13	
	14	
	15	
	16	

02 직각삼각형의 합동

	번호	o/x
어떤 교과서에나 나오는 문제	1	
	2	
	3	
	4	
	5	
	6	
	7	
	8	
시험에 꼭 나오는	1	
	2	
	3	
	4	
	5	
	6	
	7	
	8	

	번호	o/x
문제	9	
	10	
	11	
	12	
	13	
	14	
	15	
	16	

03 삼각형의 외심

	번호	o/x
어떤 교과서에나 나오는 문제	1	
	2	
	3	
	4	
	5	
	6	
	7	
	8	
시험에 꼭 나오는 문제	1	
	2	
	3	
	4	
	5	
	6	
	7	
	8	
	9	
	10	
	11	
	12	
	13	
	14	
	15	
	16	

04 삼각형의 내심

	번호	o/x
어떤 교과서에나	1	
	2	
	3	
	4	
	5	

	번호	o/x
나오는 문제	6	
	7	
	8	
시험에 꼭 나오는 문제	1	
	2	
	3	
	4	
	5	
	6	
	7	
	8	
	9	
	10	
	11	
	12	
	13	
	14	
	15	
	16	

05 평행사변형

	번호	o/x
어떤 교과서에나 나오는 문제	1	
	2	
	3	
	4	
	5	
	6	
	7	
	8	
시험에 꼭 나오는 문제	1	
	2	
	3	
	4	
	5	
	6	
	7	
	8	
	9	
	10	
	11	
	12	
	13	
	14	
	15	
	16	

06 여러가지 사각형

	번호	o/x
어떤 교과서에나	1	
	2	
	3	
	4	
	5	

	번호	o/x
나오는 문제	6	
	7	
	8	
시험에 꼭 나오는 문제	1	
	2	
	3	
	4	
	5	
	6	
	7	
	8	
	9	
	10	
	11	
	12	
	13	
	14	
	15	
	16	

07 닮은 도형

	번호	o/x
어떤 교과서에나 나오는 문제	1	
	2	
	3	
	4	
	5	
	6	
	7	
	8	
시험에 꼭 나오는 문제	1	
	2	
	3	
	4	
	5	
	6	
	7	
	8	
	9	
	10	
	11	
	12	
	13	
	14	
	15	
	16	

08 삼각형과 평행선

	번호	o/x
어떤 교과서에나	1	
	2	
	3	
	4	
	5	

교과서 노트

중학 수학 ❷ (하)

정답 및 해설

Mathematics

정답 및 풀이

Ⅰ. 삼각형의 성질

1 이등변삼각형 본문 pp. 6~13

기본 체크

01 $50°$

02 (1) 5 cm (2) $40°$

01 $\angle B = \angle C = \dfrac{1}{2}(180° - 80°) = 50°$

02 (1) $\overline{BD} = \overline{CD}$이므로 $\overline{BD} = \dfrac{1}{2}\overline{BC} = 5$ cm

    (2) $\overline{AD} \perp \overline{BC}$이므로 $\angle ADC = 90°$

      $\therefore \angle B = \angle C = 180° - (90° + 50°) = 40°$

대표 예제

01 오른쪽 그림에서 ∠A의 이등분선
과 변 BC와의 교점을 D라고 하자.
△ABD와 △ACD에서
$\overline{AD}$는 ∠A의 이등분선이므로
$\angle BAD = \angle CAD$ … ㉠
삼각형의 세 내각의 크기의 합은
$180°$이므로
$\angle ADB = \boxed{\angle ADC}$ … ㉡
한편 $\boxed{\overline{AD}}$는 공통인 변 … ㉢
㉠, ㉡, ㉢으로부터 대응하는 한 변의 길이가 같고, 그 양
끝각의 크기가 각각 같으므로 $\triangle ABD \equiv \boxed{\triangle ACD}$이다.
따라서 $\overline{AB} = \boxed{\overline{AC}}$이다.

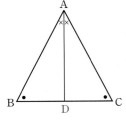

02 △ABD와 △ACD에서
△ABC가 이등변삼각형이므로
$\overline{AB} = \boxed{\overline{AC}}$ … ㉠
또한 $\overline{AD}$는 ∠A를 이등분하는 선이므로
$\angle BAD = \angle CAD$ … ㉡
한편 $\boxed{\overline{AD}}$는 공통인 변   … ㉢
㉠, ㉡, ㉢으로부터 대응하는 두 변의 길이가 각각 같고,
그 끼인각의 크기가 같으므로
$\triangle ABD \equiv \boxed{\triangle ACD}$다.
따라서 $\overline{BD} = \boxed{\overline{CD}}$이다.   … ㉣

이때 $\angle ADB = \boxed{\angle ADC}$, $\angle ADB + \angle ADC = \boxed{180°}$이므로
$\angle ADC = \boxed{90°}$이다.
즉, $\overline{AD} \perp \overline{BC}$ … ㉤
따라서 ㉣, ㉤에 의해 $\overline{AD}$는 $\overline{BC}$를 수직이등분한다.

03 이등변삼각형 ABC에서 $\overline{AB} = \overline{AC}$이므로
$\angle B = \angle C = \dfrac{1}{2}(180° - \boxed{36°}) = \boxed{72°}$
즉, $\angle ABD = \angle CBD = \dfrac{1}{2}\angle B = \dfrac{1}{2} \times \boxed{72°} = \boxed{36°}$
이때 △BCD에서 $\angle BDC = 180° - (36° + \boxed{72°}) = \boxed{72°}$
따라서 $\angle BDC = \boxed{\angle C}$이므로 △BCD는 $\overline{BD} = \boxed{\overline{BC}}$인 이
등변삼각형이다.
$\therefore \overline{BD} = \boxed{\overline{BC}} = \boxed{4}$
△ABD에서 $\angle A = \boxed{\angle ABD}$이므로 △ABD는
$\overline{AD} = \boxed{\overline{BD}}$인 이등변삼각형이다.
$\therefore \overline{AD} = \boxed{\overline{BD}} = \boxed{4}$

어떤 교과서에나 나오는 문제 본문 pp. 8~9

| 01 $30°$ | 02 ③ | 03 $68°$ | 04 ② | 05 ③ |
| 06 $100°$ | 07 ① | 08 $108°$ | | |

01 △BCD에서 $\angle C = \angle BDC = 70°$이므로
$\angle CBD = 180° - 70° \times 2 = 40°$
$\therefore \angle ABD = \angle ABC - \angle CBD = 70° - 40° = 30°$

02 $\angle ABD = \angle x$라고 하면 $\angle ABD = \angle DAB = \angle x$
△ABD에서 한 외각의 크기는 이웃하지 않는 두 내각의 크
기의 합과 같으므로
$\angle BDC = 2\angle x = \angle BCD \ (\because \overline{BD} = \overline{BC})$
따라서 △ABC에서
$\angle A = \angle x$, $\angle B = \angle C = 2\angle x$이므로
$\angle x + 2\angle x + 2\angle x = 180°$, $5\angle x = 180°$
$\therefore \angle x = 36°$

03 $\overline{AD} /\!/ \overline{BC}$이므로 $\angle EFG = \angle DEF$ (엇각)
또, $\angle FEG = \angle DEF$ (접은 각)
따라서 △GFE는 이등변삼각형이다.
이때 $\angle EGF = \angle BGD = 44°$이므로
$\angle EFG = \dfrac{1}{2}(180° - 44°) = 68°$

04 ∠ABC=∠ACB이므로

$\angle ABC = \frac{1}{2}(180°-50°)=65°$

또, ∠ABD=∠BAD이므로 ∠ABD=50°

∴ ∠DBC=∠ABC−∠ABD

$\qquad =65°-50°=15°$

05 $\angle ABC=\angle ACB=\frac{1}{2}(180°-48°)=66°$

∠ACE=180°−∠ACB

$\qquad =180°-66°=114°$

또, △BDC에서

∠DCE=∠DBC+∠BDC

$\qquad =\frac{1}{2}\angle ABC+\angle BDC$

$\qquad =33°+\angle BDC$

이때 $\angle DCE=\frac{1}{2}\angle ACE=57°$이므로

∠BDC=57°−33°=24°

06 이등변삼각형의 꼭지각의 이등분선은 밑변을 수직이등분하

므로 △PDB와 △PDC에서

∠PDB=∠PDC=90°, $\overline{DB}=\overline{DC}$, $\overline{PD}$는 공통

∴ △PDB≡△PDC (SAS합동)

이때 ∠PBD=40°이므로

∠BPD=90°−40°=50°

따라서 ∠BPD=∠CPD이므로

∠BPC=50°×2=100°

07 $\angle B=\angle C=\frac{1}{2}(180°-100°)=40°$

∠CAD=∠CDA=180°−100°=80°

따라서 △DBC에서 한 외각의 크기는 이웃하지 않는 두 내

각의 크기의 합과 같으므로

∠DCE=∠B+∠CDA=40°+80°=120°

08 ∠BAC=∠x라 하면

∠BAC=∠ACB ($\because$ $\overline{AB}=\overline{BC}$)

△ABC에서 한 외각의 크기는 이웃하지 않는 두 내각의 크

기의 합과 같으므로

∠CBD=2∠x=∠CDB ($\because$ $\overline{BC}=\overline{CD}$)

또한, △ACD는 $\overline{AC}=\overline{AD}$인 이등변삼각형이므로

∠A=∠x, ∠C=∠D=2∠x에서

∠x+2∠x+2∠x=180°, 5∠x=180°

∴ ∠x=36°

∴ ∠CDE=3∠x=108°

본문 pp. 10∼13

시험에 꼭 나오는 문제

01 ①	02 ④	03 ③	04 ③	05 ④
06 ③	07 ③	08 ④	09 ⑤	10 35°
11 54°	12 54°	13 120°	14 22°	15 ③
16 2				

01 ①, ②, ③ ∠C=55°이므로 $\overline{AB}=\overline{AC}$인 이등변삼각형이

다.

④ 꼭지각의 크기는 70°이다.

02 △ABC는 이등변삼각형이므로

$\angle C=\frac{1}{2}(180°-32°)=74°$

이때 △BCD는 이등변삼각형이므로

∠BDC=∠C=74°

03 ③ 이등변삼각형에서 꼭지각의 이등분선이 밑변을 수직이

등분한다.

04 $2x \ne x$, $x+2 \ne x$이고, $2x=x+2$이므로

∴ $x=2$

05 ∠DAE=∠B (동위각)

△ABC는 이등변삼각형이므로 ∠A=∠B=62°

∴ ∠C=180°−(62°+62°)=56°

06 $\angle B=\frac{1}{2}(180°-18°)=81°$

$\angle DBC=\frac{1}{2}\angle B=40.5°$

$\angle ACD=\angle DCE=\frac{1}{2}(81°+18°)=49.5°$

∴ ∠BDC=∠DCE−∠DBC=49.5°−40.5°=9°

07 ∠A=∠x라 하면

$\overline{BA}=\overline{BC}$이므로 ∠A=∠BCA=∠$x$

∠CBD는 △ABC의 외각이므로

∠CBD=∠CDB=2∠x

∠DCE는 △ACD의 외각이므로

∠DCE=∠DEC=3∠x

따라서 △ADE에서

∠x+3∠x+100°=180°, 4∠x=80°

∴ ∠A=∠x=20°

08 ∠BDE=∠BED=∠CEF=∠CFE($\because$ ∠B=∠C)이

므로

$\angle FEC=\frac{1}{2}(180°-52°)=64°$

$\angle B = \angle C = \dfrac{1}{2}(180° - 64°) = 52°$

$\therefore \angle A = 180° - (52° + 52°) = 76°$

09 $\angle ABC = \angle ACB = \dfrac{1}{2}(180° - 52°) = 64°$

$\therefore \angle PBC = 64° - 34° = 30°$

$\triangle DBC \equiv \triangle ECB$ (SAS합동)이므로

$\angle PCB = \angle PBC = 30°$

따라서 $\triangle PBC$에서 $\angle CPE = 30° + 30° = 60°$

10 $\overline{AB} = \overline{AC}$이므로 $\angle ABC = \angle ACB$

$\overline{AC} = \overline{CD}$이고 $\angle CAD$는 $\triangle ABC$의 한 외각이므로

$\angle CAD = \angle D = 2\angle B$

$\triangle DBC$에서 $\angle B + \angle D = 105°$이므로

$\angle B + 2\angle B = 105°$, $3\angle B = 105°$

$\therefore \angle B = 35°$

11 $\angle x = \angle ABC = \dfrac{1}{2}(180° - 72°) = 54°$

12 $\angle ABC = \angle ACB = \dfrac{1}{2}(180° - 36°) = 72°$

$\therefore \angle ADB = \angle BAD = \dfrac{1}{2}(180° - \angle ABD)$

$= \dfrac{1}{2}(180° - 72°) = 54°$

13 $\angle EBC = \angle x$라 하면

$\angle BDC = \angle DBC = 30° + \angle x$

$\angle BEA = \angle EBA = \angle ABC - \angle x$

$\triangle DBE$에서

$30° + (30° + \angle x) + (\angle ABC - \angle x) = 180°$

$60° + \angle ABC = 180°$

$\therefore \angle ABC = 120°$

14 $\triangle ABC$는 $\overline{AB} = \overline{AC}$인 이등변삼각형이므로

$\angle ABC = \dfrac{1}{2}(180° - 44°) = 68°$

$\angle DBC = \dfrac{1}{2}\angle ABC = 34°$

$\angle ACE$는 $\triangle ABC$의 한 외각이므로

$\angle ACE = \angle A + \angle ABC = 44° + 68° = 112°$

$\angle DCE = \dfrac{1}{2}\angle ACE = \dfrac{1}{2} \times 112° = 56°$

$\angle DCE$는 $\triangle DBC$의 한 외각이므로

$\angle DCE = \angle DBC + \angle D$에서

$56° = 34° + \angle D$

$\therefore \angle D = 22°$

15 $\triangle DBC$와 $\triangle ECB$에서

$\angle ABC = \angle ACB\ (\because \overline{AB} = \overline{AC})$

$\overline{DB} = \overline{EC}(\because \overline{AB} = \overline{AC},\ \overline{AD} = \overline{AE})$

$\overline{BC}$는 공통

$\therefore \triangle DBC \equiv \triangle ECB$ (SAS합동)

$\therefore \overline{BE} = \overline{CD}$

$\angle DCB = \angle EBC$이므로

$\angle ABE = \angle ABC - \angle EBC$

$= \angle ACB - \angle DCB$

$= \angle ACD$

$\triangle OBC$에서 $\angle OBC = \angle OCB$이므로

$\triangle OBC$는 이등변삼각형이다.

따라서 옳은 것은 ㄱ, ㄷ, ㄹ이다.

16 $\angle B = \angle x$라 하면 $\angle A = 3\angle x$이고,

$\angle ADC = 2\angle x$, $\angle CAD = 2\angle x$이므로

$\triangle ADC$는 이등변삼각형이다.

$\therefore \overline{DC} = \overline{AC} = 3$

$\angle ABD = \angle BAD$이므로 $\triangle ABD$에서 $\overline{AD} = \overline{BD}$

$\therefore \overline{AD} = \overline{BD} = \overline{BC} - \overline{DC} = 5 - 3 = 2$

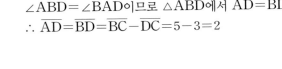

2 직각삼각형의 합동　　　본문 pp. 14~21

기본 체크

01 (1) RHA 합동 (2) RHS 합동

대표 예제

01 두 직각삼각형 ABC와 DEF를 다음 그림과 같이 길이가 같은 두 변 AC와 DF가 서로 포개어지도록 놓으면

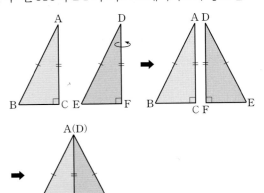

∠ACB+∠ACE=90°+90°=180°이므로 세 점 B, C, E는 한 직선 위에 있게 된다.

△ABE가 이등변삼각형이므로 ∠B= $\boxed{∠E}$ … ㉠

주어진 조건으로부터

∠C=∠D= $\boxed{90°}$, $\overline{AB}$ = $\boxed{\overline{DE}}$ … ㉡

㉠, ㉡으로부터 두 직각삼각형의 빗변의 길이와 한 예각의 크기가 각각 같으므로 △ABC≡△DEF이다.

02 △ABC와 △DEF에서

$\overline{AB}$ = $\boxed{\overline{DE}}$ … ㉠

∠B= $\boxed{∠E}$ … ㉡

∠A=90°−∠B=90°−∠E=∠D이므로

∠A= $\boxed{∠D}$ … ㉢

㉠, ㉡, ㉢에서 대응하는 한 변의 길이가 같고, 그 양 끝각의 크기가 각각 같으므로 △ABC≡△DEF이다.

03 △ACP와 △BDP에서

∠ACP=∠BDP= $\boxed{90°}$, $\overline{AP}$ = $\boxed{\overline{BP}}$,

∠APC= $\boxed{∠BPD}$ (맞꼭지각)

∴ △ACP≡△BDP

즉, $\overline{AC}$ = $\boxed{\overline{BD}}$ = $\boxed{5}$ (cm)이므로 $x=5$

또, ∠PBD= $\boxed{∠PAC}$ =58°이므로 △BDP에서

∠DPB=180°−(90°+ $\boxed{58°}$)= $\boxed{32°}$

∴ $y=$ $\boxed{32}$

04 △ADE와 △ACE에서

∠D=∠C= $\boxed{90°}$, $\overline{AE}$ 는 공통, $\overline{AD}$ = $\boxed{\overline{AC}}$

∴ △ADE≡△ACE

이때 ∠EAD= $\boxed{∠EAC}$ = $\boxed{25°}$ 이므로 △ABC에서

∠B=180°−($\boxed{25°}$ +25°+90°)= $\boxed{40°}$

| 어떤 교과서에나 나오는 문제 | 본문 pp. 16~17 |

| 01 ② | 02 ② | 03 ① | 04 ④ | 05 22.5° |
| 06 ③ | 07 7 cm | 08 12 cm | | |

01 ② △ABC와 △DEF는 대응하는 세 각이 같으므로 합동 조건에 맞지 않는다. 따라서 합동이 아니다.

02 △ACD에서

∠ADC+∠ACD=90° …… ㉠

또한, ∠DCE=90°이므로

∠ACD+∠ECB=90° …… ㉡

㉠, ㉡에서 ∠ADC=∠ECB

△ACD와 △BEC에서

∠A=∠B=90°, $\overline{DC}$ = $\overline{CE}$

∴ △ACD≡△BEC (RHA 합동)

즉, $\overline{AC}$ = $\overline{EB}$, $\overline{CB}$ = $\overline{DA}$

∴ $\overline{AB}$ = $\overline{CB}$ + $\overline{AC}$ = $\overline{DA}$ + $\overline{EB}$ =$a+b$

또, □ABED= $\frac{1}{2}$ $(a+b) \times \overline{AB}$

$= \frac{1}{2}(a+b) \times (a+b)$

$= \frac{1}{2}(a+b)^2$

② ∠CDE=∠CED, ∠DCA=∠CEB

03 $\overline{AD}$ = $\overline{BD}$ 이므로

∠DAE=∠DBA=∠DAC=∠a라 하면

∠ADC=2∠a이므로

△ADC에서 3∠a=90° ∴ ∠a=30°

∴ ∠DAC=30°

04 점 D에서 선분 AB에 내린 수선의 발을 E라고 하면

△ADE≡△ADC (RHA 합동)

∴ $\overline{DE}$ =8 cm

∴ △ABD= $\frac{1}{2}$ ×20×8=80(cm²)

05 △ADE는 직각이등변삼각형이므로 ∠A=45°

∴ ∠ABC=45°

이때 △DBE≡△CBE (RHS 합동)이므로

∠ABE=∠EBC

∴ ∠ABE=45°× $\frac{1}{2}$ =22.5°

06 두 직각삼각형 BDE와 BCE에서

$\overline{BE}$ 는 공통, $\overline{DE}$ = $\overline{CE}$ 이므로

△BDE≡△BCE (RHS 합동)

∴ ∠DBE=∠CBE

△ABC에서 ∠B=180°−(90°+50°)=40°이므로

∠DBE= $\frac{1}{2}$ ∠B= $\frac{1}{2}$ ×40°=20°

따라서 △BED에서

∠BED=180°−(90°+20°)=70°

07 △ABD와 △ACE에서

∠BAD+∠CAE=90°,

∠ACE+∠CAE=90°이므로

∠BAD=∠ACE

또한, $\overline{AB}=\overline{AC}$

∴ △ABD≡△ACE (RHA 합동)

즉, $\overline{BD}=\overline{AE}$, $\overline{AD}=\overline{CE}$

∴ $\overline{DE}=\overline{AD}+\overline{AE}=\overline{CE}+\overline{BD}=4+3=7(cm)$

08 △ACE≡△ADE (RHS 합동)이므로

$\overline{AC}=\overline{AD}=6(cm)$, $\overline{CE}=\overline{DE}$

즉, $\overline{BD}=4\ cm$이고, $\overline{DE}=\overline{BE}+\overline{BC}=8(cm)$

따라서 △BDE의 둘레의 길이는

$\overline{BD}+\overline{DE}+\overline{EB}=4+8=12(cm)$

시험에 꼭 나오는 문제			본문 pp. 18~21

01 ②	02 ④	03 65°	04 50 cm²	05 ③
06 ②	07 ④	08 67.5°	09 ⑤	10 60°
11 14	12 ⑤	13 10 cm	14 3 cm	15 ④
16 18 cm²				

01 △QOP≡△ROP (RHS 합동)이므로

$\angle POB=\angle POA=\dfrac{1}{2}\times 60°=30°$

02 ③ △ABD≡△AHD (RHA 합동)이므로

$\overline{AB}=\overline{AH}$, $\overline{BD}=\overline{DH}$

④ $\angle ADB=\angle ADH$이므로 $\angle BAD+\angle ADH=90°$

03 $\angle B=180°-(90°+40°)=50°$

△DBE≡△ABE (RHS 합동)이므로

$\angle DBE=\angle ABE=\dfrac{1}{2}\angle B=\dfrac{1}{2}\times 50°=25°$

따라서 △BED에서

$\angle BED=180°-(90°+25°)=65°$

04 $\angle AEB+\angle CED=90°$이므로

$\angle AEB=\angle EDC$

∴ △BAE≡△CED (RHA 합동)

즉, $\overline{BE}=\overline{CD}=4\ cm$, $\overline{EC}=\overline{AB}=6\ cm$

∴ (사각형 ABCD의 넓이)

$=\dfrac{1}{2}\times(6+4)\times 10=50(cm^2)$

05 △DEB≡△FEC (RHS 합동)이므로

$\angle B=\angle C=\dfrac{1}{2}(180°-80°)=50°$

∴ $\angle DEB=180°-(90°+50°)=40°$

06 △ABC는 이등변삼각형이므로 $\angle B=\angle C$

∴ △ECB≡△DBC (RHA 합동)

즉, $\overline{EB}=\overline{DC}$이므로 $\overline{AE}=\overline{AD}$

∴ $\overline{BE}=\overline{AB}-\overline{AE}=12-7=5(cm)$

07 ④ △ABC와 △DEF는 대응하는 세 각이 같으므로 합동 조건에 맞지 않는다. 따라서 합동이 아니다.

08 △ABE≡△DBE (RHS 합동)이므로

$\angle DBE=\angle ABE=\dfrac{1}{2}\times 45°=22.5°$

따라서 △BED에서

$\angle DEB=180°-(90°+22.5°)=67.5°$

09 $\overline{AE}$를 그으면

△ADE≡△ACE (RHS 합동)이므로

$\overline{DE}=\overline{EC}=7\ cm$

$\angle DBE=\angle DEB=45°$이므로 △DBE는 이등변삼각형이다.

∴ $\overline{DB}=\overline{DE}=7\ cm$

∴ $\overline{DB}+\overline{DE}=7+7=14(cm)$

10 △ABD≡△EBD (RHS 합동)이므로

$\angle DBE=\angle ABD=180°-(75°+90°)=15°$

∴ $\angle ABC=\angle ABD+\angle DBE=15°+15°=30°$

따라서 △ABC에서

$\angle C=180°-(90°+30°)=60°$

11 $\angle BAD+\angle ABD=90°$, $\angle BAD+\angle CAE=90°$이므로

$\angle ABD=\angle CAE$

∴ △ABD≡△CAE (RHA 합동)

즉, $\overline{DB}=\overline{AE}=8$, $\overline{EC}=\overline{DA}=6$이므로

$\overline{DB}+\overline{EC}=\overline{AE}+\overline{DA}=8+6=14$

12 △ACD와 △BCD에서 $\angle ADC=\angle BDC=90°$이므로

△ACD≡△BCD (RHS 합동)

또한, $\angle ABC=\angle BAC=\angle ACD=45°$이므로

$\overline{AD}=\overline{DC}=\overline{DB}=8$

∴ $△ABC=\dfrac{1}{2}\times\overline{AB}\times\overline{DC}=\dfrac{1}{2}\times 16\times 8=64$

13 D에서 $\overline{BC}$에 내린 수선의 발을 E 라 하면

△ABD와 △EBD에서

$\angle DAB=\angle DEB=90°$

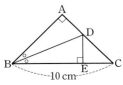

∠ABD=∠EBD
$\overline{BD}$는 공통 빗변
∴ △ABD≡△EBD (RHA 합동)
즉, $\overline{AB}=\overline{BE}$, $\overline{AD}=\overline{DE}$
△DEC에서 ∠DEC=90°, ∠DCE=45°이므로
∠EDC=45°
따라서 △DEC는 직각이등변삼각형이므로
$\overline{DE}=\overline{EC}$, 즉 $\overline{AD}=\overline{EC}$
∴ $\overline{AB}+\overline{AD}=\overline{BE}+\overline{EC}=10$(cm)

14 ∠ABD+∠DAB=90°, ∠ABD+∠EBC=90°이므로
∠DAB=∠EBC
△ABD와 △BCE에서
∠ADB=∠BEC=90°, $\overline{AB}=\overline{BC}$,
∠DAB=∠EBC이므로
△ABD≡△BCE (RHA 합동)
∴ $\overline{AD}=\overline{BE}=8$ cm
∴ $\overline{ED}=\overline{EB}-\overline{DB}=8-5=3$(cm)

15 △ABD≡△CAE (RHA 합동)이므로
$\overline{AE}=\overline{BD}=12$ cm, $\overline{AD}=\overline{CE}=5$ cm
∴ $\overline{DE}=\overline{AE}-\overline{AD}=12-5=7$(cm)

16 △BCD≡△BED (RHA 합동)이므로
$\overline{DE}=\overline{DC}=6$ cm
△AED는 직각이등변삼각형이므로
$\overline{AE}=\overline{DE}=6$ cm
따라서 △AED의 넓이는
$\frac{1}{2}\times6\times6=18$(cm²)

3 삼각형의 외심
본문 pp. 22~29

기본 체크

01 4   **02** 30

대표 예제

01 오른쪽 그림의 △ABC에서 $\overline{AB}$,
변 BC의 수직이등분선의 교점을
O라고 하면
$\overline{OA}=\overline{OB}=\overline{OC}$이므로
$\overline{OA}=\overline{OC}$ ⋯ ㉠
점 O에서 변 AC에 내린 수선의 발을 D라고 하면

두 직각삼각형 ADO와 CDO에서
$\overline{OD}$는 공통인 변 ⋯ ㉡
㉠, ㉡에서 두 직각삼각형의 빗변의 길이와 다른 한 변의
길이가 각각 서로 같으므로
△ADO≡$\boxed{\text{△CDO}}$
따라서 $\overline{AD}=\boxed{\overline{CD}}$이므로 $\boxed{\overline{OD}}$는 변 AC의 수직이등분선이
다.
즉, △ABC의 세 변의 수직이등분선은 한 점 O에서 만난
다.

02 점 O는 △ABC의 외심이므로
$\overline{OA}=\overline{OB}=\overline{OC}$
즉, △OAB, △OBC, △OCA는 모두 이등변삼각형이므
로
∠OAB=$\boxed{25°}$, ∠OCA=$\boxed{30°}$, ∠OBC=$\boxed{∠x}$
이때 삼각형의 세 내각의 크기의 합은 180°이므로
$2(25°+\boxed{30°}+∠x)=\boxed{180°}$
∴ ∠x=$\boxed{35°}$

03 점 O는 △ABC의 외심이므로
$\overline{AD}=\boxed{\overline{BD}}$, $\overline{BE}=\boxed{\overline{CE}}$, $\overline{CF}=\boxed{\overline{AF}}$
따라서 △ABC의 둘레의 길이는
$\overline{AB}+\overline{BC}+\overline{CA}=\boxed{2}(10+7+8)$
$=\boxed{50}$(cm)

04 직각삼각형의 외심은 빗변의 $\boxed{\text{중점}}$이므로
$\overline{OC}=\boxed{\frac{1}{2}}\overline{AB}=\boxed{\frac{1}{2}}\times12$
$=\boxed{6}$(cm)

어떤 교과서에나 나오는 문제
본문 pp. 24~25

01 ②, ⑤   02 100°   03 ③   04 ②   05 ④
06 ④   07 8 cm   08 60°

01 외심이란 삼각형의 세 변의 수직이등분선의 교점으로, 세
꼭짓점에 이르는 거리가 모두 같은 점이다.

02 △OAB, △OBC, △OCA는 모두 이등변삼각형이므로
∠AOB=180°-2×20°=140°
∠BOC=180°-2×30°=120°
∴ ∠AOC=360°-(140°+120°)=100°

03 $\angle OBA + \angle OBC + \angle OCA = 90°$이므로

$\angle OBC = \angle OCB = 90° - (20° + 15°) = 55°$

$\therefore \angle BOC = 180° - 2 \times 55° = 70°$

04 $\angle BCO = \angle CBO = 25°$

$\angle A = \angle BAO + \angle CAO = \angle ABO + \angle ACO$

$2 \times (25° + \angle BAO + \angle CAO) = 180°$

$\therefore \angle A = \angle BAO + \angle CAO = 65°$

05 $\overline{OA} = \overline{OB} = \overline{OC}$이므로

$\angle OBC = \angle OCB = 35°$

$\angle OAB = \angle OBA = 30°$

$\therefore \angle ABC = \angle ABO + \angle CBO = 65°$

$\therefore \angle AOC = 2\angle ABC = 2 \times 65° = 130°$

06 직각삼각형의 외심은 빗변의 중점과 같으므로

$\overline{MB} = \overline{MA} = \overline{MC}$

$\angle MBA = \angle MAB = 36°$

$\therefore \angle AMC = \angle MBA + \angle MAB$

$\qquad = 36° + 36° = 72°$

07 직각삼각형 ABC에서 $\overline{AB} = 16$ cm이고,

외심은 세 꼭짓점에 이르는 거리가 같으므로

$\overline{OA} = \overline{OB} = \overline{OC}$

$\therefore \overline{OC} = \dfrac{1}{2}\overline{AB} = 8$ cm

08 $\angle AOB : \angle BOC : \angle COA = 3 : 4 : 5$이므로

$\angle AOB = 360° \times \dfrac{3}{12} = 90°$

$\angle BOC = 360° \times \dfrac{4}{12} = 120°$

$\angle COA = 360° \times \dfrac{5}{12} = 150°$

이때 $\angle BOC = 2\angle BAC$이므로

$\angle BAC = \dfrac{1}{2}\angle BOC = \dfrac{1}{2} \times 120° = 60°$

🐱 **시험에 꼭 나오는 문제**　　　　　본문 pp. 26~29

01 ⑤	02 ③	03 ④	04 ③	05 ⑤
06 ⑤	07 ③	08 ④	09 ③	10 ②
11 ①	12 ⑤	13 ⑤	14 8 cm	15 ③
16 ③				

---

01 ⑤ 외심 O에서 세 꼭짓점에 이르는 거리는 같다.

02 외심에서 세 꼭짓점까지 이르는 거리가 같으므로

$\overline{OC} = \overline{OA} = 3$ cm

03 $\overline{OB} = \overline{OC}$이므로 △OBC는 이등변삼각형이다.

$\therefore \angle OCB = \angle OBC = 40°$

04 직각삼각형의 빗변의 중점은 외심과 일치하므로

$\overline{DA} = \overline{DB} = \overline{DC}$

$\therefore \overline{DC} = \dfrac{1}{2}\overline{AB} = \dfrac{1}{2} \times 10 = 5\,(\text{cm})$

05 점 D가 △ABC의 외심이므로

$\angle DCB = \angle DBC = 35°$

$\therefore \angle DCA = 90° - 35° = 55°$

06 $\angle OAB + \angle OBC + \angle OCA = 90°$이므로

$\angle OAB = 90° - (20° + 25°) = 45°$

07 $\overline{OB} = \overline{OC}$이므로 $\angle OCB = \angle OBC = 40°$

△OBC에서 $\angle BOC = 180° - 2 \times 40° = 100°$

$\therefore \angle A = \dfrac{1}{2}\angle BOC = 50°$

08 점 O는 △ABC의 외심이므로

$\overline{OA} = \overline{OB} = \overline{OC}$

$\overline{AO}$는 $\angle A$의 이등분선이므로

$\angle OAB = \angle OBA = \angle OAC = \angle OCA = \angle x$라 하면

$\angle OBC = \angle OCB = \angle x + 15°$이므로

△ABC에서 $6\angle x + 30° = 180°$, $6\angle x = 150°$

$\therefore \angle x = 25°$

즉, $\angle OBC = 25° + 15° = 40°$이므로

$\angle BOC = 180° - 2 \times 40° = 100°$

09 그림과 같이 세 각 a, b, c를 잡으면

$\angle ABO = a$, $\angle ACO = b$,

$\angle BCO = c$

이므로

$2a + 100° = 180°$　　……㉠

$2a + 2b + 2c = 180°$　　……㉡

㉠, ㉡에서 $b + c = 50°$

$\therefore \angle ACB = b + c = 50°$

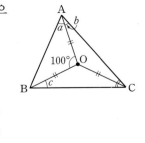

10 $\angle AOC = 2\angle ABC = 116°$

$\overline{OA} = \overline{OC}$이므로

$\angle OCA = \angle OAC = \dfrac{1}{2}(180° - 116°) = 32°$

$\therefore \angle DCA = \angle OCA = 32°$

11 점 O가 $\triangle ABC$의 외심이므로

$\overline{OA} = \overline{OB} = \overline{OC}$

$\triangle OAB$는 이등변삼각형이므로

$\angle BAO = \angle ABO$

$\triangle OAC$는 이등변삼각형이므로

$\angle CAO = \angle ACO$

$\therefore \angle ABO + \angle ACO = \angle BAO + \angle CAO$

$\qquad\qquad = \angle A = 54°$

12 점 O가 직각삼각형 ABC의 외심이므로

$\overline{OA} = \overline{OB} = \overline{OC}$

즉, $\triangle OCA$는 이등변삼각형이므로

$\angle OAC = \angle OCA = 30°$

$\therefore \angle B = 90° - 30° = 60°$

이때 점 O'이 $\triangle OBC$의 외심이므로

$\angle OO'C = 2\angle B = 2 \times 60° = 120°$

13 점 O가 $\triangle ABC$의 외심이므로

$\overline{OA} = \overline{OB} = \overline{OC}$

따라서 $\triangle OBC$와 $\triangle OCA$는 이등변삼각형이다.

$\angle OCA = \dfrac{1}{2}(180° - 60°) = 60°$

$\angle OCB = \dfrac{1}{2}(180° - 40°) = 70°$

$\therefore \angle ACB = \angle OCA + \angle OCB = 60° + 70° = 130°$

14 $\triangle ABC$가 직각삼각형이면 외심 O
는 빗변의 중점이므로

$\overline{OA} = \overline{OB} = \overline{OC}$

$\triangle OBC$에서 $\overline{OB} = \overline{OC}$이므로

$\angle OBC = \angle OCB = 30°$

$\therefore \angle ACO = 90° - 30° = 60°$

따라서 $\triangle AOC$는 정삼각형이다.

$\therefore \overline{AO} = \overline{AC} = \overline{OC} = 4(cm)$

$\therefore \overline{AB} = \overline{AO} + \overline{OB} = 2\overline{AO} = 8(cm)$

15 $\angle AOB : \angle BOC : \angle COA = 2 : 3 : 4$이므로

$\angle AOB = 2\angle x$라 하면

$\angle BOC = 3\angle x$, $\angle COA = 4\angle x$

$\angle AOB + \angle BOC + \angle COA = 360°$에서

$2\angle x + 3\angle x + 4\angle x = 360°$, $9\angle x = 360°$

$\therefore \angle x = 40°$

$\therefore \angle AOB = 80°$

따라서 $\triangle AOB$는 이등변삼각형이므로

$\angle ABO = \dfrac{1}{2}(180° - 80°) = 50°$

16 $\triangle OAF \equiv \triangle OBF$, $\triangle OBD \equiv \triangle OCD$,

$\triangle OCE \equiv \triangle OAE$이므로

$\triangle OAF + \triangle OCD + \triangle OCE = \dfrac{1}{2}\triangle ABC$

$\qquad\qquad\qquad\qquad = \dfrac{1}{2} \times 48 = 24(cm^2)$

$\triangle OAF = \dfrac{1}{2}\overline{AF} \cdot \overline{OF} = \dfrac{1}{2} \times 6 \times 2 = 6(cm^2)$

$\therefore \square ODCE = \triangle OCD + \triangle OCE$

$\qquad\qquad = 24 - \triangle OAF$

$\qquad\qquad = 24 - 6 = 18(cm^2)$

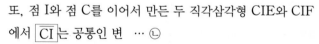

4 삼각형의 내심 본문 pp. 30~37

기본 체크

01 3 **02** 25

대표 예제

01 오른쪽 그림과 같은 $\triangle ABC$에서
$\angle A$, $\angle B$의 이등분선의 교점을 I라
하고, 점 I에서 세 변 AB, BC, CA
에 내린 수선의 발을 각각 D, E, F
라고 하면 $\overline{ID} = \overline{IE} = \overline{IF}$이므로

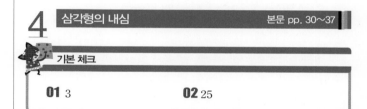

$\overline{IE} = \boxed{\overline{IF}}$ $\cdots$ ㉠

또, 점 I와 점 C를 이어서 만든 두 직각삼각형 CIE와 CIF
에서 $\boxed{\overline{CI}}$는 공통인 변 $\cdots$ ㉡

㉠, ㉡에서 두 직각삼각형의 빗변의 길이와 다른 $\boxed{\text{한 변}}$의
길이가 각각 서로 같으므로

$\triangle CIE \equiv \boxed{\triangle CIF}$

따라서 $\angle ICE = \angle ICF$이므로 점 I는 $\angle C$의 이등분선 위에 있
다.

즉, $\triangle ABC$의 세 내각의 이등분선은 한 점 I에서 만난다.

02 점 I는 $\triangle ABC$의 내심이므로 $\triangle IAF \equiv \triangle IAD$

$\therefore \overline{AF} = \boxed{\overline{AD}} = \boxed{5}(cm)$

이때 $\triangle IBE \equiv \triangle IBD$, $\triangle ICE \equiv \triangle ICF$이므로

$\overline{BE} = \overline{BD} = \boxed{9}(cm)$, $\overline{CE} = \overline{CF} = \boxed{7}(cm)$

$\therefore \overline{BC} = \overline{BE} + \overline{CE} = \boxed{9} + \boxed{7} = \boxed{16}(cm)$

03 점 I는 △ABC의 내심이므로

$\angle IAB = \angle IAC = \angle \boxed{x}$

$\angle IBC = \angle IBA = \boxed{24°}$

$\angle ICA = \angle ICB = \boxed{32°}$

이때 삼각형의 세 내각의 크기의 합은 180°이므로

$\boxed{2}(\angle x + 24° + 32°) = 180°$

$\therefore \angle x = \boxed{34°}$

04 점 I와 세 꼭짓점을 연결하면 △ABC의 넓이는
△IAB, △IBC, △ICA의 넓이의 합과 같다.

$\therefore \triangle ABC = \dfrac{1}{2} \times (\overline{AB} + \overline{BC} + \overline{CA}) \times \boxed{3}$

$\therefore \triangle ABC = \dfrac{1}{2} \times 16 \times \boxed{3} = \boxed{24}(cm^2)$

어떤 교과서에나 나오는 문제			본문 pp. 32~33	
01 ③	02 ③	03 ⑤	04 ④	05 ④
06 ②	07 ②	08 ⑤		

01 점 I는 △ABC의 내심이므로

$\angle IBC = \angle ABI = 40°$

$\angle ICB = \angle ACI = 35°$

$\begin{aligned}\therefore \angle BIC &= 180° - (\angle IBC + \angle ICB) \\ &= 180° - (40° + 35°) \\ &= 105°\end{aligned}$

02 점 I는 △ABC의 내심이므로

$\angle IAB + \angle IBA + \angle ICA = 90°$에서

$\angle IAB + 20° + 40° = 90°$

$\therefore \angle IAB = 30°$

따라서 △IBA에서

$\angle BIA = 180° - (20° + 30°) = 130°$

03 $\angle BAC = \angle a$라 하면,

$\angle BIC = 90° + \dfrac{a}{2}$

$\angle BIC = 130°$

$130° = 90° + \dfrac{a}{2}$

$\angle a = 80°$

$\therefore \angle BAC = 80°$

04 △IAB와 △IBC의 높이는 각각 $\overline{IF}$, $\overline{ID}$이고
점 I는 내심이므로 $\overline{IF} = \overline{ID}$
따라서 △IAB와 △IBC의 넓이의 비는
$\overline{AB} : \overline{BC} = 4 : 5$

05 $\overline{DE} // \overline{BC}$이므로 $\angle DIB = \angle IBC$ (엇각)
점 I는 내심이므로 $\angle ABI = \angle IBC$
즉, $\angle DIB = \angle DBI$이므로 △DBI는 이등변삼각형이다.
마찬가지 방법으로 $\angle EIC = \angle ECI$
따라서 $\overline{DB} = \overline{DI}$, $\overline{EC} = \overline{EI}$이므로

$\begin{aligned}\overline{AD} + \overline{DE} + \overline{EA} &= \overline{AD} + \overline{DI} + \overline{IE} + \overline{EA} \\ &= \overline{AB} + \overline{AC} \\ &= 13 + 11 = 24(cm)\end{aligned}$

06 점 I가 △ABC의 내심이므로

$\angle ICA = \dfrac{1}{2} \angle C = \dfrac{1}{2} \times 60° = 30°$

$\angle IAB + \angle IBC + \angle ICA = 90°$이므로

$30° + \angle IBC + 30° = 90°$

$\therefore \angle IBC = 30°$

07 $\triangle ABC = \dfrac{1}{2} \times 8 \times 6 = 24(cm^2)$

내접원의 반지름의 길이를 r cm라 하면

$\triangle ABC = \dfrac{r}{2}(\overline{AB} + \overline{BC} + \overline{CA})$이므로

$24 = \dfrac{r}{2}(10 + 8 + 6)$, $24r = 48$

$\therefore r = 2(cm)$

$\therefore \triangle IAB = \dfrac{1}{2}\overline{AB} \times r = \dfrac{1}{2} \times 10 \times 2 = 10(cm^2)$

08 점 I가 내심이므로 $\angle AIB = \dfrac{1}{2}\angle C + 90° = 130°$

즉, $\angle AIE = \angle BID = 50°$이므로

$\angle ADB + \angle IBD = 130°$, $\angle IAE + \angle AEB = 130°$

$\angle IAB + \angle IBA = \angle IAE + \angle IBD = 50°$

$\begin{aligned}\therefore \angle ADB + \angle AEB &= 260° - (\angle IBD + \angle IAE) \\ &= 260° - 50° = 210°\end{aligned}$

01 ②, ④	02 ③	03 ②	04 ⑤	05 ①
06 15	07 ③	08 ③	09 ⑤	10 44°
11 135°	12 3 : 1	13 15°	14 ①	15 ④
16 60°				

01 ② 삼각형의 내심에서 세 변에 이르는 거리는 같다.
④ 삼각형의 내심은 세 내각의 이등분선의 교점이다.

02 $\angle BIC = 90° + \dfrac{1}{2} \times \angle BAC$이므로

$\angle BIC = 90° + 20° = 110°$

03 점 I는 △ABC의 내심이므로

$\angle ABE = \angle EBC = a$, $\angle BAD = \angle CAD = b$라 하면

$\angle AEB$는 △BCE의 한 외각이므로

$\angle AEB = a + 70°$

$\angle ADB$는 △ACD의 한 외각이므로

$\angle ADB = b + 70°$

또한, △ABE에서

$a + 2b + (a + 70°) = 180°$

$\therefore a + b = 55°$

$\therefore \angle ADB + \angle AEB = (b + 70°) + (a + 70°)$

$\qquad = a + b + 140°$

$\qquad = 55° + 140° = 195°$

04 $\overline{DE} /\!/ \overline{BC}$이므로 $\overline{DI} = \overline{DB}$, $\overline{EI} = \overline{EC}$

$\therefore \overline{AB} + \overline{AC} = \overline{AD} + \overline{DB} + \overline{AE} + \overline{EC}$

$\qquad = \overline{AD} + \overline{DI} + \overline{AE} + \overline{EI}$

$\qquad = \overline{AD} + \overline{DE} + \overline{AE}$

$\qquad = 8 + 6 + 7 = 21\,(\text{cm})$

05 $\triangle ABC = \dfrac{1}{2} \times 6 \times 8 = 24$

내접원의 반지름의 길이를 x라 하면

$\triangle ABC = \dfrac{x}{2}(\overline{AB} + \overline{BC} + \overline{CA})$이므로

$(10 + 8 + 6) \times x \times \dfrac{1}{2} = 24$, $24x = 48$

$\therefore x = 2$

$\therefore (\text{구하는 넓이}) = (\square IDCE) - (\text{부채꼴 IDE})$

$\qquad = 2 \times 2 - 2 \times 2 \times \dfrac{\pi}{4} = 4 - \pi$

06 점 I가 내심이므로

$\angle ABI = \angle IBC$, $\angle ACI = \angle ICB$

$\overline{DE} /\!/ \overline{BC}$이므로

$\angle DIB = \angle IBC$ (엇각), $\angle EIC = \angle ICB$ (엇각)

△DBI에서 $\angle DBI = \angle DIB$이므로 이등변삼각형이다.

$\therefore \overline{DI} = \overline{DB}$

△EIC에서 $\angle EIC = \angle ECI$이므로 이등변삼각형이다.

$\therefore \overline{EI} = \overline{EC}$

따라서 △ADE의 둘레의 길이는

$\overline{AD} + \overline{DE} + \overline{AE} = \overline{AD} + \overline{DI} + \overline{AE} + \overline{IE}$

$\quad = \overline{AD} + \overline{DB} + \overline{AE} + \overline{EC}$

$\quad = \overline{AB} + \overline{AC}$

$\quad = 8 + 7 = 15$

07 내접원의 반지름의 길이를 r라 하면

$\triangle ABC = \triangle IAB + \triangle IBC + \triangle ICA$에서

$\dfrac{1}{2} \times 8 \times 6 = \dfrac{1}{2} \times 10 \times r + \dfrac{1}{2} \times 8 \times r + \dfrac{1}{2} \times 6 \times r$

$24 = 5r + 4r + 3r$, $12r = 24$

$\therefore r = 2\,(\text{cm})$

$\therefore \triangle IBC = \dfrac{1}{2} \times 8 \times 2 = 8\,(\text{cm}^2)$

08 ③ 삼각형의 세 변에서 같은 거리에 있는 점은 내심이다.

09 점 I는 △OBC의 내심이므로

$\angle BIC = \dfrac{1}{2} \angle BOC + 90°$에서

$\dfrac{1}{2} \angle BOC + 90° = 140°$

$\therefore \angle BOC = 100°$

점 O는 △ABC의 외심이므로

$\angle BOC = 2\angle A$에서 $2\angle A = 100°$

$\therefore \angle A = 50°$

10 점 O는 △ABC의 외심이므로

$\angle BOC = 2\angle A$

$\angle OBC = \angle OCB = \dfrac{1}{2}(180° - 2\angle A) = 90° - \angle A$

$\angle B = \angle C = \dfrac{1}{2}(180° - \angle A) = 90° - \dfrac{1}{2}\angle A$

점 I는 △ABC의 내심이므로

$\angle IBC = \dfrac{1}{2}\angle B = \dfrac{1}{2}\left(90° - \dfrac{1}{2}\angle A\right) = 45° - \dfrac{1}{4}\angle A$

즉, $\angle OBI = \angle OBC - \angle IBC$에서

$12° = (90° - \angle A) - \left(45° - \dfrac{1}{2}\angle A\right)$, $\dfrac{3}{4}\angle A = 33°$

$\therefore \angle A = 44°$

11 $\angle B + \angle C = 180° - 30° = 150°$

$\angle B : \angle C = 2 : 3$이므로

$\angle B = 150° \times \dfrac{2}{5} = 60°$

$\angle C = 150° \times \dfrac{3}{5} = 90°$

$$\therefore \angle AIB = 90° + \frac{1}{2}\angle C = 90° + \left(\frac{1}{2} \times 90°\right) = 135°$$

12 △ABC의 내접원의 반지름의 길이를 r라 하면

$$\triangle ABC = \frac{1}{2}r(8+6+7) = \frac{21}{2}r$$

$$\triangle IBC = \frac{1}{2}r \times 7 = \frac{7}{2}r$$

$$\therefore \triangle ABC : \triangle IBC = \frac{21}{2}r : \frac{7}{2}r = 3 : 1$$

13 점 O가 △ABC의 외심이므로

$\angle BOC = 2\angle A = 2 \times 40° = 80°$

$\angle OCB = \frac{1}{2}(180° - 80°) = 50°$

△ABC에서 $\angle ACB = \frac{1}{2}(180° - 40°) = 70°$이고

점 I는 내심이므로

$\angle ICB = \frac{1}{2}\angle ACB = \frac{1}{2} \times 70° = 35°$

$\therefore \angle OCI = \angle OCB - \angle ICB = 50° - 35° = 15°$

14 오른쪽 그림에서 점 I는 △ABC의
내심이므로

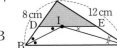

$\angle DBI = \angle IBC$, $\angle ECI = \angle ICB$

또, $\overline{DE} /\!/ \overline{BC}$이므로

$\angle IBC = \angle DIB$ (엇각), $\angle ICB = \angle EIC$ (엇각)

즉, $\angle DIB = \angle DBI$, $\angle ECI = \angle EIC$이므로 △DBI와 △ECI는 이등변삼각형이다.

$\therefore \overline{DB} = \overline{DI}$, $\overline{EC} = \overline{EI}$

따라서 △ADE의 둘레의 길이는

$\overline{AD} + \overline{DE} + \overline{AE} = \overline{AD} + (\overline{DI} + \overline{EI}) + \overline{AE}$

$= (\overline{AD} + \overline{DB}) + (\overline{EC} + \overline{AE})$

$= \overline{AB} + \overline{AC}$

$= 8 + 12 = 20 \text{(cm)}$

15 $\overline{BD} = \overline{BC}$이고 $\angle DBC = 40°$이므로

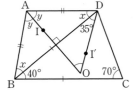

$\angle BDC = \angle BCD$

$\qquad = \frac{1}{2}(180° - 40°) = 70°$

점 I′은 △BDC의 내심이므로

$\angle I'DB = \frac{1}{2} \times 70° = 35°$

$\overline{AB} = \overline{AD}$이므로 $\angle ABD = \angle ADB$

점 I는 △ABD의 내심이므로

$\angle BAO = \angle DAO$

$\angle ABD = \angle x$, $\angle BAO = \angle y$라 하면

△ABD에서 $2\angle x + 2\angle y = 180°$

$\therefore \angle x + \angle y = 90°$

△DAO에서 $\angle AOD + 35° + \angle x + \angle y = 180°$

$\therefore \angle AOD = 180° - (35° + 90°) = 55°$

16 두 점 B, O를 연결하면 점 O는 △ABC의 외심이므로

$\overline{OA} = \overline{OB}$

△OAB는 이등변삼각형이므로

$\angle OBA = \angle OAB = 25°$

$\angle AOB = 180° - (25° + 25°) = 130°$

즉, $\angle C = \frac{1}{2}\angle AOB = \frac{1}{2} \times 130° = 65°$이고

$\angle AED$는 △AEC의 한 외각이므로

$\angle AED = \angle EAC + \angle C = 40° + 65° = 105°$

또, 점 I는 △ABC의 내심이므로

$\angle BAE = \angle EAC = 40°$

$\angle DAE = \angle BAE - \angle BAD = 40° - 25° = 15°$이므로

△ADE에서

$\angle ADE = 180° - (\angle DAE + \angle AED)$

$\qquad\qquad = 180° - (15° + 105°) = 60°$

단원종합문제   본문 pp. 38~41

01 ③	02 ③	03 ②	04 ③	05 ④
06 ④	07 ④	08 ①	09 ③	10 ⑤
11 ②	12 ②	13 ⑤	14 ③	15 ①
16 ③	17 ②	18 ④	19 100°	20 100°
21 58°	22 128°	23 25°	24 8	

01 $\overline{AM} \perp \overline{BC}$이므로

$\angle BAM + \angle B = 90°$

$\therefore \angle B = 90° - \angle BAM = 90° - 28° = 62°$

△ABC가 이등변삼각형이므로 $\angle B = \angle C$이다.

$\therefore \angle C = 62°$

02 $\angle ACB = 180° - 110° = 70°$

$\overline{AB} = \overline{AC}$이므로 $\angle B = \angle C$

$\therefore \angle A = 180° - (70° + 70°) = 40°$

03 $\angle ABC = \angle ACB = \frac{1}{2}(180° - 40°) = 70°$

$\angle DCA = \frac{1}{2}(180° - 70°) = 55°$

△BCD에서 $\angle CBD = \angle CDB$이므로

$2\angle CDB + (70° + 55°) = 180°$

$\therefore \angle CDB = 27.5°$

04 $\overline{AB} = \overline{AC}$이므로

$\angle ABC = \angle ACB = \dfrac{1}{2}(180° - 52°) = 64°$

$\angle DBC = \dfrac{1}{2}\angle ABC = \dfrac{1}{2} \times 64° = 32°$

$\angle DCE = \dfrac{1}{2}\angle ACE = \dfrac{1}{2}(180° - 64°) = 58°$

$\therefore \angle BDC = \angle DCE - \angle DBC = 58° - 32° = 26°$

05 ④ 대응하는 세 각의 크기가 같은 경우 항상 합동이 되는 것은 아니다.

06 △EBD와 △FCD에서

$\angle BED = \angle CFD = 90°$

$\overline{ED} = \overline{FD}, \ \overline{BD} = \overline{CD}$

$\therefore$ △EBD ≡ △FCD (RHS 합동)

즉, $\angle B = \angle C$이므로 △ABC는 이등변삼각형이다.

따라서 옳지 않은 것은 ④이다.

07 △AED와 △AEC에서

$\overline{AD} = \overline{AC}, \ \overline{AE}$는 공통

$\angle ADE = \angle ACE = 90°$이므로

△AED ≡ △AEC (RHS 합동)

$\therefore \overline{DE} = \overline{CE} = 6(cm)$

△BDE에서 $\angle B = 45°$이므로 $\angle DEB = 45°$

$\therefore \overline{DB} = \overline{DE} = 6(cm)$

$\therefore$ △BDE $= \dfrac{1}{2} \times 6 \times 6 = 18(cm^2)$

08 △ABD와 △CAE에서

$\overline{AB} = \overline{CA}, \ \angle ABD = \angle CAE$

$\therefore$ △ABD ≡ △CAE (RHA 합동)

즉, $\overline{DA} = \overline{EC}, \ \overline{AE} = \overline{BD}$

$\therefore \overline{DE} = \overline{DA} + \overline{AE} = \overline{EC} + \overline{BD} = 12(cm)$

09 △PDA와 △PEA에서

$\angle PDA = \angle PEA = 90°$

$\overline{AP}$는 공통, $\angle PAD = \angle PAE$

$\therefore$ △PDA ≡ △PEA (RHA 합동)

$\therefore \overline{PD} = \overline{PE} \ \cdots\cdots \ ㉠$

같은 방법으로 △PEC ≡ △PFC (RHA 합동)

$\therefore \overline{PE} = \overline{PF} \ \cdots\cdots \ ㉡$

따라서 ㉠, ㉡에 의해 $\overline{PF} = \overline{PD} = 4(cm)$

10 점 O는 외심이고 삼각형의 외심에서 세 꼭짓점까지의 거리는 모두 같다.

⑤ 삼각형의 내심에서 세 변까지의 거리는 모두 같다.

11 점 O는 △ABC의 외심이므로

$\overline{OA} = \overline{OB} = \overline{OC}$

△AOC의 둘레의 길이는

$\overline{OA} + \overline{OC} + \overline{AC} = 19 \ cm$

$2\overline{OA} + 9 = 19 \quad \therefore \ \overline{OA} = 5(cm)$

따라서 외접원의 넓이는 $25\pi \ cm^2$이다.

12 점 O는 외심이므로 $\overline{OA} = \overline{OB} = \overline{OC}$

△OAB는 이등변삼각형이므로

$\angle OBA = \dfrac{1}{2}(180° - 70°) = 55°$

△OBC는 이등변삼각형이므로

$\angle OBC = \dfrac{1}{2}(180° - 40°) = 70°$

$\therefore \angle ABC = 55° + 70° = 125°$

13 점 O는 △ABC의 외심이므로

$\overline{OA} = \overline{OC}, \ \overline{AC} = 2\overline{OC}$

$\therefore$ △ABC : △OBC = 2 : 1

△ABC = 2△OBC = 2 × 36 = 72(cm²)

이때 △ABC $= \dfrac{1}{2}\overline{AB} \times \overline{BC}$에서

$72 = \dfrac{1}{2} \times \overline{AB} \times 18$

$\therefore \overline{AB} = 8(cm)$

14 $\angle BIC = 90° + \dfrac{1}{2}\angle BAC = 90° + \dfrac{1}{2} \times 60° = 120°$

15 외심과 내심이 일치하므로 △ABC는 정삼각형이므로

$\angle BOC = 2\angle A = 2 \times 60° = 120°$

$\therefore \angle OBC = \dfrac{1}{2}(180° - 120°) = 30°$

16 △IAD ≡ △IAF, △ICE ≡ △ICF (RHA 합동)이므로

$\overline{CF} = \overline{CE} = 5 \ cm$

$\therefore \overline{AF} = \overline{AC} - \overline{CF} = 9 - 5 = 4(cm)$

17 점 I가 △ABC의 내심이면

$\angle BIC = 90° + \dfrac{1}{2}\angle A$이므로

$115° = 90° + \dfrac{1}{2}\angle A$

$\therefore \angle A = 50°$

삼각형의 내심은 세 내각의 이등분선의 교점이므로

$\angle BAI = \dfrac{1}{2}\angle BAC = \dfrac{1}{2} \times 50° = 25°$

18 △ABC = △IAB + △IBC + △IAC

$= \dfrac{1}{2} \times 2 \times (6 + 7 + 5) = 18(cm^2)$

19 $\overline{AE}$∥$\overline{BC}$이므로 ∠DAE＝∠ABC
△ABC는 이등변삼각형이므로
∠B＝∠C＝40°
∴ ∠BAC＝180°−2×40°＝100°

20 $\overline{BD}$＝$\overline{BC}$이므로 ∠C＝∠D＝70°
∴ ∠B＝180°−2×70°＝40°
$\overline{AB}$＝$\overline{AC}$이므로 ∠ACB＝∠B＝40°
∴ ∠BAC＝180°−2×40°＝100°

21 직각삼각형의 빗변의 중점은 외심과 일치하므로
$\overline{OA}$＝$\overline{OB}$＝$\overline{OC}$
즉, △AOC는 이등변삼각형이므로
∠A＝$\frac{1}{2}$(180°−64°)＝58°

22 점 O는 △ABC의 외심이므로
$\overline{OA}$＝$\overline{OB}$＝$\overline{OC}$
즉, ∠OBC＝∠OCB＝38°이므로 ∠COA＝76°
점 I는 △AOC의 내심이므로
∠AIC＝90°+$\frac{1}{2}$∠COA＝90°+38°＝128°

23 ∠A＝180°−(30°+80°)＝70°
점 I는 △ABC의 내심이므로
∠BAI＝$\frac{1}{2}$∠A＝35°
점 O는 △ABC의 외심이므로
∠BOC＝2∠A＝140°
∠OBC＝$\frac{1}{2}$(180°−140°)＝20°
∠ABO＝10°＝∠OAB
∴ ∠IAO＝∠BAI−∠OAB＝35°−10°＝25°

24 $\overline{DE}$∥$\overline{BC}$이므로
∠DIB＝∠IBC (∵ 엇각), ∠EIC＝∠ICB (∵ 엇각)
점 I는 △ABC의 내심이므로
∠DBI＝∠IBC, ∠ECI＝∠ICB
∴ ∠DIB＝∠DBI, ∠EIC＝∠ECI
$\overline{DB}$＝$\overline{DI}$, $\overline{CE}$＝$\overline{EI}$
∴ $\overline{DE}$＝$\overline{DI}$+$\overline{EI}$＝$\overline{DB}$+$\overline{EC}$＝5+3＝8

Ⅱ. 사각형의 성질

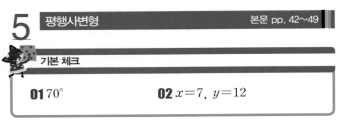

5 평행사변형   본문 pp. 42~49

기본 체크

01 70°   **02** $x＝7$, $y＝12$

대표 예제

01 △ABO와 △CDO에서
평행사변형의 대변 의 길이는
같으므로
$\overline{AB}$＝ $\overline{CD}$ … ㉠
$\overline{AB}$∥$\overline{DC}$이므로
∠OAB＝ ∠OCD (엇각) … ㉡
∠OBA＝ ∠ODC (엇각) … ㉢
㉠, ㉡, ㉢으로부터 대응하는 한 변의 길이가 같고, 그 양
끝각의 크기가 각각 같으므로 △ABO≡△CDO이다.
따라서 $\overline{OA}$＝$\overline{OC}$, $\overline{OB}$＝$\overline{OD}$이다.

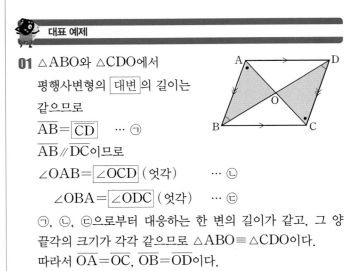

02 평행사변형의 대변의 길이는 같으므로 $\overline{AB}$＝ $\overline{CD}$ … ㉠
평행사변형의 대각의 크기는 같으므로 ∠B＝ ∠D … ㉡
한편 ∠BAE＝$\frac{1}{2}$∠A＝$\frac{1}{2}$∠C＝ ∠DCF … ㉢
㉠, ㉡, ㉢으로부터 대응하는 한 변의 길이가 같고, 그 양
끝각의 크기가 각각 같으므로 △ABE≡ △CDF 이다.
따라서 $\overline{AE}$＝$\overline{CF}$이다.

03 ∠A+∠B+∠C+∠D＝360°이
고 ∠A＝ ∠C , ∠B＝ ∠D 이므로
∠A+∠B+∠A+∠B＝360°이다.
즉, ∠A+∠B＝ 180° … ㉠
$\overline{AB}$의 연장선 위에 점 E를 잡으면
∠DAB+∠DAE＝180° … ㉡
㉠, ㉡로부터 ∠B＝ ∠DAE (동위각)이므로 $\overline{AD}$∥ $\overline{BC}$
… ㉢
마찬가지 방법으로 하면 $\overline{AB}$∥ $\overline{DC}$ … ㉣
㉢, ㉣에서 두 쌍의 대변이 각각 평행하므로 □ABCD는
평행사변형이다.

04 $\overline{AD}$∥$\overline{BC}$이므로 $\overline{AN}$∥$\boxed{\overline{MC}}$ … ㉠

평행사변형 ABCD에서 대변의 길이는 같으므로

$\overline{AD}=\boxed{\overline{BC}}$이다.

따라서 $\overline{AN}=\dfrac{1}{2}\overline{AD}=\dfrac{1}{2}\boxed{\overline{BC}}=\boxed{\overline{MC}}$ … ㉡

㉠, ㉡에서 한 쌍의 대변이 평행하고 그 길이가 같으므로

□AMCN은 평행사변형이다.

어떤 교과서에나 나오는 문제   본문 pp. 44~45

01 ⑤	02 ⑤	03 ④	04 ④	05 ②
06 ①, ⑤	07 ③	08 23 cm²		

01 $\overline{AD}$∥$\overline{BC}$이므로 ∠DAE=∠AEB=50° (∵ 엇각)

∴ ∠A=2∠DAE=100°

∴ ∠D=180°−∠A=180°−100°=80°

02 $\overline{AD}$∥$\overline{BC}$이므로 ∠DBC=∠x (∵ 엇각)

평행사변형에서 이웃하는 두 내각의 크기의 합은 180°이므로

$(34°+∠x)+(∠y+50°)=180°$

∴ $∠x+∠y=180°−(34°+50°)=96°$

03 평행사변형에서 ∠B=∠D, ∠A+∠B=180°이고

∠A : ∠B=5 : 4이므로

$∠D=∠B=180°×\dfrac{4}{9}=80°$

04 평행사변형에서 두 대각선은 서로 다른 것을 이등분하고, 대변의 길이는 각각 같으므로

$\overline{OD}=\overline{OB}=6$, $\overline{DC}=\overline{AB}=7$

∴ $\overline{OD}+\overline{DC}=6+7=13$

05 ∠A+∠B=180°이고, ∠A : ∠B=3 : 2이므로

$∠A=\dfrac{3}{5}×180°=108°$

$∠B=\dfrac{2}{5}×180°=72°$

∴ $∠BAP=\dfrac{1}{2}∠A=\dfrac{1}{2}×108°=54°$

따라서 △ABP에서

∠APC=54°+72°=126°

06 ① 두 쌍의 대변의 길이가 각각 같으므로 평행사변형이 된다.

⑤ ∠A+∠B=110°+70°=180°이므로 $\overline{AD}$∥$\overline{BC}$이다.

따라서 두 쌍의 대변이 각각 평행하므로 평행사변형이 된다.

07 △BFE와 △CDE에서

$\overline{BE}=\overline{CE}$ …… ㉠

∠FEB=∠DEC (맞꼭지각)   …… ㉡

$\overline{AF}$∥$\overline{DC}$이므로

∠BFE=∠CDE (엇각)   …… ㉢

㉡, ㉢에 의해

∠FBC=∠DCE   …… ㉣

㉠, ㉡, ㉣에 의해

△BFE≡△CDE (ASA합동)

따라서 $\overline{BF}=\overline{CD}=3$ cm이므로

$\overline{AF}=\overline{AB}+\overline{BF}=3+3=6$(cm)

08 점 P를 지나 $\overline{AB}$, $\overline{BC}$에 평행한 직선을 그으면 오른쪽 그림과 같으므로

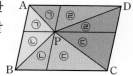

△ABP+△CDP

=△ADP+△BCP

즉, 21+27=25+△BCP

∴ △BCP=48−25=23(cm²)

시험에 꼭 나오는 문제   본문 pp. 46~49

01 ②	02 ⑤	03 ②	04 ③	05 ④
06 15 cm	07 ③	08 ②	09 20 cm	10 ⑤
11 ①	12 ①	13 ③	14 ③	15 ③
16 113°				

01 ∠x+120°=180°이므로 ∠x=60°

$\overline{BC}=\overline{AD}$이므로 y=8 cm

02 ⑤ 평행사변형의 두 대각선은 서로 다른 것을 이등분한다.

03 ∠EBC=∠AEB=35° (엇각)

삼각형 ABE는 이등변삼각형이고

삼각형의 세 내각의 크기의 합은 180°이므로

∠A+35°+35°=180°

∴ ∠A=110°

이때 평행사변형의 대각의 크기는 같으므로

∠C=∠A=110°

04 ∠B=∠D=70°

∠DAE=∠AEB (엇각)

즉, 삼각형 ABE는 이등변삼각형이므로

$\angle BAE = \angle BEA = \frac{1}{2}(180° - 70°) = 55°$

$\therefore \angle AEC = 180° - 55° = 125°$

05 ④ 한 쌍의 대변이 평행하고, 그 길이가 같은 사각형은 평행사변형이다.

06 $\overline{BE} = \overline{CE} = \frac{1}{2}\overline{AD} = 5(cm)$

$\angle BEA = \angle DAE$ (엇각)이므로

△ABE는 이등변삼각형이다.

$\therefore \overline{AB} = \overline{BE} = 5(cm)$

$\angle BAE = \angle DFA$ (엇각)이므로

△ADF는 이등변삼각형이다.

$\therefore \overline{AD} = \overline{DF} = 10(cm)$

$\overline{CF} = 10 - 5 = 5(cm)$, $\overline{BC} = \overline{AD} = 10(cm)$

$\therefore \overline{BC} + \overline{CF} = 10 + 5 = 15(cm)$

07 $\overline{AD} /\!/ \overline{BC}$이므로 $\angle AEB = \angle EBF = \angle ABE$

따라서 △ABE는 이등변삼각형이므로

$\overline{AE} = \overline{AB} = 10(cm)$

$\therefore \overline{DE} = \overline{AD} - \overline{AE} = 15 - 10 = 5(cm)$

08 $\angle A + \angle D = 180°$이고 $\angle A : \angle B = 5 : 4$이므로

$\angle A = \angle C = \frac{5}{9} \times 180° = 100°$

$\angle B = \angle D = \frac{4}{9} \times 180° = 80°$

$\therefore \angle C - \angle B = 100° - 80° = 20°$

09 $\angle A = \angle C = 60°$이므로 △AED와 △FBC는 정삼각형이다.

따라서 □DEBF는 네 변의 길이가 각각 10 cm인 평행사변형(마름모)이다.

$\therefore \overline{DE} + \overline{EB} = 10 + 10 = 20(cm)$

10 $\angle B + \angle C = 180°$이므로

$\angle B = 180° - 110° = 70° = \angle D$

$\angle HDC = \frac{1}{2}\angle D = 35°$

□DHEC의 내각의 크기의 합은 360°이므로

$35° + 90° + 110° + \angle AEC = 360°$

$\therefore \angle AEC = 125°$

11 $\angle B = \angle C = \angle PQB$이므로 △PBQ는 이등변삼각형이다.

$\therefore \overline{PB} = \overline{PQ}$

즉, $\overline{AB} = \overline{AP} + \overline{PQ}$이므로 평행사변형 APQR의 둘레의 길이

는 $\overline{AP} + \overline{PQ} + \overline{AP} + \overline{PQ}$이다.

$\therefore$ (□APQR의 둘레의 길이) $= 10 + 10 = 20(cm)$

12 $\overline{AB} = \overline{CD}$이므로 $3x - 2 = 5x - 6$

$\therefore x = 2$

13 ③ 한 쌍의 대변의 길이가 같고, 다른 한 쌍의 대변이 평행하므로 평행사변형이 되는 조건이 아니다.

14 $\overline{AB} = \overline{CD}$ (평행사변형의 대변)

$\angle ABE = \angle CDF$ (엇각)

$\angle BEA = \angle DFC = 90°$

$\therefore$ △ABE ≡ △CDF (RHA 합동)

따라서 $\overline{AE} = \overline{CF}$, $\overline{AE} /\!/ \overline{CF}$이므로 □AECF는 평행사변형이고 평행사변형의 두 대각선은 서로 다른 것을 이등분한다.

15 점 P를 지나고 $\overline{AB}$, $\overline{BC}$와 평행한 직선을 그으면 오른쪽 그림과 같다.

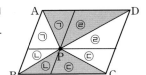

△PDA + △PBC

= △PAB + △PCD

이므로

△PDA + △PBC $= \frac{1}{2}$□ABCD

$= \frac{1}{2} \times 60 = 30(cm^2)$

16 $\angle A + \angle B = 180°$이므로

$\angle A = 180° - 46° = 134°$

$\angle FAE = \frac{1}{2}\angle A = \frac{1}{2} \times 134° = 67°$

□AECF는 평행사변형이므로

$\angle AFC = \angle AEC = 180° - \angle FAE$

$= 180° - 67° = 113°$

6 여러 가지 사각형   본문 pp. 50~57

기본 체크

01 $x = 5$, $y = 50$ **02** $x = 10$, $y = 90$

대표 예제

01 △ABC와 △DCB에서 주어진 조건으로부터 $\overline{AC}=\boxed{\overline{DB}}$

　　　　　　　　　　　　　　　　　　… ㉠

평행사변형의 대변의 길이는 같으므로 $\overline{AB}=\boxed{\overline{DC}}$ … ㉡

한편 $\overline{BC}$는 공통인 변 … ㉢

㉠, ㉡, ㉢으로부터 대응하는 세 변의 길이가 각각 같으므로

△ABC≡△DCB이다.

따라서 ∠ABC=$\boxed{\angle \text{DCB}}$ … ㉣

또한 □ABCD는 평행사변형이므로

∠B=$\boxed{\angle \text{D}}$, ∠A=$\boxed{\angle \text{C}}$ … ㉤

㉣, ㉤로부터 ∠A=∠B=∠C=∠D이므로

□ABCD는 직사각형이다.

02 △EAH와 △EBF에서 주어진 조건으로부터

$\overline{AE}=\overline{BE}$, ∠A=∠B=90° … ㉠

한편 □ABCD는 직사각형이므로 $\overline{AD}=\boxed{\overline{BC}}$

$\overline{AH}=\dfrac{1}{2}\overline{AD}=\boxed{\dfrac{1}{2}}\overline{BC}=\overline{BF}$에서

$\overline{AH}=\boxed{\overline{BF}}$ … ㉡

㉠, ㉡으로부터 대응하는 두 변의 길이가 각각 같고, 그 끼인각의 크기가 같으므로

△EAH≡△EBF이다.

∴ $\overline{EH}=\boxed{\overline{EF}}$ … ㉢

마찬가지 방법으로 하면

△EBF≡△GCF에서 $\overline{EF}=\boxed{\overline{GF}}$ … ㉣

△GCF≡△GDH에서 $\overline{GF}=\boxed{\overline{GH}}$ … ㉤

㉢, ㉣, ㉤으로부터 $\overline{EH}=\overline{EF}=\overline{GF}=\overline{GH}$이므로

□EFGH는 마름모이다.

03 △ABC와 △DCB에서 밑변의 길이와 $\boxed{높이}$가 같으므로

△ABC=△DCB

△AOB=△ABC−$\boxed{\triangle \text{OBC}}$

　　　=△DCB−$\boxed{\triangle \text{OBC}}$

　　　=△DOC

따라서 △AOB=△DOC이다.

어떤 교과서에나 나오는 문제　　　　　본문 pp. 52~53

01 ⑤	02 **직사각형**	03 ②, ④	04 ①
05 **정사각형**	06 ⑤	07 ⑤	08 ④

---

01 $\overline{OA}=\overline{OD}$이므로 ∠OAD=∠ODA=36°

∴ ∠DOC=∠OAD+∠ODA

　　　=36°+36°=72°

02 ∠ODC=∠OCD이면 △OCD는 이등변삼각형이므로

$\overline{OC}=\overline{OD}$

□ABCD가 평행사변형이므로

$\overline{OA}=\overline{OC}=\overline{OD}=\overline{OB}$

∴ $\overline{AC}=\overline{BD}$

따라서 □ABCD는 두 대각선의 길이가 같으므로 직사각형이다.

03 ① 이웃하는 두 변의 길이가 같은 평행사변형이므로 마름모이다.

② 두 대각선의 길이가 같은 평행사변형이므로 직사각형이다.

③ ∠AOB=∠AOD이면 $\overline{AC}\perp\overline{BD}$이므로 마름모이다.

④ ∠ABC+∠BAD=180°는 평행사변형의 성질이다.

⑤ ∠CBD=∠CDB이면 $\overline{CB}=\overline{CD}$이므로 마름모이다.

04 $\overline{AD}\,/\!/\,\overline{BC}$이므로 ∠EDO=∠FBO

∴ △DOE≡△BOF (ASA 합동)

즉, $\overline{DE}=\overline{BF}$

따라서 한 쌍의 대변이 평행하고 그 길이가 같으므로 □EBFD는 평행사변형이다.

또, 평행사변형 □EBFD의 두 대각선이 직교하므로 □EBFD는 마름모이다.

∴ $\overline{EB}=\overline{BF}$

05 $\overline{AO}=\overline{BO}=\overline{CO}=\overline{DO}$인 사각형 ABCD는 직사각형이고, $\overline{AC}\perp\overline{BD}$이면 마름모이므로 사각형 ABCD는 정사각형이다.

06 오른쪽 그림과 같이 점 D를 지나고 $\overline{AB}$에 평행한 직선을 그어 $\overline{BC}$와 만나는 점을 E라 하면,

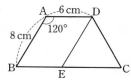

□ABED는 평행사변형이므로

$\overline{BE}=\overline{AD}=6\,\text{cm}$

$\overline{DE}=\overline{AB}=8\,\text{cm}$

∠BED=∠A=120°

∴ ∠DEC=60°

$\overline{AB}=\overline{DE}=\overline{DC}$이므로 ∠DCE=60°

따라서 △DEC는 한 변의 길이가 8 cm인 정삼각형이므로

$\overline{EC}=8\,\text{cm}$

∴ $\overline{BC}=6+8=14\,(\text{cm})$

07 $\overline{BC} : \overline{CE} = 3 : 2$이므로

$\triangle ABC : \triangle ACE = 3 : 2$

$\square ABCD = \triangle ABC + \triangle ACD$

$\qquad = \triangle ABC + \triangle ACE$

$\qquad = \triangle ABE = 30 \text{ cm}^2$

$\therefore \triangle ACD = \triangle ACE$

$\qquad = \dfrac{2}{5} \triangle ABE$

$\qquad = \dfrac{2}{5} \times 30 = 12(\text{cm}^2)$

08 $\triangle ACD = \triangle ABC = \dfrac{1}{2} \square ABCD$

$\qquad = \dfrac{1}{2} \times 20 = 10(\text{cm}^2)$

또한, $\overline{AE} = \overline{ED}$이므로 $\triangle AEC$와 $\triangle CDE$는 밑변의 길이
와 높이가 같다.

즉, $\triangle AEC = \triangle CDE$

$\therefore \triangle CDE = \dfrac{1}{2} \triangle ACD$

$\qquad = \dfrac{1}{2} \times 10 = 5(\text{cm}^2)$

시험에 꼭 나오는 문제 본문 pp. 54~57

01 ④	02 ②	03 ④	04 ⑤	05 ①
06 ④	07 ③	08 ⑤	09 정사각형	
10 ④	11 2 cm	12 ①	13 평행사변형	
14 ①	15 ⑤	16 54 cm²		

01 ④ 직사각형의 한 내각의 크기는 90°이므로 평행사변형에
서 이웃하는 두 내각이 같다는 것은 한 내각이 90°임을
뜻한다.

02 ②는 마름모가 되는 조건이다.

03 직사각형의 두 대각선의 길이는 같고,
서로 다른 것을 이등분하므로
$\overline{AC} = \overline{BD} = 16 \text{ cm}$

$\therefore \overline{AO} = \dfrac{1}{2} \overline{AC} = \dfrac{1}{2} \times 16 = 8(\text{cm})$

04 ⑤의 조건을 만족하는 사각형은 직사각형이다.

05 $\square ABCD$는 마름모이므로
$3x + 2 = 2x + 10 \quad \therefore x = 8$

$\therefore \overline{CD} = 3x + 2 = 3 \times 8 + 2 = 26$

06 두 대각선이 서로 다른 것을 수직이등분하는 것은 마름모이
고, 정사각형도 마름모이다.

07 $\overline{AO} = \overline{CO} = \overline{BO} = \overline{OD} = 5 \text{ cm}$

$\angle AOB = \angle BOC = \angle COD = \angle DOA = 90°$이므로

$\square ABCD = 4 \times \triangle AOB = 4 \times \dfrac{1}{2} \times 5 \times 5 = 50(\text{cm}^2)$

08 $\triangle OBH$와 $\triangle OCI$에서

$\overline{OB} = \overline{OC}, \ \angle OBH = \angle OCI = 45°$

$\angle BOH = 90° - \angle HOC = \angle COI$

$\therefore \triangle OBH \equiv \triangle OCI \ (\text{ASA 합동})$

따라서 구하는 넓이는

$\triangle OHC + \triangle OCI = \triangle OHC + \triangle OBH$

$\qquad = \triangle OBC$

$\qquad = \dfrac{1}{4} \times \square ABCD$

$\qquad = \dfrac{1}{4} \times 6 \times 6 = 9(\text{cm}^2)$

09 $\square ABNM$에서 $\overline{AM} = \overline{BN}, \ \overline{AM} /\!/ \overline{BN}$이므로
$\square ABNM$은 평행사변형이다.

또, $\overline{AM} = \overline{AB}$이고 $\angle A = 90°$이므로
$\square ABNM$은 정사각형이다.

$\square ANCM$이 평행사변형이므로 $\overline{PN} /\!/ \overline{MQ}$

$\square MBND$가 평행사변형이므로 $\overline{PM} /\!/ \overline{NQ}$

즉, $\square MPNQ$는 평행사변형이다.

따라서 $\angle MPN = 90°, \ \overline{MP} = \overline{NP}$이므로
$\square MPNQ$는 정사각형이다.

10 $\square ABCD$는 등변사다리꼴이므로

$\angle B = \angle C, \ \overline{AB} = \overline{CD}$

$\therefore \triangle ABC \equiv \triangle DBC \ (\text{SAS합동})$

따라서 $\triangle OBC$에서

$\angle DBC = \angle ACB = \dfrac{180° - 110°}{2} = 35°$

11 점 A에서 $\overline{DC}$와 평행하게 $\overline{AE}$를 그으면 $\triangle ABE$는 이등
변삼각형이고

$\square AECD$는 평행사변형이므로

$\overline{BE} = \overline{BC} - \overline{CE}$

$\qquad = 8 - 4 = 4(\text{cm})$

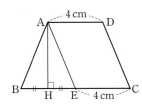

$\therefore \overline{BH} = \frac{1}{2}\overline{BE} = \frac{1}{2} \times 4 = 2(cm)$

12 $\overline{AB} = \overline{DC}$, $\overline{BC}$는 공통, $\angle ABC = \angle DCB$

$\therefore \triangle ABC \equiv \triangle DCB$ (SAS 합동)

즉, $\triangle OBC$는 이등변삼각형이므로 $\overline{OB} = \overline{OC}$

따라서 옳지 않은 것은 ①이다.

13 $\triangle APS \equiv \triangle CRQ$ (SAS 합동)이므로

$\overline{PS} = \overline{RQ}$

$\triangle BPQ \equiv \triangle DRS$ (SAS 합동)이므로

$\overline{PQ} = \overline{RS}$

따라서 두 쌍의 대변의 길이가 같으므로 □PQRS는 평행사변형이다.

14 $\angle A + \angle B = 180°$이므로

$\angle BAE + \angle ABE = \frac{1}{2}(\angle A + \angle B) = 90°$

$\therefore \angle HEF = \angle AEB = 90°$

마찬가지 방법으로 $\angle EFG = \angle FGH = \angle GHE = 90°$

즉, □EFGH는 네 내각이 모두 90°인 직사각형이다.

따라서 □EFGH의 성질이 아닌 것은 ①이다.

15 두 대각선이 서로 다른 것을 이등분하는 것은 평행사변형, 마름모, 직사각형, 정사각형으로 4개이다.

두 대각선의 길이가 같은 것은 등변사다리꼴, 직사각형, 정사각형으로 3개이다.

두 대각선이 서로 직교하는 것은 마름모, 정사각형으로 2개이다.

$\therefore x + y + z = 4 + 3 + 2 = 9$

16 □ABED $= \triangle ABE + \triangle ADE$

$= \triangle ABE + \triangle ACE$

$= \triangle ABC$

$= \frac{1}{2} \times 9 \times (8+4) = 54(cm^2)$

단원종합문제　　　　　　　　본문 pp. 58~61

01 ④	02 ②	03 ①	04 ③	05 ①
06 ③	07 ②, ③	08 ④	09 ④	10 ①
11 ③	12 ⑤	13 ①	14 ②	15 ④
16 ④	17 ②	18 ⑤	19 120°	20 17 cm²
21 12 cm²	22 120°	23 정사각형		24 8 cm²

01 평행사변형의 두 대각선은 서로 다른 것을 이등분하므로

$\overline{AO} = \frac{1}{2}\overline{AC} = 4$ cm, $\overline{BO} = \frac{1}{2}\overline{BD} = 5$ cm

$\therefore$ ($\triangle ABO$의 둘레의 길이)

$= \overline{AB} + \overline{AO} + \overline{BO} = 5 + 4 + 5 = 14(cm)$

02 평행사변형의 이웃하는 두 내각의 크기의 합은 180°이므로

$\angle A + \angle D = 180°$에서

$\angle A = 180° - 78° = 102°$

이때 $\angle BAE : \angle EAD = 2 : 1$이므로

$\angle EAD = \frac{1}{3} \times 102° = 34°$

$\therefore \angle AED = 180° - (78° + 34°) = 68°$

03 ② $\angle A = \angle C = 115°$, $\overline{AB} /\!/ \overline{DC}$이면 $\angle B = \angle D = 65°$이므로 두 쌍의 대각의 크기가 서로 같다.

③ 두 대각선이 서로 다른 것을 이등분한다.

④ 두 쌍의 대변의 길이가 서로 같다.

⑤ 두 쌍의 대각의 크기가 서로 같다.

따라서 평행사변형이 되지 않는 것은 ①이다.

04 $\angle A + \angle D = 180°$이므로

$\angle DAP + \angle ADP = \frac{1}{2}(\angle A + \angle D) = 90°$

$\therefore \angle APD = 180° - 90° = 90°$

05 $\triangle ABP + \triangle CDP = \triangle BCP + \triangle APD$이므로

$\triangle ABP + 15 = 21 + 10$

$\therefore \triangle ABP = 16(cm^2)$

$\triangle AEP$와 $\triangle BEP$는 밑변의 길이가 같고 높이가 같으므로 넓이도 같다.

$\therefore \triangle AEP = \triangle BEP = \frac{1}{2}\triangle ABP = 8(cm^2)$

06 $\triangle AOP$와 $\triangle COQ$에서

$\overline{AO} = \overline{CO}$ (평행사변형의 성질)

$\angle AOP = \angle COQ$ (맞꼭지각)

$\angle PAO = \angle QCO$ (엇각)

$\therefore \triangle AOP \equiv \triangle COQ$ (ASA 합동)

또한, $\overline{AP} = \overline{CQ}$ (대응하는 변)

따라서 옳지 않은 것은 ③이다.

07 ② $\overline{AB} = \overline{CD}$, $\overline{BC} = \overline{DA}$는 평행사변형의 성질이다.

③ $\overline{AC} \perp \overline{BD}$는 마름모의 성질이다.

08 $\overline{AB} /\!/ \overline{CD}$이므로 $\angle ABD = \angle BDC$ (엇각)

$\triangle BCD$가 이등변삼각형이므로 $\overline{CD} = \overline{BC}$

따라서 □ABCD는 이웃한 두 변의 길이가 같은 평행사변형이므로 마름모이다.

09 정사각형의 각 변의 중점을 이어 만든 사각형은 정사각형이 므로 □EFGH는 정사각형이다.

④ $\angle EHG + \angle EFG = 90° + 90° = 180°$

10 $\angle BDE = \angle EDC = a$라 하면

$\triangle EDB$에서 $\overline{BE} = \overline{DE}$이므로

$\angle BDE = \angle EBD = a$

삼각형의 한 외각의 크기는 이웃하지 않는 두 내각의 크기 의 합과 같으므로 $\angle DEC = 2a$

$\triangle DEC$에서 세 내각의 크기의 합은 $180°$이므로

$3a + 90° = 180°$ ∴ $a = 30°$

∴ $\angle DEC = 2a = 60°$

11 $\triangle DBC$의 높이와 □ABCD의 높이는 같다.

$\triangle DBC$의 높이를 h cm라 하면

$\triangle DBC = 14 \times h \times \frac{1}{2} = 56$ ∴ $h = 8$

∴ $\square ABCD = \frac{1}{2} \times (7 + 14) \times 8 = 84 (\text{cm}^2)$

∴ $\triangle AOD = \square ABCD - (\triangle DBC + \triangle ABO)$
$= 84 - (56 + 16) = 12 (\text{cm}^2)$

12 $\angle A + \angle B = 180°$이므로

$\angle A = \angle C = 180° - 60° = 120°$

이때 $\triangle ABP \equiv \triangle ADQ$ (RHA 합동)이므로

$\overline{BP} = \overline{DQ}$

즉, $\triangle CPQ$에서 $\overline{CP} = \overline{CQ}$이므로

$\angle CQP = \angle CPQ = \frac{1}{2}(180° - 120°) = 30°$

∴ $\angle AQP = 180° - (90° + 30°) = 60°$

13 $\overline{OA} = \overline{OC}$이므로 $x + 5 = 2x - 10$

∴ $x = 15$

∴ $\overline{BD} = 2\overline{OA} = 2 \times (15 + 5) = 40$

14 $\triangle ABC$와 $\triangle ADC$에서

$\overline{AB} = \overline{BC} = \overline{CD} = \overline{DA}$ (∵ 마름모의 뜻)

$\overline{AC}$는 공통

∴ $\triangle ABC \equiv \triangle ADC$ (SSS 합동)

∴ $\angle BAC = \angle DAC = 60°$

$\triangle DAC$에서 $\overline{DA} = \overline{CD}$이므로

$\angle ACD = 60°$

따라서 $\triangle ABC$와 $\triangle ADC$는 정삼각형이다.

∴ $\overline{AC} = 6 (\text{cm})$

15 두 대각선의 길이가 서로 같은 것은 정사각형, 직사각형, 등변사다리꼴이다.

마름모나 평행사변형의 경우에는 두 대각선의 길이가 서로 다를 수도 있다.

16 $\triangle AED$는 이등변삼각형이므로

$\angle EAD = 180° - 75° \times 2 = 30°$

$\angle EAB = \angle EAD + \angle DAB$
$= 30° + 90° = 120°$

$\triangle ABE$에서 $\overline{AB} = \overline{AE}$이므로

$\angle ABE = \frac{1}{2}(180° - 120°) = 30°$

∴ $\angle EBC = 90° - \angle ABE$
$= 90° - 30° = 60°$

17 $\overline{AC} /\!/ \overline{DE}$이므로 $\triangle ACD = \triangle ACE = 8 \text{ cm}^2$

∴ $\square ABCD = \triangle ABC + \triangle ACD$
$= 20 + 28 = 48 (\text{cm}^2)$

18 $\triangle BCE = \triangle BCD = \frac{1}{2}\square ABCD = \frac{1}{2} \times 8 \times 8 = 32 (\text{cm}^2)$

$\triangle BCF = \frac{1}{2} \times 8 \times 6 = 24 (\text{cm}^2)$

∴ $\triangle EFC = \triangle BCE - \triangle BCF = 32 - 24 = 8 (\text{cm}^2)$

19 $\angle B = \angle D = 60°$이고

□EBHP도 평행사변형이므로

$\angle B + \angle BEP = 180°$에서

$60° + \angle BEP = 180°$

∴ $\angle BEP = 120°$

20 $\triangle CFE = \triangle BCD = \frac{1}{2}\square ABCD = \frac{1}{2} \times 34 = 17 (\text{cm}^2)$

21 $\triangle AOB = \frac{1}{4}\square ABCD = \frac{1}{4} \times 20 = 5 (\text{cm}^2)$

$\triangle ABE : \triangle AEO = 2 : 3$이므로

$\triangle AEO = \frac{3}{5}\triangle AOB = \frac{3}{5} \times 5 = 3 (\text{cm}^2)$

□AECF에서 $\overline{AO} = \overline{CO}$, $\overline{EO} = \overline{FO}$

즉, □AECF는 두 대각선이 서로 다른 것을 이등분하므로 평행사변형이다.

∴ $\square AECF = 4\triangle AEO = 4 \times 3 = 12 (\text{cm}^2)$

22 □MBND는 마름모이므로 $\overline{MB} = \overline{MD}$

∴ $\angle MBD = \angle MDB$

$\overline{AD} /\!/ \overline{BC}$이므로 $\angle MDB = \angle NBD$

$\therefore \angle ABM = \angle MBD = \angle DBN$

따라서 $\angle MBD = \dfrac{1}{3}\angle B = 30°$이므로

$\angle BMD = 180° - 2 \times 30° = 120°$

23 조건 (가)에서 $\overline{AD} = \overline{BC}$, $\overline{AD} /\!/ \overline{BC}$이면 평행사변형이다.

조건 (나)에서 $\overline{AC} \perp \overline{BD}$이면 마름모이고 $\angle C = 90°$이면

직사각형이므로 $\square ABCD$는 정사각형이다.

24 $\overline{AB} /\!/ \overline{DC}$이므로 $\triangle BCQ = \triangle ACQ$

$\overline{AC} /\!/ \overline{PQ}$이므로 $\triangle ACQ = \triangle ACP$

$\therefore \triangle BCQ = \triangle ACP$

높이가 일정할 때 넓이의 비는 밑변의 길이의 비와 같고

$\overline{AP} : \overline{PD} = 1 : 2$이므로

$\triangle ACP : \triangle PCD = 1 : 2$

이때 $\square ABCD = 48 \text{ cm}^2$이므로

$\triangle ACD = \dfrac{1}{2}\square ABCD = 24 \text{ cm}^2$

따라서 $\triangle ACP = 24 \times \dfrac{1}{3} = 8(\text{cm}^2)$이므로

$\triangle BCQ = 8 \text{ cm}^2$

Ⅲ. 도형의 닮음

7 닮은 도형　　본문 pp. 62~69

기본 체크

01 (1) 점 F (2) 변 DF (3) $\angle$B

02 AA 닮음

대표 예제

01 (1) $\overline{BC}$와 $\boxed{\overline{EF}}$는 서로 대응하는 변이므로

$\overline{BC} : \boxed{\overline{EF}} = 4 : \boxed{6}$

$\qquad\qquad\quad = \boxed{2 : 3}$

따라서 $\triangle ABC$와 $\triangle DEF$의 닮음비는 $\boxed{2 : 3}$이다.

(2) 닮음비가 $2 : 3$이고 $\overline{AC}$에 대응하는 변이 $\boxed{\overline{DF}}$이므로

$\overline{AC} : \overline{DF} = \boxed{2 : 3}$, $\overline{AC} : 12 = \boxed{2 : 3}$

$\therefore \overline{AC} = \boxed{8}\,(\text{cm})$

(3) $\angle$D에 대응하는 각은 $\boxed{\angle A}$이므로

$\boxed{\angle A} = \angle D = 30°$이다.

$\therefore \angle C = 180° - (\angle B + \angle A)$

$\qquad\quad = 180° - (100° + \boxed{30°})$

$\qquad\quad = \boxed{50°}$

02 $\triangle ABC$와 $\triangle ADE$에서

$\overline{AB} : \overline{AD} = \boxed{12} : 8 = \boxed{3 : 2}$　…㉠

$\overline{AC} : \overline{AE} = \boxed{9} : 6 = \boxed{3 : 2}$　…㉡

$\boxed{\angle A}$는 공통인 각　…㉢

㉠, ㉡, ㉢으로부터 두 쌍의 대응하는 변의 길이의 비가 같고, 그 끼인각의 크기가 같으므로 $\triangle ABC \backsim \triangle ADE$이다.

03 (1) $\triangle ABC$와 $\triangle DBA$에서

$\angle BAC = \angle BDA = \boxed{90°}$　…㉠

$\boxed{\angle B}$는 공통　…㉡

㉠, ㉡에서 두 쌍의 대응하는 각의 크기가 각각 같으므로

$\triangle ABC \backsim \triangle DBA$

(2) $\triangle ABC \backsim \triangle DBA$이므로

$\overline{AB} : \boxed{\overline{DB}} = \overline{BC} : \boxed{\overline{BA}}$

즉, $\overline{AB}^2 = \overline{BD} \cdot \overline{BC}$

어떤 교과서에나 나오는 문제　　본문 pp. 64~65

01 ④	02 ②	03 ②	04 ③	05 ④
06 ④	07 $\dfrac{25}{2}$ cm		08 ④	

01 닮음비는 $\overline{CD} : \overline{C'D'} = 4 : 6 = 2 : 3$이므로

$\overline{BC} : a = 2 : 3$, $3\overline{BC} = 2a$

$\therefore \overline{BC} = \dfrac{2}{3}a$

02 $\triangle ABC \backsim \triangle EDF$에서 닮음비는 대응변의 길이의 비이므로

$\overline{AB} : \overline{ED} = c : f$

$\overline{BC} : \overline{DF} = a : e$

$\overline{CA} : \overline{FE} = b : d$

03 ② 다음과 같이 $\angle B = \angle D$인 이등변삼각형 ABC와 DEF는 닮은 도형이 아니다.

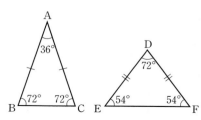

③ 중심각과 호의 길이가 같은 두 부채꼴은 합동이므로 닮

은 도형이다.

④ 두 직각삼각형에서 한 예각의 크기가 같으면 세 내각의 크기가 각각 같으므로 닮은 도형이다.

04 △ABC와 △DEC에서

$\overline{AC} : \overline{DC} = 5 : 15 = 1 : 3$

$\overline{BC} : \overline{EC} = 6 : 18 = 1 : 3$

∠ACB=∠DCE (맞꼭지각)

∴ △ABC∽△DEC (SAS 닮음)

즉, $\overline{AB} : 9 = 1 : 3$이므로

$3\overline{AB} = 9$

∴ $\overline{AB} = 3$(cm)

05 △ABC와 △EBD에서

$\overline{AB} : \overline{EB} = 25 : 15 = 5 : 3$

$\overline{BC} : \overline{BD} = 20 : 12 = 5 : 3$

∠B는 공통

∴ △ABC∽△EBD (SAS 닮음)

즉, $\overline{AC} : 9 = 5 : 3$이므로

$3\overline{AC} = 45$

∴ $\overline{AC} = 15$(cm)

06 △ABC와 △ADB에서

∠A는 공통, ∠ACB=∠ABD

∴ △ABC∽△ADB (AA 닮음)

즉, $\overline{AB} : \overline{AD} = \overline{AC} : \overline{AB}$이므로

$12 : \overline{AD} = 16 : 12, 16\overline{AD} = 144$

∴ $\overline{AD} = 9$(cm)

07 △ABC와 △AED에서

∠A는 공통, ∠B=∠AED=90°

∴ △ABC∽△AED (AA 닮음)

즉, $20 : \overline{AD} = 16 : 10$이므로

$16\overline{AD} = 200$

∴ $\overline{AD} = \dfrac{200}{16} = \dfrac{25}{2}$(cm)

08 △ABC∽△HAC (AA 닮음)이므로

$\overline{AC} : \overline{HC} = \overline{BC} : \overline{AC}$

$\overline{AC}^2 = \overline{HC} \cdot \overline{BC}$

$12^2 = 9(9 + \overline{BH}), 16 = 9 + \overline{BH}$

∴ $\overline{BH} = 7$(cm)

---

01 ①, ③	02 ④	03 ②	04 36π cm^2	
05 ⑤	06 ③	07 ④	08 ③	09 ④
10 ⑤	11 ⑤	12 ③	13 ③	14 ③
15 ⑤	16 ⑤			

01 정다면체와 구는 항상 닮음이다.

따라서 두 구와 두 정육면체는 항상 닮은 도형이 된다.

02 $\overline{BC} : \overline{EF} = 3 : 4$이므로 닮음비는 $3 : 4$

03 닮음비가 $\overline{AB} : \overline{A'B'} = 4 : 6 = 2 : 3$이므로

$x : 3 = 2 : 3$에서 $x = 2$

$6 : y = 2 : 3$에서 $y = 9$

∴ $x + y = 11$

04 두 원뿔의 닮음비는 $5 : 10 = 1 : 2$이므로

원뿔 B의 밑면의 반지름의 길이를 x라 놓으면

$1 : 2 = 3 : x$

∴ $x = 6$

따라서 원뿔 B의 밑면의 넓이는

$\pi \times 6^2 = 36\pi$(cm^2)

05 삼각형의 세 내각의 합은 180°이고,

닮은 도형의 대응각은 각각 같으므로

$20° + ∠E + ∠F = 180°$

∴ $∠E + ∠F = 160°$

06 △ABC와 △ADB에서

$\overline{AB} : \overline{AD} = 10 : 5 = 2 : 1$

$\overline{AC} : \overline{AB} = 20 : 10 = 2 : 1$

∠A는 공통

∴ △ABC∽△ADB (SAS 닮음)

즉, $\overline{BC} : 7 = 2 : 1$에서

$\overline{BC} = 14$(cm)

07 △ABC와 △EDC에서

∠C는 공통, ∠BAC=∠DEC

∴ △ABC∽△EDC (AA 닮음)

즉, $\overline{AC} : \overline{EC} = \overline{BC} : \overline{DC}$이므로

$8 : 3 = (\overline{BE} + 3) : 6$

$3(\overline{BE} + 3) = 48, \overline{BE} + 3 = 16$

∴ $\overline{BE} = 13$(cm)

08 $\triangle ABC$와 $\triangle BDC$에서

$\angle C$는 공통

$\overline{BC} : \overline{DC} = \overline{AC} : \overline{BC} = 4 : 3$

$\therefore \triangle ABC \backsim \triangle BDC$ (SAS 닮음)

즉, $20 : \overline{BD} = 4 : 3$이므로

$4\overline{BD} = 60$

$\therefore \overline{BD} = 15(\text{cm})$

09 $\triangle ODE$와 $\triangle OBF$에서

$\angle EDO = \angle FBO$ (엇각)

$\angle EOD = \angle FOB = 90°$

$\overline{BO} = \overline{DO}$

$\therefore \triangle ODE \equiv \triangle OBF$ (ASA 합동)

$\triangle BDC$와 $\triangle BFO$에서

$\angle BOF = \angle BCD = 90°$, $\angle B$는 공통

$\therefore \triangle BDC \backsim \triangle BFO$ (AA 닮음)

즉, $\overline{BC} : \overline{BO} = \overline{BD} : \overline{BF}$이므로

$16 : 10 = 20 : \overline{BF}$

$\therefore \overline{DE} = \overline{BF} = \dfrac{25}{2}(\text{cm})$

10 $\triangle FAE$와 $\triangle FCB$에서

$\angle FAE = \angle FCB$, $\angle AFE = \angle CFB$

$\therefore \triangle FAE \backsim \triangle FCB$ (AA 닮음)

즉, $\overline{FA} : \overline{FC} = \overline{AE} : \overline{CB}$이므로

$4 : 6 = \overline{AE} : 9$

$\therefore \overline{AE} = 6(\text{cm})$

11 $\triangle ABD$와 $\triangle CAD$에서

$\angle BAD = \angle ACD$, $\angle BDA = \angle ADC$

$\therefore \triangle ABD \backsim \triangle CAD$ (AA 닮음)

즉, $\overline{BD} : \overline{AD} = \overline{AD} : \overline{CD}$이므로

$\overline{AD}^{\,2} = \overline{BD} \times \overline{CD}$, $36 = \overline{BD} \times 4$

$\therefore \overline{BD} = 9(\text{cm})$

$\therefore \triangle ABC = \dfrac{1}{2} \times \overline{BC} \times \overline{AD}$

$\qquad\qquad = \dfrac{1}{2} \times 13 \times 6$

$\qquad\qquad = 39(\text{cm}^2)$

12 $\triangle ABC \backsim \triangle HBA \backsim \triangle HAC$ (AA 닮음)이므로

$8 : 6.4 = 6 : x$에서 $x = 4.8$

$8 : 6 = x : y$에서 $y = 3.6$

$\therefore x + y = 8.4$

13 $\triangle ABC \backsim \triangle DEC$ (AA 닮음)이므로

$\overline{BC} : \overline{EC} = \overline{AC} : \overline{DC}$에서

$10 : 5 = \overline{AC} : 4$

$\therefore \overline{AC} = 8$

$\therefore \overline{AE} = 8 - 5 = 3(\text{cm})$

14 $\triangle ABP \backsim \triangle CDP$ (AA 닮음)이고

닮음비가 $\overline{AB} : \overline{CD} = 4 : 6 = 2 : 3$이므로

$\overline{AP} : \overline{PC} = 2 : 3$

또, $\triangle PHC \backsim \triangle ABC$ (AA 닮음)이므로

$\overline{PC} : \overline{AC} = \overline{PH} : \overline{AB}$

$3 : 5 = \overline{PH} : 4$

$\therefore \overline{PH} = \dfrac{12}{5} = 2.4(\text{cm})$

15 $\triangle ABC \backsim \triangle ACD$ (AA 닮음)이므로

$\overline{AB} : \overline{AC} = \overline{AC} : \overline{AD}$

$10 : 6 = 6 : \overline{AD}$

$\therefore \overline{AD} = 3.6$

16 $\triangle BEF$와 $\triangle BCF$에서

$\overline{BE} = \overline{BC}$, $\angle BEF = \angle BCF = 90°$

$\angle EBF = \angle CBF$

$\therefore \triangle BEF \equiv \triangle BCF$

즉, $\overline{EF} = \overline{CF} = 8 - 3 = 5(\text{cm})$

또한, $\triangle ABE \backsim \triangle DEF$ (AA 닮음)이므로

$\overline{AB} : \overline{DE} = \overline{BE} : \overline{EF}$

$8 : 4 = \overline{BE} : 5$

$\therefore \overline{BE} = 10(\text{cm})$

8 삼각형과 평행선   본문 pp. 70~77

 기본 체크

01 (1) $\overline{AE}$, $\overline{DE}$ (2) $\overline{AE}$ **02** (1)

대표 예제

01 $\triangle ABC$와 $\triangle ADE$에서

$\angle ABC = \boxed{\angle ADE}$ (동위각)

$\boxed{\angle A}$는 공통인 각

즉, 두 쌍의 대응하는 각의 크기가 각각 같으므로

$\triangle ABC \backsim \boxed{\triangle ADE}$이다.

이때 두 닮은 삼각형에서 세 쌍의 대응하는 변의 길이의 비는 모두 같으므로

$\overline{AB} : \boxed{\overline{AD}} = \overline{AC} : \boxed{\overline{AE}} = \overline{BC} : \boxed{\overline{DE}}$

임을 알 수 있다.

02 점 E를 지나고 변 AB에 평행한
직선과 변 BC의 교점을 F라고
하면
△ADE와 △EFC에서
∠DAE=$\boxed{\angle\text{FEC}}$ (동위각)
∠AED=$\boxed{\angle\text{ECF}}$ (동위각)
이므로 △ADE∽△EFC
따라서 $\overline{\text{AD}}:\boxed{\overline{\text{EF}}}=\overline{\text{AE}}:\boxed{\overline{\text{EC}}}$ ⋯ ㉠
또, □DBFE는 평행사변형이므로
$\overline{\text{DB}}=\boxed{\overline{\text{EF}}}$ ⋯ ㉡
㉠, ㉡에 의하여
$\overline{\text{AD}}:\overline{\text{DB}}=\overline{\text{AE}}:\overline{\text{EC}}$

03 △ABC와 △ADE에서
$\overline{\text{AB}}:\overline{\text{AD}}=10:5=2:1$
$\overline{\text{AC}}:\overline{\text{AE}}=12:6=2:1$
∴ $\overline{\text{AB}}:\overline{\text{AD}}=\overline{\text{AC}}:\overline{\text{AE}}$ ⋯ ㉠
$\boxed{\angle\text{A}}$는 공통인 각 ⋯ ㉡
㉠, ㉡에서 두 쌍의 대응하는 변의 길이의 비가 같고,
그 끼인각의 크기가 같으므로
△ABC∽△ADE
∴ ∠B=$\boxed{\angle\text{ADE}}$
따라서 동위각의 크기가 서로 같으므로 $\overline{\text{BC}}/\!/\overline{\text{DE}}$이다.

04 $7:5=14:\overline{\text{DE}}$, $7\overline{\text{DE}}=70$
∴ $\overline{\text{DE}}=10(\text{cm})$

05 $\overline{\text{DQ}}:\overline{\text{BP}}=\overline{\text{AQ}}:\overline{\text{AP}}$이고
$\overline{\text{AQ}}:\overline{\text{AP}}=\overline{\text{QE}}:\overline{\text{PC}}$이므로
$\overline{\text{DQ}}:\overline{\text{BP}}=\overline{\text{QE}}:\overline{\text{PC}}$
$3:6=2:\overline{\text{PC}}$, $3\overline{\text{PC}}=12$
∴ $\overline{\text{PC}}=4(\text{cm})$

06 $\overline{\text{AB}}:\overline{\text{AC}}=\overline{\text{BD}}:\overline{\text{DC}}$이므로
$8:6=(7-\overline{\text{CD}}):\overline{\text{CD}}$
$42-6\overline{\text{CD}}=8\overline{\text{CD}}$, $14\overline{\text{CD}}=42$
∴ $\overline{\text{CD}}=3(\text{cm})$

07 $\overline{\text{AB}}:\overline{\text{AC}}=\overline{\text{BD}}:\overline{\text{DC}}$이므로
$8:6=(4+\overline{\text{CD}}):\overline{\text{CD}}$
$8\overline{\text{CD}}=24+6\overline{\text{CD}}$, $2\overline{\text{CD}}=24$
∴ $\overline{\text{CD}}=12(\text{cm})$

08 $\overline{\text{AB}}:\overline{\text{AC}}=\overline{\text{BD}}:\overline{\text{DC}}$이므로
$5:3=(4+\overline{\text{CD}}):\overline{\text{CD}}$
$5\overline{\text{CD}}=12+3\overline{\text{CD}}$, $2\overline{\text{CD}}=12$
∴ $\overline{\text{CD}}=6(\text{cm})$
∴ △ABC : △ACD=$\overline{\text{BC}}:\overline{\text{CD}}$
$=4:6$
$=2:3$

어떤 교과서에나 나오는 문제   본문 pp. 72~73

01 ②	02 ③	03 ①	04 ④	05 4 cm
06 ③	07 ③	08 2 : 3		

01 $4:6=\overline{\text{AQ}}:4$, $6\overline{\text{AQ}}=16$
∴ $\overline{\text{AQ}}=\dfrac{16}{6}=\dfrac{8}{3}(\text{cm})$

02 $4:3=8:\overline{\text{CD}}$, $4\overline{\text{CD}}=24$
∴ $\overline{\text{CD}}=6(\text{cm})$

03 $\overline{\text{AD}}:(\overline{\text{AD}}+5)=2:6$
$6\overline{\text{AD}}-2\overline{\text{AD}}=10$
∴ $\overline{\text{AD}}=\dfrac{5}{2}(\text{cm})$

시험에 꼭 나오는 문제   본문 pp. 74~77

01 ③	02 ④	03 ③	04 ③	05 ③
06 ⑤	07 ③	08 ①	09 ④	10 ④
11 ②	12 ③	13 2 : 5	14 ②	15 ⑤

01 $6:9=8:\overline{\text{AC}}$, $6\overline{\text{AC}}=72$
∴ $\overline{\text{AC}}=12(\text{cm})$

02 $8:4=4:x$, $8x=16$
∴ $x=2$
또, $4:6=2:y$, $4y=12$
∴ $y=3$
∴ $x+y=2+3=5$

03 $4:8=x:12$, $8x=48$

$\therefore x=6$

$4:8=y:10,\ 8y=40$

$\therefore y=5$

$\therefore x+y=6+5=11$

04 $\overline{AD}:\overline{DF}=\overline{BC}:\overline{CE}$이므로

$6:4=(\overline{BE}-3):3,\ 4\overline{BE}-12=18$

$4\overline{BE}=30\ \ \therefore \overline{BE}=\dfrac{15}{2}(cm)$

05 □ABCD가 평행사변형이므로

$\overline{AD}\,/\!/\,\overline{BC},\ \overline{CD}=\overline{BA}=3(cm)$

이때 $\overline{FC}:\overline{FD}=\overline{CE}:\overline{DA}$이므로

$2:(2+3)=\overline{CE}:5,\ 5\overline{CE}=10$

$\therefore \overline{CE}=2(cm)$

06 $\overline{AD}\,/\!/\,\overline{BM}$이므로

$\overline{BP}:\overline{DP}=\overline{BM}:\overline{DA}$에서

$\overline{BP}:\overline{DP}=2:4=1:2$

$\therefore \overline{BP}=\dfrac{1}{3}\overline{BD}=\dfrac{1}{3}\times5=\dfrac{5}{3}(cm)$

07 $\overline{AD}:\overline{DB}=\overline{AE}:\overline{EC}$이고

$\overline{AF}:\overline{FD}=\overline{AE}:\overline{EC}$이므로

$\overline{AD}:\overline{DB}=\overline{AF}:\overline{FD}$

$6:4=\overline{AF}:(6-\overline{AF})$

$4\overline{AF}=36-6\overline{AF},\ 10\overline{AF}=36$

$\therefore \overline{AF}=3.6(cm)$

08 $\overline{FE}=x$라고 하면 $\overline{AF}=6-x$

$\overline{FE}\,/\!/\,\overline{BC}$이므로

$\overline{AF}:\overline{AB}=\overline{FE}:\overline{BC}$

$(6-x):6=x:4,\ 6x=24-4x$

$10x=24\ \ \therefore x=2.4(cm)$

09 ① $20:4\neq10:5$　　② $8:3\neq7:2$

③ $3:6\neq4:7$　　④ $4:2=6:3$

⑤ $10:7\neq10:9$

따라서 $\overline{BC}\,/\!/\,\overline{DE}$인 것은 ④이다.

10 ①, ③ $\overline{BE}:\overline{EC},\ \overline{BD}:\overline{DA}$에서 $5:4\neq6:8$

②, ⑤ $\overline{CE}:\overline{EB},\ \overline{CF}:\overline{FA}$에서 $4:5\neq4.5:6$

④ $\overline{AD}:\overline{DB},\ \overline{AF}:\overline{FC}$에서 $8:6=6:4.5$

$\therefore \overline{DF}\,/\!/\,\overline{BC}$

11 $\overline{AB}:\overline{AC}=\overline{BD}:\overline{DC}$이므로

$6:4=\overline{BD}:3,\ 4\overline{BD}=18$

$\therefore \overline{BD}=4.5(cm)$

12 $\overline{AD}$가 ∠A의 외각의 이등분선이므로

$\overline{AB}:\overline{AC}=\overline{BD}:\overline{CD}$

$8:4=\overline{BD}:5,\ 4\overline{BD}=40$

$\therefore \overline{BD}=10(cm)$

$\therefore \overline{BC}=10-5=5(cm)$

13 $\overline{AB}:\overline{AC}=\overline{BD}:\overline{DC}$이므로

$10:6=(8+\overline{CD}):\overline{CD}$

$4\overline{CD}=48\ \ \therefore \overline{CD}=12$

$\therefore \triangle ABC:\triangle ABD=\overline{BC}:\overline{BD}=8:20=2:5$

14 △ABD와 △ACD는 같은 높이를 가지므로 넓이의 비는 밑변의 길이의 비와 같다.

$\therefore S_1:S_2=\overline{BD}:\overline{DC}=\overline{AB}:\overline{AC}$

$\qquad\quad=6:4=3:2$

15 $\overline{AB}:\overline{AD}=\overline{BC}:\overline{CD}$이므로

$15:10=6:\overline{CD},\ 15\overline{CD}=60$

$\therefore \overline{CD}=4(cm)$

$\overline{AB}:\overline{AD}=\overline{BF}:\overline{DF}$이므로

$15:10=(6+\overline{CF}):(\overline{CF}-4)$

$15\overline{CF}-60=60+10\overline{CF},\ 5\overline{CF}=120$

$\therefore \overline{CF}=24(cm)$

9 평행선과 선분의 길이의 비 　　본문 pp. 78~85

기본 체크

01 (1) f (2) c, d (3) c

대표 예제

01 오른쪽 그림과 같이 점 A를 지나 직선 q 에 평행한 직선을 그어서 직선 m, n과 만나는 점을 각각 E′, F′이라고 하면

$\overline{BE'}\,/\!/\,\overline{CF'}$이므로

$\overline{AB}:\overline{BC}=\overline{AE'}:\overline{E'F'}$　…㉠

또한, □AE′ED와 □E′F′FE가 평행사변형이므로

$\overline{AE'}=\overline{DE},\ \overline{E'F'}=\overline{EF}$　…㉡

㉠, ㉡에서 $\overline{AB}:\overline{BC}=\overline{DE}:\overline{EF}$

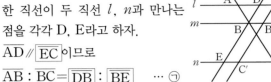

02 점 B를 지나고 직선 A′C′에 평행
한 직선이 두 직선 l, n과 만나는
점을 각각 D, E라고 하자.
$\overline{AD}/\!/\overline{EC}$이므로
$\overline{AB}:\overline{BC}=\boxed{\overline{DB}}:\boxed{\overline{BE}}$ ⋯ ㉠
이때 □DBB′A′과 □EC′B′은
모두 $\boxed{평행사변형}$이므로
$\overline{DB}=\boxed{\overline{A'B'}}$, $\overline{BE}=\boxed{\overline{B'C'}}$ ⋯ ㉡
㉠, ㉡에서 $\overline{AB}:\overline{BC}=\overline{A'B'}:\overline{B'C'}$

03 $\overline{EG}/\!/\overline{BH}$이고
$\overline{HC}=\overline{GF}=\boxed{\overline{AD}}=\boxed{5}(cm)$이므로
$\overline{AB}:\overline{AE}=\overline{BH}:\boxed{\overline{EG}}$에서
$12:3=(13-5):\boxed{\overline{EG}}$, $12\overline{EG}=24$
∴ $\overline{EG}=\boxed{2}(cm)$
∴ $\overline{EF}=\overline{EG}+\overline{GF}=\boxed{7}(cm)$

04 △ABC에서 $\overline{AE}:\overline{AB}=\boxed{\overline{EG}}:\overline{BC}$이므로
$6:10=\boxed{\overline{EG}}:8$, $10\overline{EG}=48$
∴ $\overline{EG}=\boxed{4.8}(cm)$
△CDA에서 $\overline{CF}:\overline{CD}=\boxed{\overline{GF}}:\overline{AD}$이므로
$4:10=\boxed{\overline{GF}}:6$, $10\overline{GF}=24$
∴ $\overline{GF}=\boxed{2.4}(cm)$
∴ $\overline{EF}=\overline{EG}+\overline{GF}=\boxed{7.2}(cm)$

어떤 교과서에나 나오는 문제 본문 pp. 80~81

01 ③	02 ⑤	03 ①	04 ⑤	05 ③
06 $\frac{35}{3}$ cm		07 ④	08 2.4 cm	

01 $3:6=4:x$, $3x=24$
∴ $x=8$

02 $3:x=5:9$, $5x=27$
∴ $x=\frac{27}{5}$

03 $m/\!/n$이므로 △PCD∽△PFE (AA 닮음)
즉, $\overline{PD}:\overline{PE}=\overline{CD}:\overline{FE}$이므로

$3:x=6:4$, $6x=12$
∴ $x=2$

04 $5:(x-5)=6:9$, $6x-30=45$
∴ $x=12.5$

05 오른쪽 그림과 같이 $\overline{AH}/\!/\overline{DC}$
가 되도록 $\overline{AH}$를 긋고 $\overline{AH}$와
$\overline{MN}$의 교점을 G라고 하자.
$\overline{AD}=\overline{GN}=\overline{HC}=8(cm)$
이므로
$\overline{BH}=\overline{BC}-\overline{HC}=6(cm)$
△ABH에서
$\overline{AM}:\overline{AB}=\overline{MG}:\overline{BH}$이므로
$1:2=\overline{MG}:6$
∴ $\overline{MG}=3(cm)$
∴ $\overline{MN}=\overline{MG}+\overline{GN}=3+8=11(cm)$

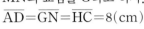

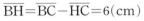

06 △AOD∽△COB (AA 닮음)이므로
$\overline{AO}:\overline{CO}=\overline{DO}:\overline{BO}=\overline{AD}:\overline{CB}$
$=10:14=5:7$
△AEO∽△ABC (AA 닮음)이므로
$\overline{AO}:\overline{AC}=\overline{EO}:\overline{BC}$
$5:12=\overline{EO}:14$
∴ $\overline{EO}=\frac{35}{6}(cm)$
△DOF∽△DBC (AA 닮음)이므로
$\overline{DO}:\overline{DB}=\overline{OF}:\overline{BC}$
$5:12=\overline{OF}:14$
∴ $\overline{OF}=\frac{35}{6}(cm)$
∴ $\overline{EF}=\overline{EO}+\overline{OF}=\frac{35}{3}(cm)$

07 △CPQ∽△CAB (AA 닮음)이고
닮음비는 $\overline{PQ}:\overline{AB}=6:10=3:5$이므로
$\overline{CQ}:\overline{CB}=3:5$
∴ $\overline{BQ}:\overline{BC}=2:5$
△BPQ∽△BDC (AA 닮음)이므로
$\overline{PQ}:\overline{DC}=\overline{BQ}:\overline{BC}$
$6:\overline{DC}=2:5$, $2\overline{DC}=30$
∴ $\overline{DC}=15(cm)$

08 △ABP∽△DCP (AA 닮음)이고

닮음비는 $\overline{AB}:\overline{DC}=4:6=2:3$이므로

$\overline{BP}:\overline{CP}=2:3$

$\therefore \overline{BP}:\overline{BC}=2:5$

$\triangle PBQ \varphi \triangle CBD$ (AA 닮음)이므로

$\overline{PQ}:\overline{CD}=\overline{BP}:\overline{BC}$

$\overline{PQ}:6=2:5, 5\overline{PQ}=12$

$\therefore \overline{PQ}=2.4(cm)$

시험에 꼭 나오는 문제　　　　　본문 pp. 82~85

01 ③	02 ③	03 ③	04 ②	05 ①
06 ①	07 ②	08 ④	09 ⑤	10 ②
11 ④	12 10 cm	13 9 cm	14 ②	15 8 cm
16 ①				

01 $12:(16-12)=10:x, 12x=40$

$\therefore x=\dfrac{10}{3}$

02 $(24-15):15=x:20, 15x=180$

$\therefore x=12$

03 $8:6=x:4, 6x=32$

$\therefore x=\dfrac{16}{3}$

$6:y=4:5, 4y=30$

$\therefore y=\dfrac{15}{2}$

$\therefore 6xy=6\times\dfrac{16}{3}\times\dfrac{15}{2}=240$

04 $2:4=x:6, 4x=12$

$\therefore x=3$

$2:4=(y-6):6, 4y-24=12$

$\therefore y=9$

$\therefore x+y=3+9=12$

05 $(x-5):5=2:8, 8x-40=10, 8x=50$

$\therefore x=\dfrac{25}{4}$

06 $12:8=9:y, 12y=72$

$\therefore y=6$

또한, $8:x=y:3, 8:x=6:3$

$6x=24 \quad \therefore x=4$

$\therefore x+y=4+6=10$

07 $3:y=2:5, 2y=15$

$\therefore y=7.5$

$5:x=7.5:9, 7.5x=45$

$\therefore x=6$

$\therefore x+y=6+7.5=13.5$

08 $\overline{AD}/\!\!/\overline{PE}$이므로

$\overline{AP}:\overline{PB}=\overline{DE}:\overline{EB}\cdots\cdots\,\bigcirc$

$\overline{EQ}/\!\!/\overline{BC}$이므로

$\overline{DE}:\overline{EB}=\overline{DQ}:\overline{QC}\cdots\cdots\,\bigcirc$

$\bigcirc$, $\bigcirc$에서 $\overline{AP}:\overline{PB}=\overline{DQ}:\overline{QC}$

$6:3=5:x, 6x=15$

$\therefore x=2.5$

$\overline{DQ}:\overline{DC}=\overline{EQ}:\overline{BC}$이므로

$5:7.5=y:9, 2:3=y:9, 3y=18$

$\therefore y=6$

$\therefore x+y=2.5+6=8.5$

09 ⑤ $\triangle AEO \varphi \triangle ABC$이므로

$\overline{AE}:\overline{AB}=\overline{EO}:\overline{BC}$

10 오른쪽 그림과 같이 한 직선을 평행 이동시키면

$4:(4+8)=4:(x-3)$

$x-3=12$

$\therefore x=15$

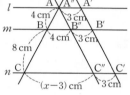

11 오른쪽 그림과 같이 한 직선을 평행 이동시키면

$2:(2+x)=1:3$

$2+x=6$

$\therefore x=4$

12 $\overline{AE}=2\overline{EB}$에서

$\overline{AE}:\overline{EB}=2:1$이므로

$\overline{AE}:\overline{AB}=\overline{EN}:\overline{BC}$

$2:3=\overline{EN}:21, 3\overline{EN}=42$

$\therefore \overline{EN}=14(cm)$

한편, $\overline{EB}:\overline{AB}=\overline{EM}:\overline{AD}$에서

$1:3=\overline{EM}:12, 3\overline{EM}=12$

$\therefore \overline{EM}=4(cm)$

$\therefore \overline{MN}=14-4=10(cm)$

13 대각선 AC와 $\overline{EF}$의 교점을 G라고 하면

$\triangle AEG \varphi \triangle ABC$이므로

$\overline{AE}:\overline{AB}=\overline{EG}:\overline{BC}$

$6:8=\overline{EG}:10$

$8\overline{EG}=60$

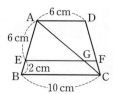

$\therefore \overline{EG}=\dfrac{15}{2}$ (cm)

또, $\triangle CFG \circ \triangle CDA$이므로

$\overline{CF} : \overline{CD}=\overline{FG} : \overline{AD}$

$2 : 8=\overline{FG} : 6$

$8\overline{FG}=12$

$\therefore \overline{FG}=\dfrac{3}{2}$ (cm)

$\therefore \overline{EF}=\overline{EG}+\overline{FG}=\dfrac{15}{2}+\dfrac{3}{2}=9$ (cm)

14 $\overline{PH} /\!/ \overline{DC}$이면

$\triangle PBH \circ \triangle DBC$이므로

$\overline{BP} : \overline{BD}=\overline{PH} : \overline{DC}=4 : 12=1 : 3$

$\overline{AB} /\!/ \overline{CD}$이면

$\triangle ABP \circ \triangle CDP$이므로

$\overline{AB} : \overline{CD}=\overline{BP} : \overline{PD}$

$\overline{AB} : 12=1 : (3-1),\ 2\overline{AB}=12$

$\therefore \overline{AB}=6$ (cm)

15 $\overline{AB} /\!/ \overline{EF} /\!/ \overline{CD}$이면

$\triangle EAB \circ \triangle EDC$ (AA 닮음)이므로

$\overline{EB} : \overline{EC}=\overline{AB} : \overline{DC}=8 : 12=2 : 3$

$\triangle BEF \circ \triangle BCD$ (AA 닮음)이므로

$\overline{BF} : \overline{BD}=\overline{BE} : \overline{BC}$

$\overline{BF} : 20=2 : (2+3),\ 5\overline{BF}=40$

$\therefore \overline{BF}=8$ (cm)

16 오른쪽 그림과 같이 $\overline{AJ}$를 그으면

$\triangle AIJ$에서

$\overline{AC} : \overline{AI}=\overline{CK} : \overline{IJ}$이므로

$1 : 4=\overline{CK} : 12,\ 4\overline{CK}=12$

$\therefore \overline{CK}=3$ (cm)

또, $\triangle JBA$에서

$\overline{JD} : \overline{JB}=\overline{DK} : \overline{BA}$이므로

$3 : 4=\overline{DK} : 6,\ 4\overline{DK}=18$

$\therefore \overline{DK}=4.5$ (cm)

$\therefore \overline{CD}=\overline{CK}+\overline{KD}=3+4.5$

$\qquad =\dfrac{15}{2}=7.5$ (cm)

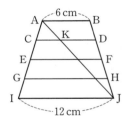

10 삼각형의 무게중심 본문 pp. 86~93

본문 pp. 86~93

기본 체크

01 (1) 70° (2) 5 cm　　**02** 4

대표 예제

01 점 D, F는 각각 변 AB, AC의 중점이므로

$\overline{DF}=\dfrac{1}{2}\boxed{\overline{BC}}=\boxed{6}$ (cm)

점 D, E는 각각 변 AB, BC의 중점이므로

$\overline{DE}=\dfrac{1}{2}\boxed{\overline{AC}}=\boxed{5}$ (cm)

점 E, F는 각각 변 BC, AC의 중점이므로

$\overline{FE}=\dfrac{1}{2}\boxed{\overline{AB}}=\boxed{4}$ (cm)

따라서 △DEF의 둘레의 길이는

$\boxed{6}+\boxed{5}+\boxed{4}=\boxed{15}$ (cm)이다.

02 $\overline{CP}$가 △AMC의 중선이므로

$\triangle AMC=\boxed{2}\triangle ACP=\boxed{2}\times4=\boxed{8}\ (cm^2)$

또한, $\overline{AM}$이 △ABC의 중선이므로

$\triangle ABC=\boxed{2}\triangle AMC=\boxed{2}\times8=\boxed{16}\ (cm^2)$

03 점 G가 △ABC의 무게중심이므로

$\overline{GD}=\boxed{\dfrac{1}{3}}\overline{AD}=\boxed{\dfrac{1}{3}}\times27=\boxed{9}$ (cm)

또한, 점 G′이 △GBC의 무게중심이므로

$\overline{GM'}=\boxed{\dfrac{2}{3}}\overline{GD}=\boxed{\dfrac{2}{3}}\times9=\boxed{6}$ (cm)

04 $\overline{AG} : \overline{GD}=2 : 1$이므로

$\triangle ABG : \triangle GBD=\boxed{2 : 1}$

$\therefore \triangle ABD=\boxed{3}\triangle GBD$

이때 △ABD=△ACD이므로

$\triangle ABC=\boxed{2}\triangle ABD$

$\qquad\quad =\boxed{2}\times\boxed{3}\triangle GBD$

$\qquad\quad =\boxed{6}\triangle GBD$

$\qquad\quad =\boxed{6}\times5=\boxed{30}\ (cm^2)$

어떤 교과서에나 나오는 문제 본문 pp. 88~89

본문 pp. 88~89

01 ①　　02 ③　　03 ③　　04 5 cm　05 ③

06 ③　　07 (1) 10 cm² (2) 20 cm² (3) 20 cm²

08 ①

01 $\triangle ABC \circ \triangle AMN$ (ASA 닮음)이고 닮음비는 2 : 1이다.

$$\therefore \overline{BC}=2\overline{MN}=2\times3=6(cm)$$

02 $\triangle ABC \circ \triangle AMN$ (AA 닮음)이고 닮음비는 $2:1$이다.
따라서 $\overline{AN}=\overline{CN}$이므로 $\overline{NC}=2\,cm$

03 ③ $\triangle ABC=2\triangle ABE=2\times2\triangle ADE=4\triangle ADE$이므로
$\square DBCE=3\triangle ADE$
$$\therefore \frac{\triangle ADE}{\square DBCE}=\frac{1}{3}$$

04 $\overline{AD}$는 중선이므로 $\overline{CD}=\overline{BD}=3\,cm$
$\overline{AG}:\overline{GD}=2:1$이므로
$4:\overline{GD}=2:1 \quad \therefore \overline{GD}=2(cm)$
$$\therefore \overline{CD}+\overline{GD}=3+2=5(cm)$$

05 점 D, E는 각각 $\overline{AB}$, $\overline{AC}$의 중점이므로
$$\overline{DE}=\frac{1}{2}\overline{BC}=\frac{1}{2}\times14=7(cm)$$

06 점 M은 $\triangle ABC$의 외심이므로
$\overline{AM}=\overline{BM}=\overline{CM}=6(cm)$
점 G는 $\triangle ABC$의 무게중심이므로
$\overline{AG}:\overline{GM}=2:1$
$$\therefore \overline{AG}=\frac{2}{3}\overline{AM}=\frac{2}{3}\times6=4(cm)$$

07 (1) $\triangle AFG$의 넓이는 $\triangle ABC$의 넓이의 $\frac{1}{6}$이다.
$$\therefore \triangle AFG=\frac{1}{6}\triangle ABC=\frac{1}{6}\times60=10(cm^2)$$
(2) $\triangle GBC=\triangle GBD+\triangle GDC$
$$=\frac{1}{3}\triangle ABC=\frac{1}{3}\times60=20(cm^2)$$
(3) $\square AFGE=\triangle AFG+\triangle AGE$
$$=\frac{1}{3}\triangle ABC=\frac{1}{3}\times60=20(cm^2)$$

08 $\triangle ADE=\frac{1}{2}\triangle ABE=\frac{1}{2}\times\frac{1}{2}\triangle ABC=\frac{1}{4}\triangle ABC$
$\triangle BDG=\frac{1}{6}\triangle ABC$, $\triangle CEG=\frac{1}{6}\triangle ABC$
$\triangle BCG=\frac{1}{3}\triangle ABC$
$\therefore \triangle DGE=\triangle ABC-\triangle ADE$
$\qquad\qquad -\triangle BDG-\triangle CEG-\triangle BCG$
$$=\left(1-\frac{1}{4}-\frac{1}{6}-\frac{1}{6}-\frac{1}{3}\right)\triangle ABC$$
$$=\frac{1}{12}\triangle ABC$$
$$=\frac{1}{12}\times48$$
$$=4(cm^2)$$

---

01 ③	02 ②	03 ⑤	04 ③	05 ①
06 ①	07 ①	08 ⑤	09 ②	10 ②
11 ③	12 ④	13 ②	14 ③	15 ②
16 ③				

01 $\overline{AM}=\overline{BM}$, $\overline{MN}/\!/\overline{BC}$이므로
$\triangle ABC$에서 $\overline{MQ}=\frac{1}{2}\overline{BC}=7(cm)$
$\triangle ABD$에서 $\overline{MP}=\frac{1}{2}\overline{AD}=4(cm)$
$$\therefore \overline{PQ}=\overline{MQ}-\overline{MP}=7-4=3(cm)$$

02 삼각형의 중점 연결 정리에 의하여
$\overline{DE}=\frac{1}{2}\overline{AC}=\frac{1}{2}\times6=3(cm)$
$\overline{EF}=\frac{1}{2}\overline{AB}=\frac{1}{2}\times8=4(cm)$
$\overline{DF}=\frac{1}{2}\overline{BC}=\frac{1}{2}\times10=5(cm)$
$\therefore (\triangle DEF$의 둘레의 길이$)=\overline{DE}+\overline{EF}+\overline{DF}$
$$=3+4+5$$
$$=12(cm)$$

03 $\overline{HE}=\frac{1}{2}\overline{BD}=9(cm)$
$\overline{FG}=\frac{1}{2}\overline{BD}=9(cm)$
$\overline{EF}=\frac{1}{2}\overline{AC}=8(cm)$
$\overline{GH}=\frac{1}{2}\overline{AC}=8(cm)$
$\therefore (\square EFGH$의 둘레의 길이$)$
$$=\overline{HE}+\overline{EF}+\overline{FG}+\overline{GH}$$
$$=9+8+9+8=34\,cm$$

04 $\triangle AFC$에서
$\overline{AE}=\overline{EF}$, $\overline{AD}=\overline{DC}$이므로
$\overline{ED}/\!/\overline{FC}$, $\overline{ED}=\frac{1}{2}\overline{FC}$
$\overline{EF}=\overline{FB}$, $\overline{ED}/\!/\overline{FC}$이므로
$\triangle BDE$에서
$\overline{ED}=2\overline{FG}=4(cm)$
$\therefore \overline{FC}=2\overline{ED}=8(cm)$

05 $\overline{AB}/\!/\overline{PS}/\!/\overline{RQ}$, $\overline{DC}/\!/\overline{PR}/\!/\overline{SQ}$이므로
$\square PSQR$는 평행사변형이다.
또한, $\overline{PS}=\overline{RQ}=\frac{1}{2}\overline{AB}=\frac{13}{2}(cm)$,
$\overline{PR}=\overline{SQ}=\frac{1}{2}\overline{DC}=\frac{15}{2}(cm)$이므로

□PSQR의 둘레의 길이는
$$2\left(\frac{13}{2}+\frac{15}{2}\right)=28(\text{cm})$$

06 $\overline{HB}\,/\!/\,\overline{DF}$, $\overline{AG}\,/\!/\,\overline{EC}$이므로 □PSQR는 평행사변형이다.
$\overline{BQ}=\overline{PQ}=\overline{SR}=\overline{DS}$이고 $\overline{PH}=\frac{1}{2}\overline{DS}$이므로
$$\overline{PQ}=\overline{SR}=12\times\frac{2}{5}=\frac{24}{5}(\text{cm})$$
마찬가지 방법으로
$$\overline{PS}=\overline{QR}=13\times\frac{2}{5}=\frac{26}{5}(\text{cm})$$
따라서 □PQRS의 둘레의 길이는
$$2\left(\frac{24}{5}+\frac{26}{5}\right)=20(\text{cm})$$

07 $\overline{AG}:\overline{GD}=2:1$이므로
$$\overline{GD}=\frac{1}{3}\overline{AD}=\frac{1}{3}\times9=3(\text{cm})$$
$\overline{GG'}:\overline{G'D}=2:1$이므로
$$\overline{G'D}=\frac{1}{3}\overline{GD}=\frac{1}{3}\times3=1(\text{cm})$$

08 $\overline{AG}=\overline{GM}=2:1$이므로
$$\overline{GM}=\frac{1}{2}\overline{AG}=\frac{1}{2}\times12=6(\text{cm})$$
$\overline{GG'}:\overline{G'M}=2:1$이므로
$$\overline{GG'}=\frac{2}{3}\overline{GM}=\frac{2}{3}\times6=4(\text{cm})$$

09 △ABC에서 $\overline{AO}=\overline{CO}$, $\overline{BM}=\overline{CM}$이므로
점 P는 △ABC의 무게중심이다.
마찬가지로 점 Q는 △ACD의 무게중심이다.
$$\begin{aligned}\square PMCQ&=\triangle COQ+\square PMCO\\&=\triangle COQ+\square QNAO\\&=\triangle ACN\end{aligned}$$
이때 □QNAO$=2\triangle$QNA이므로
$\triangle QNA=2\,\text{cm}^2$
$\therefore \square PMCQ=\triangle ACN=3\triangle QNA=6(\text{cm}^2)$

10 점 D는 △ABC의 외심이므로
$$\overline{AD}=\overline{BD}=\overline{CD}=\frac{1}{2}\overline{AB}=9(\text{cm})$$
$$\overline{GD}=\frac{1}{3}\overline{CD}=3(\text{cm})$$
$$\therefore \overline{GG'}=\frac{2}{3}\overline{GD}=2(\text{cm})$$

11 $\overline{AG}$를 그으면

$$\triangle GAB=\triangle GCA=\frac{1}{3}\triangle ABC=\frac{1}{3}\times12=4(\text{cm}^2)$$
$\therefore \triangle ADG=\triangle AGE=2\,\text{cm}^2$
따라서 색칠한 부분의 넓이는
$\triangle ADG+\triangle AGE=2+2=4(\text{cm}^2)$

12 오른쪽 그림과 같이 두 대각선의 교점을 O라고 하면 평행사변형의 두 대각선은 서로 다른 것을 이등분하므로 두 점 P, Q는 각각 △ABC, △ACD의 무게중심이다.

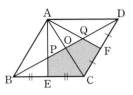

$\triangle ABP=\frac{1}{3}\triangle ABC=8(\text{cm}^2)$이므로
$$\begin{aligned}\square PECO&=\triangle PEO+\triangle POC\\&=\frac{1}{3}\triangle ABC=8(\text{cm}^2)\end{aligned}$$
△ACD$=$△ABC이고
$\square OCFQ=\frac{1}{3}\triangle ACD$이므로
$\square OCFQ=8(\text{cm}^2)$
따라서 색칠한 부분의 넓이는
$\square PECO+\square OCFQ=8+8=16(\text{cm}^2)$

13 $\overline{CD}=a$라 하면 $\overline{BD}:\overline{DC}=2:1$이므로
$\overline{BD}=2a$, $\overline{BC}=3a$
이때 $\overline{AE}=\overline{EB}$, $\overline{AF}=\overline{FC}$이므로
$$\overline{EF}=\frac{1}{2}\overline{BC}=\frac{3}{2}a$$
$\overline{EF}\,/\!/\,\overline{BC}$에서 △CGD∽△EGF이므로
$\overline{CD}:\overline{EF}=a:\frac{3}{2}a=2:3$
즉, $\overline{CG}:\overline{EG}=2:3$이므로
$4:\overline{EG}=2:3$, $2\overline{EG}=12$
$\therefore \overline{EG}=6(\text{cm})$

14 두 점 G, H는 각각 △ABC, △ACD의 무게중심이므로
$\overline{BG}:\overline{GO}=2:1$, $\overline{DH}:\overline{HO}=2:1$
또한, $\overline{BO}=\overline{DO}$이므로 $\overline{BG}=\overline{GH}=\overline{HD}$
즉, △BCD$=$△ABD$=3$△AGH$=3\times12=36(\text{cm}^2)$
$\therefore \triangle CFE=\frac{1}{2}\triangle BCF=\frac{1}{4}\triangle BCD=9(\text{cm}^2)$

15 $\overline{AF}=\overline{BF}$, $\overline{AE}=\overline{CE}$이므로 $\overline{FE}\,/\!/\,\overline{BC}$
$\overline{AH}:\overline{AD}=\overline{AF}:\overline{AB}=1:2$이므로
$$\overline{AH}=\frac{1}{2}\overline{AD}=9(\text{cm})$$
점 G는 △ABC의 무게중심이므로

$$\overline{AG}=\frac{2}{3}\overline{AD}=\frac{2}{3}\times18=12(cm)$$
$$\therefore \overline{HG}=\overline{AG}-\overline{AH}=12-9=3(cm)$$

16 점 G는 △ABE의 무게중심이므로
$$\triangle ABE=6\triangle BDG=6\times2=12(cm^2)$$
△ABC : △ABE=3 : 2이므로
△ABC : 12=3 : 2, 2△ABC=36
$$\therefore \triangle ABC=18(cm^2)$$

11 닮은 도형의 활용

본문 pp. 94~101

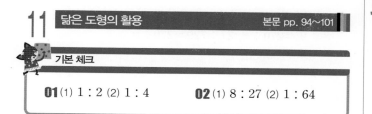

기본 체크

01 (1) 1 : 2 (2) 1 : 4   **02** (1) 8 : 27 (2) 1 : 64

대표 예제

01 □EFGH의 넓이를 $x\,cm^2$라고 하면
□ABCD : □EFGH
$$=3^2 : \boxed{5^2}=\boxed{18} : x$$
$$9x=\boxed{25}\times18$$
$$\therefore x=\boxed{50}$$
따라서 □EFGH의 넓이는 $\boxed{50}\,cm^2$이다.

02 △ABC∽△ADE이므로 닮음비는
$$\overline{AB} : \boxed{\overline{AD}}=15 : \boxed{10}=\boxed{3 : 2}$$이다.
이때 넓이의 비는 $\boxed{3^2 : 2^2}=\boxed{9 : 4}$이므로
△ABC : △ADE=12 : △ADE
$$=\boxed{9 : 4}$$
$$\therefore \triangle ADE=\boxed{\frac{16}{3}}(cm^2)$$

03 닮은 두 삼각뿔 A와 B의 부피를 각각 V, V'이라고 하면
A와 B의 닮음비가 2 : 3이므로 부피의 비는
$$V : V'=\boxed{2^3 : 3^3}=\boxed{8 : 27}$$
이때 V=32 cm³이므로
$$32 : V'=\boxed{8 : 27}$$
$$\therefore V'=\boxed{108}(cm^3)$$

04 (지도상의 거리) : (실제의 거리)=$\boxed{1 : 2000000}$이므로

지도의 모양과 실제의 모양의 닮음비는 $\boxed{1 : 2000000}$이다.
따라서 울릉도와 독도 사이의 실제 거리를 x라고 하면
$$4.37 : x=\boxed{1 : 2000000}$$
$$\therefore x=4.37\times\boxed{2000000}(cm)$$
$$=\boxed{87.4}(km)$$

01 △ABC와 △DEF의 닮음비는 $\overline{BC} : \overline{EF}=3 : 4$
이때 둘레의 길이의 비는 닮음비와 같으므로 3 : 4

02 △ABC∽△EBD (SAS 닮음)이고 닮음비는
$\overline{AB} : \overline{EB}=12 : 8=3 : 2$이므로
넓이의 비는 $3^2 : 2^2=9 : 4$

03 △ABC∽△ADE (AA 닮음)이고
$\overline{AB} : \overline{AD}=9 : 5$이므로
△ABC와 △ADE의 닮음비는 9 : 5이다.
따라서 둘레의 길이의 비는 9 : 5이다.

04 부피의 비가 8 : 27이므로 $8 : 27=2^3 : 3^3$에서
닮음비는 2 : 3이다.
따라서 밑면의 넓이의 비는 $2^2 : 3^2=4 : 9$

05 두 직육면체의 겉넓이의 비가 $9 : 25=3^2 : 5^2$이므로
닮음비는 3 : 5이다.
작은 직육면체의 부피를 V라고 하면
$$V : 500=3^3 : 5^3=27 : 125$$
$$\therefore V=\frac{27\times500}{125}=108(cm^3)$$

06 세 점 P, Q, R는 세 모서리의 중점이므로 두 삼각뿔은 닮은 도형이고, 닮음비는 1 : 2이다.
따라서 부피의 비는 $1^3 : 2^3=1 : 8$이다.
$\therefore$ (삼각뿔 O−PQR의 부피)
$$=\frac{1}{8}\times(\text{삼각뿔 O−ABC의 부피})$$
$$=\frac{1}{8}\times40=5(cm^3)$$

07 지름의 길이가 1 m=100 cm인 쇠공과 지름의 길이가
5 cm인 쇠공의 닮음비는 100 : 5=20 : 1이므로
부피의 비는 20^3 : 1^3=8000 : 1
따라서 지름의 길이가 5 cm인 쇠공을 모두 8000개 만들 수 있다.

08 5 km=5000 m=500000 cm이고
축척이 $\dfrac{1}{10000}$이므로 닮음비는 1 : 10000이다.
지도에서의 거리를 x라 하면
1 : 10000=x : 500000
∴ x=50(cm)

본문 pp. 98~101

시험에 꼭 나오는 문제

01 ⑤	02 ③	03 ③	04 ②	05 ③
06 7290 cm³		07 ③	08 ④	09 ④
10 ②	11 ①	12 ④	13 27개	14 ①
15 14 cm³		16 ②		

01 $\overline{DE}$ // $\overline{BC}$에서 △ADE∽△ABC이고
$\overline{AD}$: $\overline{AB}$=3 : 7이므로
△ADE : △ABC=3^2 : 7^2=9 : 49
즉, 9 : △ABC=9 : 49에서
△ABC=49(cm^2)
∴ □DBCE=△ABC−△ADE
=49−9
=40(cm^2)

02 세 원의 닮음비가 작은 원부터 1 : 2 : 3이므로
넓이의 비는 1^2 : 2^2 : 3^2=1 : 4 : 9
∴ A : B : C=1 : (4−1) : (9−4)
=1 : 3 : 5

03 △CED∽△CAB이고
$\overline{CE}$: $\overline{CA}$=1 : 2이므로
△CED : △CAB=1 : 4에서
△CED : 36=1 : 4, 4△CED=36
∴ △CED=9(cm^2)

04 지름의 길이의 비가 30 : 45이므로 닮음비는 2 : 3이다.
이때 넓이의 비는 4 : 9이므로 구하는 피자의 가격은
4 : 9=8000 : x

∴ x=18000
따라서 18000원이다.

05 ③ 닮음비가 1 : 2이므로 겉넓이의 비는
1^2 : 2^2=1 : 4

06 두 직육면체의 겉넓이의 비가 9 : 81=3^2 : 9^2이므로
닮음비는 3 : 9이다.
큰 직육면체의 부피를 x라 하면 두 직육면체의 부피의 비는
3^3 : 9^3=270 : x, 27 : 729=270 : x
∴ x=7290(cm^3)

07 수면의 높이와 그릇의 높이의 비는 1 : 2이므로
부피의 비는 1 : 8이다.

08 두 공의 닮음비가 2 : 3이므로 겉넓이의 비는
2 : 3=2^2 : 3^2=4 : 9
큰 공을 색칠하는 데 필요한 페인트의 양을 x라 하면
4 : 9=200 : x, 4x=1800
∴ x=450(g)

09 높이의 비가 2 : 3이면 닮음비는 2 : 3이고
부피의 비는 2^3 : 3^3=8 : 27이므로
40π : (B의 부피)=8 : 27
∴ (B의 부피)=135π(cm^3)

10 100 m=10000 cm
(축도에서의 길이)=(실제의 길이)×(축척)
=10000×$\dfrac{1}{500}$
=20(cm)
따라서 축도에서의 정사각형의 넓이는
20×20=400(cm^2)

11 100 m가 3 cm로 나타나므로 축척은
3 cm : 100 m=3 cm : 10000 cm
=3 : 10000
A, B 두 나무 사이의 실제 거리를 x라 하면
축도에서 $\overline{AB}$=2.7(cm)이므로
2.7 : x=3 : 10000
∴ x=9000(cm)=90(m)

12 큰 정사각형과 작은 정사각형의 닮음비는 100 : 2=50 : 1이므로

넓이의 비는 $50^2 : 1^2 = 2500 : 1$
따라서 2500개를 만들 수 있다.

13 두 구슬의 반지름의 길이의 비가 $1 : 3$이므로
부피의 비는 $1 : 27$
따라서 모두 27개의 작은 쇠구슬을 만들 수 있다.

14 잘려서 생긴 원뿔과 처음 원뿔의 닮음비는 $1 : 2$
잘려서 생기는 작은 원뿔과 원뿔대의 부피를 각각 V, V′이라고 하면
$V : (V+V′) = 1^3 : 2^3 = 1 : 8$
$V+V′=8V$
$\therefore V′=7V$
$\therefore V : V′ = 1 : 7$

15 높이의 비가 $1 : 2 : 3$인 세 원뿔의 부피의 비는 $1 : 8 : 27$
(가운데 원뿔대의 부피) : (처음 원뿔의 부피)
$=(8-1) : 27$이므로
(가운데 원뿔대의 부피) : $54 = 7 : 27$
$\therefore$ (가운데 원뿔대의 부피) $= 14(cm^3)$

16 물의 높이와 그릇의 높이의 비가 $3 : 4$이므로 부피의 비는
$3^3 : 4^3 = 27 : 64$
그릇에 물을 가득 채우는 데 걸리는 시간을 x라 하면
$54 : x = 27 : 64$, $27x = 3456$
$\therefore x = 128$(분)
따라서 그릇에 물을 가득 채우려면 $128 - 54 = 74$(분)이 더 걸린다.

단원종합문제　　　　本文 pp. 102~105

01 ④	02 ②	03 ⑤	04 ③	05 ③
06 ④	07 ③	08 ③	09 ④	10 ③
11 ⑤	12 ⑤	13 ①	14 ①	15 ①
16 ②	17 ⑤	18 ③	19 42 cm	20 30
21 $\frac{16}{3}$ cm	22 9 cm²	23 1 : 2	24 25 cm²	

01 중심각의 크기가 같은 두 부채꼴은 닮음인 관계에 있다.

02 $\triangle ABD \backsim \triangle ACB$ (AA 닮음)이므로
$\overline{AB} : \overline{AC} = \overline{AD} : \overline{AB}$
$6 : \overline{AC} = 4 : 6$, $4\overline{AC} = 36$
$\therefore \overline{AC} = 9(cm)$
$\therefore \overline{CD} = 9 - 4 = 5(cm)$

03 $\triangle AED \backsim \triangle ABC$ (AA 닮음)이므로

$\overline{AD} : \overline{AC} = \overline{AE} : \overline{AB}$
$4 : 8 = 5 : (\overline{BD}+4)$
$4\overline{BD} + 16 = 40$, $4\overline{BD} = 24$
$\therefore \overline{BD} = 6(cm)$

04 점 M이 $\overline{BC}$의 중점이므로 $\overline{DM} = 3$ cm
$\triangle ADB \backsim \triangle CDA$이므로
$\overline{AD} : \overline{CD} = \overline{BD} : \overline{AD}$
$\overline{AD}^2 = 2 \times 8$
$\therefore \overline{AD} = 4(cm)$
점 M이 $\triangle ABC$의 외심이므로 $\overline{AM} = 5$ cm
$\triangle ADM = \frac{1}{2} \times \overline{DM} \times \overline{AD} = \frac{1}{2} \times \overline{AM} \times \overline{DH}$
에서
$\frac{1}{2} \times 3 \times 4 = \frac{1}{2} \times 5 \times \overline{DH}$, $5\overline{DH} = 12$
$\therefore \overline{DH} = 2.4(cm)$

05 $\overline{AD} : \overline{DB} = \overline{AE} : \overline{EC}$이므로
$5 : x = 6 : 3$
$\therefore x = \frac{5}{2}$
또한, $\overline{AE} : \overline{AC} = \overline{DE} : \overline{BC}$이므로
$6 : 9 = 5 : y$
$\therefore y = \frac{15}{2}$
$\therefore \frac{y}{x} = \frac{15}{2} \times \frac{2}{5} = 3$

06 $\triangle ABC$에서 $\overline{AD}$가 $\angle A$의 이등분선이면
$\overline{AB} : \overline{AC} = \overline{BD} : \overline{CD}$가 성립한다.
$\overline{BD} : \overline{DC} = \overline{AB} : \overline{AC} = 4 : 6 = 2 : 3$
넓이의 비를 구해야 하므로 $2^2 : 3^2 = 4 : 9$

07 $\overline{AB} /\!/ \overline{DE}$가 되려면
$\overline{CD} : \overline{DA} = \overline{CE} : \overline{EB}$이어야 하므로
$\overline{CD} : 6 = 8 : 10$, $10\overline{CD} = 48$
$\therefore \overline{CD} = 4.8(cm)$

08 점 A에서 $\overline{DC}$와 평행한 선을 그으면 □AGFD, □GHCF는 평행사변형이므로
$\overline{AD} = \overline{GF} = \overline{HC} = 9$ cm
$\triangle ABH$에서 $\overline{EG} /\!/ \overline{BH}$이므로
$\overline{AE} : \overline{AB} = \overline{EG} : \overline{BH}$
$4 : 9 = \overline{EG} : 9$
$\therefore \overline{EG} = 4(cm)$
$\therefore \overline{EF} = \overline{EG} + \overline{GF} = 4 + 9 = 13(cm)$

09 $\triangle DEF \backsim \triangle DAB$ (AA 닮음)이므로
$\overline{DF} : \overline{DB} = 4 : 6 = 2 : 3$
$\triangle BCD$에서 $\overline{BF} : \overline{BD} = \overline{EF} : \overline{CD}$
$1 : 3 = 4 : \overline{CD}$
$\therefore \overline{CD} = 12 (cm)$

10 $\overline{AD} /\!/ \overline{MN} /\!/ \overline{BC}$이므로
$\triangle ABC$에서
$\overline{MQ} = \dfrac{1}{2}\overline{BC} = \dfrac{1}{2} \times 10 = 5 (cm)$
$\triangle ABD$에서
$\overline{MP} = \dfrac{1}{2}\overline{AD} = \dfrac{1}{2} \times 4 = 2 (cm)$
$\therefore \overline{PQ} = \overline{MQ} - \overline{MP} = 5 - 2 = 3 (cm)$

11 $\overline{DE} = \dfrac{1}{2}\overline{AC} = \dfrac{1}{2} \times 8 = 4 (cm)$
$\overline{EF} = \dfrac{1}{2}\overline{AB} = \dfrac{1}{2} \times 9 = 4.5 (cm)$
$\overline{DF} = \dfrac{1}{2}\overline{BC} = \dfrac{1}{2} \times 11 = 5.5 (cm)$
$\therefore (\triangle DEF$의 둘레의 길이$) = 4 + 4.5 + 5.5$
$= 14 (cm)$

12 오른쪽 그림과 같이 $\overline{BC} /\!/ \overline{DG}$가 되도
록 $\overline{AC}$ 위에 점 G를 잡으면
$\overline{DG} = \dfrac{1}{2}\overline{BC} = 4 (cm)$
$\triangle DGF \equiv \triangle ECF$ (ASA 합동)이므로
$\overline{CE} = \overline{DG} = 4 (cm)$

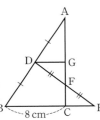

13 $\overline{AP} = \overline{BP}$, $\overline{AR} = \overline{CR}$이므로
$\overline{PR} /\!/ \overline{BC}$, $\overline{PR} = \dfrac{1}{2}\overline{BC}$
즉, $\triangle AQR \backsim \triangle ADC$이므로
$\overline{AQ} : \overline{AD} = 1 : 2$
$\therefore \overline{AQ} = 3 (cm)$
$\overline{AG} : \overline{GD} = 2 : 1$이므로
$\overline{AG} = \dfrac{2}{3}\overline{AD} = \dfrac{2}{3} \times 6 = 4 (cm)$
$\therefore \overline{QG} = \overline{AG} - \overline{AQ} = 4 - 3 = 1 (cm)$
또, $\overline{GD} = \dfrac{1}{3} \times 6 = 2 (cm)$
$\therefore \overline{AQ} : \overline{QG} : \overline{GD} = 3 : 1 : 2$

14 $\overline{EF} = \dfrac{1}{2}\overline{BC} = \dfrac{1}{2} \times 18 = 9 (cm)$
$\triangle AGG' \backsim \triangle AEF$이고 닮음비가 $2 : 3$이므로
$\overline{GG'} : \overline{EF} = 2 : 3$
$\therefore \overline{GG'} = \dfrac{2}{3}\overline{EF} = \dfrac{2}{3} \times 9 = 6 (cm)$

15 점 P는 $\triangle ABD$의 무게중심이므로
$\triangle ABD = 3\triangle ABP = 3 \times 4 = 12 (cm^2)$
$\therefore \square ABCD = 2\triangle ABD = 2 \times 12 = 24 (cm^2)$

16 세 원은 모두 닮은 도형이고 닮음비는 $4 : 2 : 1$이므로
세 원의 넓이의 비는 $4^2 : 2^2 : 1^2 = 16 : 4 : 1$
즉, $S_1 : S_3 : S_3 = (16 - 4) : (4 - 1) : 1$
$= 12 : 3 : 1$
이므로 $S_1 = 24$, $S_2 = 6$
$\therefore S_1 - S_2 = 24 - 6 = 18 (cm^2)$

17 그릇의 높이와 물의 높이의 비가 $2 : 1$이므로
부피의 비는 $2^3 : 1^3 = 8 : 1$이다.
이때 전체를 채우는 데 걸리는 시간이 40분이므로 현재까지 채
우는 데에는 $\dfrac{40}{8} = 5 ($분$)$이 걸렸다.
따라서 나머지를 채우는 데 걸리는 시간은 35분이다.

18 작은 컵과 큰 컵의 닮음비가 $3 : 5$이므로
부피의 비는 $3^3 : 5^3 = 27 : 125$
작은 컵의 부피를 $x \, cm^3$라 하면
(큰 컵의 부피) $= 5 \times 75 = 375 (cm^3)$이므로
$x : 375 = 27 : 125$
$\therefore x = 81$
따라서 작은 컵의 부피는 $81 \, cm^3$이다.

19 $\triangle ABC \backsim \triangle DEF$이고 닮음비가 $2 : 3$이므로
$\overline{AB} : \overline{DE} = 2 : 3$, 즉 $\overline{AB} : 24 = 2 : 3$
$\therefore \overline{AB} = 16 (cm)$
$\overline{AC} : \overline{DF} = 2 : 3$, 즉 $\overline{AC} : 18 = 2 : 3$
$\therefore \overline{AC} = 12 (cm)$
따라서 $\triangle ABC$의 둘레의 길이는
$16 + 14 + 12 = 42 (cm)$

20 $k /\!/ l /\!/ m /\!/ n$이므로

$6 : 12 = 4 : a$에서 $a = 8$

$12 : 9 = a : b$에서 $b = 6$

$12 : 9 = d : 8$에서 $d = \dfrac{32}{3}$

$6 : 12 = c : d$에서 $c = \dfrac{16}{3}$

$\therefore a+b+c+d = 8+6+\dfrac{16}{3}+\dfrac{32}{3} = 30$

21 $\overline{BD}=\overline{CD}$이고 $\overline{BF} /\!/ \overline{DE}$이므로

$\overline{DE} = \dfrac{1}{2}\overline{BF}$

$\therefore \overline{BF} = 2\overline{DE} = 8\,(\text{cm})$

이때 $\overline{BG} : \overline{GF} = 2 : 1$이므로

$\overline{BG} = \dfrac{2}{3}\overline{BF} = \dfrac{16}{3}\,(\text{cm})$

22 $\triangle APS \backsim \triangle ABD$이고

$\overline{AP} : \overline{AB} = 1 : 2$이므로

$\triangle APS : \triangle ABD = 1 : 4$

$\therefore \triangle APS = \dfrac{1}{4}\triangle ABD$

마찬가지로 $\triangle PBQ = \dfrac{1}{4}\triangle ABC$,

$\triangle QCR = \dfrac{1}{4}\triangle BCD$, $\triangle SRD = \dfrac{1}{4}\triangle ACD$

이때 $\triangle ABD + \triangle BCD = \square ABCD$이므로

$\triangle APS + \triangle QCR = \dfrac{1}{4}\square ABCD \cdots\cdots$ ㉠

또한, $\triangle ABC + \triangle ACD = \square ABCD$이므로

$\triangle PBQ + \triangle SRD = \dfrac{1}{4}\square ABCD \cdots\cdots$ ㉡

㉠, ㉡에서 $\triangle APS + 10 = 12 + 7$

$\therefore \triangle APS = 9\,(\text{cm}^2)$

23 큰 구슬과 작은 구슬은 닮은 도형이고 닮음비는 $2 : 1$이므로 겉넓이의 비는 $2^2 : 1^2 = 4 : 1$

상자 B 안에는 구슬이 8개가 있으므로 두 상자 A, B 안의 구슬 전체의 겉넓이의 비는

$4 : (1 \times 8) = 1 : 2$

24 $1\,\text{km} = 1000\,\text{m} = 100000\,\text{cm}$

(축도에서의 길이) $=$ (실제의 길이) $\times$ (축척)

$\qquad\qquad\qquad = 100000 \times \dfrac{1}{20000}$

$\qquad\qquad\qquad = 5\,(\text{cm})$

따라서 축도에서의 정사각형의 넓이는

$5 \times 5 = 25\,(\text{cm}^2)$

Ⅳ. 피타고라스 정리

12 피타고라스 정리
본문 pp. 106~113

 기본 체크

01 (1) 5 (2) 15 **02** (1)

 대표 예제

01 (1) 피타고라스 정리에 의하여

$\boxed{12}^2 + x^2 = \boxed{13}^2$, $x^2 = \boxed{13}^2 - \boxed{12}^2 = \boxed{25}$

$x = \boxed{5}$

(2) 피타고라스 정리에 의하여

$\boxed{6}^2 + x^2 = \boxed{10}^2$, $x^2 = \boxed{10}^2 - \boxed{6}^2 = \boxed{64}$

$x = \boxed{8}$

02 $\triangle ABC$에서 $\overline{BC}^2 = \boxed{16}^2 + \boxed{12}^2 = \boxed{400}$

$\overline{BC}^2 = \boxed{400} = \boxed{20}^2$

$\therefore \overline{BC} = \boxed{20}\,(\text{cm})$

$\triangle ABC = \dfrac{1}{2} \times \overline{AB} \times \overline{AC} = \dfrac{1}{2} \times \overline{AD} \times \overline{BC}$이므로

$\dfrac{1}{2} \times 16 \times 12 = \dfrac{1}{2} \times \overline{AD} \times \boxed{20}$

$\therefore \overline{AD} = \boxed{\dfrac{48}{5}}\,(\text{cm})$

03 (1) $3^2 + 4^2 = 5^2$, $5^2 = 25$이므로 $3^2 + 4^2 \boxed{=} 5^2$

(2) $2^2 + 3^2 = 13$, $3^2 = 9$이므로 $2^2 + 3^2 \boxed{\neq} 3^2$

(3) $5^2 + 12^2 = 13^2$, $13^2 = 169$이므로

$\quad 5^2 + 12^2 \boxed{=} 13^2$

(4) $5^2 + 13^2 = 194$, $15^2 = 225$이므로 $5^2 + 13^2 \boxed{\neq} 15^2$

따라서 직각삼각형인 것은 $\boxed{(1)}$, $\boxed{(3)}$이다.

04 $\triangle AOB$, $\triangle BOC$, $\triangle COD$, $\triangle DOA$는 모두 직각삼각형이므로 피타고라스 정리에 의하여

$\overline{OA}^2 + \overline{OB}^2 = \boxed{6}^2 \cdots$ ㉠, $\overline{OB}^2 + \overline{OC}^2 = \boxed{7}^2 \cdots$ ㉡

$\overline{OC}^2 + \overline{OD}^2 = \boxed{5}^2 \cdots$ ㉢, $\overline{OD}^2 + \overline{OA}^2 = \boxed{x}^2 \cdots$ ㉣

㉠과 ㉢을 변끼리 더하면

$\overline{OA}^2 + \overline{OB}^2 + \overline{OC}^2 + \overline{OD}^2 = \boxed{6}^2 + \boxed{5}^2 \cdots$ ㉤

㉡과 ㉣을 변끼리 더하면

$\overline{OB}^2 + \overline{OC}^2 + \overline{OD}^2 + \overline{OA}^2 = \boxed{7}^2 + \boxed{x}^2 \cdots$ ㉥

㉤과 ㉥에 의하여 $\boxed{6^2}+\boxed{5^2}=7^2+x^2$

$\therefore x^2=\boxed{12}$

어떤 교과서에나 나오는 문제   본문 pp. 108~109

01 196 cm²   02 ⑤   03 ⑤   04 ④

05 ③   06 8 cm   07 4 cm   08 136

---

01 □ABCD가 정사각형이므로

$\triangle AEF \equiv \triangle BFG \equiv \triangle CGH \equiv \triangle DHE$ (SAS 합동)

즉, $\overline{EF}=\overline{FG}=\overline{GH}=\overline{HE}$이고

$\angle E=\angle F=\angle G=\angle H$이므로 □EFGH는 정사각형이다.

$\overline{EF}^2=100$이므로 $\overline{EF}=10$ cm

따라서 피타고라스 정리에 의해

$\overline{AE}^2=10^2-8^2=36=6^2$

$\therefore \overline{AB}=8+6=14$(cm)

$\therefore$ (□ABCD의 넓이)$=14^2=196$(cm²)

02 $\triangle AHC$에서 $\overline{AH}^2+3^2=5^2$, $\overline{AH}^2=16=4^2$

$\therefore \overline{AH}=4$(cm)

$\triangle ABH$에서 $8^2=\overline{AH}^2+\overline{BH}^2$이므로

$\overline{BH}^2=8^2-4^2=48$

03 $\triangle ADB$에서 $10^2=x^2+6^2$

$x^2=64$ $\therefore x=8$

$\triangle ACB$에서 $y^2=x^2+15^2$

$y^2=64+225=289$ $\therefore y=17$

$\therefore y-x=9$

04 점 D에서 $\overline{BC}$에 내린 수선의 발을

H'이라 하면

$\overline{HH'}=4$ cm

$\overline{BH}=\overline{H'C}=3$ cm

$\therefore \overline{AB}^2=\overline{BH}^2+\overline{AH}^2$

$\qquad\qquad =3^2+4^2=5^2$(cm)

$\therefore \overline{AB}=5$

05 $\triangle ABC$에서

$\overline{AB}^2=25^2-15^2=20^2$

$\therefore \overline{AB}=20$

$\triangle ABC=\dfrac{1}{2}\times\overline{AB}\times\overline{AC}=\dfrac{1}{2}\times\overline{BC}\times\overline{AD}$에서

$\dfrac{1}{2}\times20\times15=\dfrac{1}{2}\times25\times\overline{AD}$

$\therefore \overline{AD}=12$ (cm)

06 $\triangle ABC$에서

$\overline{BC}^2=20^2-12^2=256=16^2$

$\overline{BC}=16$

$\therefore \overline{BD}=\overline{CD}=8$(cm)

07 $\triangle ABC$에서 $\overline{AC}^2=2^2+2^2=8$

$\triangle DAC$에서 $\overline{AD}^2=8+2^2=12$

$\triangle EAD$에서 $\overline{AE}^2=12+2^2=16$

$\therefore \overline{AE}=4$(cm)

08 큰 정사각형의 넓이가 36 cm²이므로 한 변의 길이는 6 cm
이다.

작은 정사각형의 넓이는 16 cm²이므로 한 변의 길이는 4 cm
이다.

이때 x cm를 빗변으로 하는 직각삼각형의 두 변의 길이가
각각 6 cm, 10 cm이므로

$x^2=6^2+10^2=136$

시험에 꼭 나오는 문제   본문 pp. 110~113

01 ②, ⑤   02 ③   03 1 cm²   04 ③   05 10 m

06 ③   07 ③   08 ①, ③   09 ⑤   10 ③

11 ②   12 ③   13 98 cm²

14 12.5π cm²   15 $\dfrac{9}{2}$ cm   16 ②

---

01 $\triangle EBC=\triangle ABF=\triangle BLF=\triangle EBA$

02 $\overline{AB}^2+\overline{AC}^2=\overline{BC}^2$이므로

$\overline{AB}^2=\overline{BC}^2-\overline{AC}^2=10^2-6^2=64$

$\therefore \overline{AB}=8$ cm

$\therefore \triangle ABF=\triangle EBA=\dfrac{1}{2}$□ABED

$\qquad\qquad =\dfrac{1}{2}\times8^2=32$(cm²)

03 $\triangle ABQ\equiv\triangle BCR$이므로 $\overline{BQ}=\overline{CR}=3$ cm

$\triangle ABQ$에서 $\overline{AQ}^2=5^2-3^2=4^2$

$\overline{PQ}=4-3=1$(cm)

$\therefore$ □PQRS$=1^2=1$(cm²)

04 △ABC에서 $\overline{BC}^2=8^2+6^2=10^2$

이때 점 M이 △ABC의 외심이므로

$\overline{AM}=\overline{CM}=\overline{BM}=\dfrac{1}{2}\overline{BC}=5$ cm

05 (부러진 부분의 길이)$^2=x^2$

$=6^2+8^2=36+64=100=10^2$

이므로 부러진 부분의 길이는 10 m

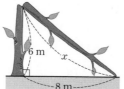

6 m

x

8 m

06 $\overline{OA}=\overline{OA'}=x$라 하면

$\overline{OB'}^2=x^2+x^2=2x^2$

$\overline{OC'}^2=2x^2+x^2=3x^2$

이때 $\overline{OC}^2=12$ cm이므로 $3x^2=12$

$\therefore x=2\,(\text{cm})$

07 $\overline{PB}^2=1^2+1^2=2$

$\overline{PC}^2=2+1^2=3$

$\overline{PD}^2=3+1^2=4$

$\overline{PE}^2=4+1^2=5$

$\therefore \overline{PF}^2=5+1^2=6$

08 ∠C가 둔각이므로 c가 가장 긴 변이다.

(i) $c<a+b$: 삼각형의 성립 조건

(ii) $c^2>a^2+b^2$: 둔각삼각형의 성질

09 △ABC에서 $\overline{AC}^2=10^2-6^2=8^2$

이때 $8^2>6^2+4^2$이므로 △ACD는 둔각삼각형이다.

10 ③ 7, 8, 13은 $7^2+8^2<13^2$이므로 둔각삼각형이다.

11 $\overline{AD}^2+\overline{BC}^2=\overline{AB}^2+\overline{CD}^2$이므로

$\overline{AD}^2+4^2=10^2+8^2$

$\overline{AD}^2=148$

12 $\overline{AP}^2+\overline{CP}^2=\overline{BP}^2+\overline{DP}^2$이므로

$5^2+3^2=4^2+\overline{DP}^2$

$\therefore \overline{DP}^2=18$

13 △ABE≡△ECD이므로

∠BAE=∠CED

즉, ∠AED=90°이고 $\overline{AE}=\overline{ED}$

이때 △AED=50 cm^{2}이므로

$\dfrac{1}{2}\times\overline{AE}\times\overline{ED}=50$, $\overline{AE}^2=100$

$\therefore \overline{AE}=10$ cm

△ABE에서 $\overline{BE}^2=10^2-6^2=8^2$

$\therefore \square\text{ABCD}=\dfrac{1}{2}\times(6+8)\times14=98\,(\text{cm}^2)$

14 $\overline{BC}=2r$이라 하면 Q의 넓이가 8π cm^{2}이므로

$\dfrac{1}{2}\times\pi\times r^2=8\pi$, $r^2=16$, $r=4\,(\text{cm})$

$\therefore \overline{BC}=8$ cm

△ABC에서 $\overline{AB}^2=6^2+8^2=100$

$\therefore \overline{AB}=10$ cm

따라서 R의 넓이는 $\dfrac{1}{2}\times\pi\times5^2=12.5\pi\,(\text{cm}^2)$

15 $\overline{AF}=x$라 놓으면

$\overline{AB}^2+\overline{AF}^2=\overline{BF}^2$

$\overline{AF}:\overline{BF}=3:5$이므로

$\overline{BF}=\dfrac{5}{3}\overline{AF}$

$6^2+x^2=\left(\dfrac{5}{3}x\right)^2$ $\therefore x=\dfrac{9}{2}$

$\therefore \overline{AF}=\dfrac{9}{2}$

16 점 D는 $\overline{BC}$의 중점이므로 $\overline{BD}=4$ cm

$\triangle\text{BDF}=\dfrac{1}{2}\times\overline{BF}\times\overline{BD}=5$

$\therefore \overline{BF}=\dfrac{5}{2}$ cm

단원종합문제   본문 pp. 114~115

01 ③	02 ①	03 ②, ④	04 ③	05 ②
06 ②	07 ①	08 ①	09 ④	10 ③
11 ③	12 180			

01 △ABC에서 $\overline{AB}^2+\overline{BC}^2=\overline{AC}^2$이므로

$\overline{AB}^2+3^2=5^2$, $\overline{AB}^2=16$

$\therefore \overline{AB}=4$

△ABD에서 $\overline{AD}^2=\overline{AB}^2+\overline{BD}^2$이므로

$\overline{AD}^2=4^2+6^2=52$

02 $\overline{AB}^2=\overline{BC}^2-\overline{AC}^2=10^2-6^2=64$이므로

$\square\text{BFML}=\square\text{ABED}=\overline{AB}^2=64\,(\text{cm}^2)$

03 ① $4^2=16<3^2+(\sqrt{11})^2=20$ $\therefore$ 예각삼각형

② $6^2=36>2^2+5^2=29$ $\therefore$ 둔각삼각형

③ $6^2=36<4^2+5^2=41$ $\therefore$ 예각삼각형

④ $8^2=64>4^2+6^2=52$ $\therefore$ 둔각삼각형

⑤ $13^2=169<10^2+11^2=221$ $\therefore$ 예각삼각형

04 △ABD에서

$x^2=17^2-15^2=8^2$

$\therefore x=8$

$\triangle$ADC에서

$y^2=x^2+6^2=8^2+6^2=10^2$

$\therefore y=10$

$\therefore x+y=8+10=18$

05 $\triangle$ABC에서

$\overline{AC}^2=5^2-3^2=4^2$

$\triangle ABC=\dfrac{1}{2}\times\overline{AH}\times\overline{BC}=\dfrac{1}{2}\times\overline{AB}\times\overline{AC}$에서

$\overline{AH}\times5=3\times4$

$\therefore \overline{AH}=\dfrac{12}{5}(cm)$

06 $\overline{BC}^2+\overline{AD}^2=\overline{AB}^2+\overline{CD}^2$이므로

$\overline{BC}^2+8^2=6^2+7^2$

$\therefore \overline{BC}^2=21$

07 $\overline{BC}$, $\overline{AB}$, $\overline{AC}$를 각각 지름으로 하는 반원의 넓이를 각각

S_1, S_2, S_3이라고 하면 $\triangle$ABC가 직각삼각형이므로

$S_1=S_2+S_3$

이때 색칠한 부분의 넓이를 S라고 하면

$S=(S_2+S_3)+\triangle ABC-S_1$

$\quad=S_1+\triangle ABC-S_1=\triangle ABC$

$\therefore S=\dfrac{1}{2}\times\overline{AB}\times\overline{AC}=\dfrac{1}{2}\times4\times6=12(cm^2)$

08 점 A에서 $\overline{BC}$에 내린 수선의 발을 H라 하면

$\overline{HC}=\overline{AD}=9$이므로

$\overline{BH}=\overline{BC}-\overline{HC}=15-9=6$

$\triangle$ABH에서 $\overline{AH}^2=10^2-6^2=8^2$

$\therefore \overline{AH}=8$

따라서 $\triangle$DBC에서 $\overline{CD}=\overline{AH}=8$이므로

$x^2=\overline{BC}^2+\overline{CD}^2=225+64=289=17^2$

$\therefore x=17$

09 $\overline{AB}=10-2=8$

$\triangle$ABC에서

$\overline{BC}^2=17^2-8^2=15^2$

$\therefore \overline{BC}=15$ (cm)

$\therefore x=17-\overline{BC}=2$ (cm)

10 $\triangle$ABC에서 $y^2=25^2-20^2=225$ $\therefore y=15$

$\overline{AC}^2=\overline{CD}\times\overline{CB}$이므로 $y^2=25(25-x)=225$

$\therefore x=16$

$\therefore xy=16\times15=240$

11 꼭짓점 A에서 $\overline{BC}$에 내린 수선의 발을 H라 하면

$\overline{AB}=\overline{AC}$이므로 $\overline{BH}=\overline{CH}=15(cm)$

$\overline{AH}^2=25^2-15^2=400=20^2(cm)$

$\triangle ABC=\dfrac{1}{2}\times\overline{BC}\times\overline{AH}$

$\qquad\quad=\dfrac{1}{2}\times\overline{AB}\times\overline{PQ}+\dfrac{1}{2}\times\overline{AC}\times\overline{PR}$

에서

$\dfrac{1}{2}\times30\times20=\dfrac{1}{2}\times25\times\overline{PQ}+\dfrac{1}{2}\times25\times\overline{PR}$

$600=25(\overline{PQ}+\overline{PR})$

$\therefore \overline{PQ}+\overline{PR}=24(cm)$

12 가장 긴 변의 길이가 41이므로

$41^2=9^2+40^2$이 되어

빗변의 길이가 41인 직각삼각형이다.

$\therefore (삼각형의 넓이)=\dfrac{1}{2}\times9\times40$

$\qquad\qquad\qquad\quad=180$

V. 경우의 수와 확률

13 경우의 수
본문 pp. 116~123

기본 체크

01 8 　　　　　　　　　**02** 30

대표 예제

01 꽃 그림 스티커를 붙이는 경우의 수는 ☐3☐ 이고,

동물 그림 스티커를 붙이는 경우의 수는 ☐2☐ 이다.

이때 두 사건은 동시에 일어나지 않으므로 구하는 경우의

수는

☐3+2☐=☐5☐

02 두 눈의 곱이 3이 되는 경우는 (1, 3), ☐(3, 1)☐의 ☐2☐가지

이고,

두 눈의 곱이 6이 되는 경우는 (1, 6), (2, 3), ☐(3, 2)☐,

$\boxed{(6, 1)}$의 $\boxed{4}$가지이다.

그런데 두 눈의 곱이 3이 되는 사건과 6이 되는 사건은 동시에 일어나지 않으므로 구하는 경우의 수는

$\boxed{2+4}=\boxed{6}$

03 체력 단련 코스 중 1가지를 선택하는 경우의 수는 $\boxed{3}$이고, 담력 훈련 코스 중 1가지를 선택하는 경우의 수는 $\boxed{2}$이다.

따라서 각 코스를 1가지씩 선택하는 방법의 경우의 수는

$\boxed{3\times2}=\boxed{6}$

04 두 자리 자연수에서 십의 자리에 올 수 있는 숫자는 1, 2, 3, 4의 $\boxed{4}$가지이고, 그 각각에 대하여 일의 자리에 올 수 있는 숫자는 십의 자리의 숫자를 제외한 $\boxed{3}$가지이다.

따라서 만들 수 있는 두 자리 자연수는 모두

$\boxed{4\times3}=\boxed{12}$(개)

이다.

어떤 교과서에나 나오는 문제   본문 pp. 118~119

| 01 7 | 02 7 | 03 ③ | 04 ② | 05 ② |
| 06 ③ | 07 ② | 08 45 | | |

01 1에서 30까지 카드 중에서 4의 배수가 나오는 경우의 수는 $30=4\times7+2$에서 7이다.

02 3의 배수가 나올 경우의 수는 3, 6, 9, 12, 15의 5이고 7의 배수가 나올 경우의 수는 7, 14의 2이다.

따라서 구하는 경우의 수는

$5+2=7$

03 두 개의 주사위를 던져 나온 두 눈의 차가 2인 경우는

$(1, 3), (2, 4), (3, 1), (3, 5),$

$(4, 2), (4, 6), (5, 3), (6, 4)$

의 8가지이다.

04 330원을 지불하는 방법은 다음 표와 같다.

100원짜리	50원짜리	10원짜리
3	0	3
2	2	3
1	4	3
0	6	3

따라서 지불하는 방법은 모두 4가지이다.

---

05 동전 3개와 주사위 1개를 동시에 던질 때, 일어날 수 있는 모든 경우의 수는

$2\times2\times2\times6=48$

06 C를 가운데에 세운 후 C를 제외한 4명을 나머지 자리에 일렬로 세우면 되므로 구하는 경우의 수는 4명을 일렬로 세우는 경우의 수와 같다.

$4\times3\times2\times1=24$

07 두 자리의 정수 중 20 미만인 수는 십의 자리의 숫자가 1이다.

십의 자리의 숫자가 1인 정수는 10, 12, 13, 14이므로 구하는 정수의 개수는 4이다.

08 10명 중에서 자격이 같은 대표 2명을 뽑는 경우의 수이므로 $\dfrac{10\times9}{2}=45$

시험에 꼭 나오는 문제   본문 pp. 120~123

01 ①	02 ③	03 ⑤	04 ⑤	05 ②
06 ③	07 15번째	08 ④	09 ③	10 ④
11 ③	12 48	13 ③	14 ②	15 ⑤
16 ④				

01 버스 노선이 4가지, 지하철 노선이 3가지이므로 버스나 지하철을 이용하는 경우의 수는

$4+3=7$

02 눈의 수의 차가 3이 되는 경우는

$(1, 4), (2, 5), (3, 6), (4, 1), (5, 2), (6, 3)$

의 6가지이다.

03 4 미만일 경우는 1, 2, 3의 3가지

7 이상일 경우는 7, 8, 9, 10의 4가지

따라서 구하는 경우의 수는 $3+4=7$

04 4개의 자음 각각에 대하여 모음 3개씩을 짝지을 수 있으므로 구하는 글자의 개수는

$4\times3=12$

05 두 눈의 수의 곱이 홀수가 되는 경우는

$(홀수)\times(홀수)=(홀수)$

주사위가 홀수의 눈이 나올 경우의 수는 1, 3, 5의 3가지이고 두 주사위가 모두 홀수의 눈이 나와야 하므로 구하는 경우의 수는

$3 \times 3 = 9$

06 일의 자리의 숫자가 1인 경우:
$(2, 1), (3, 1), (4, 1), (5, 1)$의 4가지
일의 자리의 숫자가 3인 경우:
$(1, 3), (2, 3), (4, 3), (5, 3)$의 4가지
일의 자리의 숫자가 5인 경우:
$(1, 5), (2, 5), (3, 5), (4, 5)$의 4가지
따라서 구하는 홀수의 개수는 12이다.

07 a 또는 b가 맨 앞에 오면 어떤 다른 문자가 와도 $cbad$보다
사전식 배열은 앞선다.
$a\square\square\square$인 경우는 $3 \times 2 \times 1 = 6$(가지)
$b\square\square\square$인 경우는 $3 \times 2 \times 1 = 6$(가지)
또, c가 맨 앞에 오는 경우를 사전식으로 배열하면
$cabd$, $cadb$, $cbad$, $\cdots$
따라서 $cbad$는 사전식으로 배열할 때
$6+6+3=15$(번째)에 온다.

08 회장을 먼저 뽑는 방법은 5가지
각 경우에 부회장을 뽑는 방법은 4가지
또, 각 경우에 총무를 뽑는 방법은 3가지
따라서 구하는 밥법은 $5 \times 4 \times 3 = 60$(가지)

09 구하는 삼각형의 개수는
$(A, B, C), (A, B, D), (A, B, E), (A, C, D),$
$(A, C, E), (A, D, E), (B, C, D), (B, C, E),$
$(B, D, E), (C, D, E)$
의 10가지이다.
[다른 풀이]
5개의 점 중에서 순서를 생각하지 않고 3개를 택하는 경우의 수와 같으므로
$\dfrac{5 \times 4 \times 3}{3 \times 2 \times 1} = 10$

10 예림이와 유림이를 한 묶음으로 생각하여 세 명을 일렬로
세우는 경우의 수는
$3 \times 2 \times 1 = 6$
이때 예림이와 유림이가 자리를 바꿀 수 있으므로
구하는 경우의 수는
$2 \times 6 = 12$

11 囧A囧 또는 囧B囧
(i) A에 자녀 3명이 일렬로 세워질 경우의 수는
$3 \times 2 = 6$
(ii) B에 자녀 3명이 일렬로 세워질 경우의 수는
$3 \times 2 = 6$
따라서 구하는 경우의 수는 $6+6=12$

12 E가 맨 앞에 오는 경우의 수는 $4 \times 3 \times 2 \times 1 = 24$
A가 맨 앞에 오는 경우의 수는 $4 \times 3 \times 2 \times 1 = 24$
따라서 구하는 경우의 수는
$24+24=48$

13 두 번째 자리에 여자가 서는 경우는 2가지이고,
두 번째 자리에 서 있는 여자를 제외한 나머지 여자 1명과
남자 2명을 일렬로 세우는 경우는
$3 \times 2 \times 1 = 6$
따라서 구하는 경우의 수는 $2 \times 6 = 12$

14 (100원짜리, 50원짜리, 10원짜리)의 순서로 적어 200원이
되도록 구하면
$(100원 \times 2, 0, 0), (100원 \times 1, 50원 \times 2, 0),$
$(100원 \times 1, 50원 \times 1, 10원 \times 5),$
$(0, 50원 \times 4, 0), (0, 50원 \times 3, 10원 \times 5)$
따라서 구하는 경우의 수는 5이다.

15 십의 자리에 0이 올 수 없으므로 십의 자리에 올 수 있는 수는 2, 4, 6, 8의 4가지
일의 자리에 올 수 있는 수는 십의 자리에 온 수를 제외한 나머지 4가지
따라서 구하는 정수의 개수는
$4 \times 4 = 16$

16 A에 칠할 수 있는 색은 4가지
B에 칠할 수 있는 색은 A에 칠한 색을 제외한 3가지
C에 칠할 수 있는 색은 A, B에 칠한 색을 제외한 2가지
D에 칠할 수 있는 색은 A, C에 칠한 색을 제외한 2가지
따라서 구하는 경우의 수는
$4 \times 3 \times 2 \times 2 = 48$

기본 체크

01 $\dfrac{2}{5}$　　　**02** (1) $\dfrac{1}{6}$　(2) $\dfrac{5}{6}$

대표 예제

01 서로 다른 주사위 A, B를 동시에 던질 때, 나올 수 있는 모든 경우의 수는 $6 \times \boxed{6} = \boxed{36}$

나온 눈의 수의 합이 6인 경우는

$(1, 5), (2, 4), \boxed{(3, 3)}, \boxed{(4, 2)}, (5, 1)$의 $\boxed{5}$가지

따라서 구하는 확률은 $\boxed{\dfrac{5}{36}}$이다.

02 (1) 철인 3종 경기를 완주한 선수는 마라톤에 참가한 경우이므로

반드시 일어나는 사건이다.

따라서 구하는 확률은 $\boxed{1}$이다.

(2) 마라톤을 완주하지 못하면 우승할 수 없으므로

절대로 일어나지 않는 사건이다.

따라서 구하는 확률은 $\boxed{0}$이다.

03 두 주사위를 던질 때, 나오는 모든 경우의 수는 $6 \times \boxed{6} = \boxed{36}$이고, 같은 눈이 나오는 경우의 수는

$(1, 1), (2, 2), (3, 3), (4, 4), (5, 5), \boxed{(6, 6)}$

의 $\boxed{6}$가지이므로 같은 눈이 나올 확률은 $\dfrac{\boxed{6}}{36} = \boxed{\dfrac{1}{6}}$이다.

따라서 구하는 확률은

$1 - ($같은 눈이 나올 확률$) = 1 - \boxed{\dfrac{1}{6}} = \boxed{\dfrac{5}{6}}$

04 서로 다른 두 개의 동전을 동시에 던질 때, 일어날 수 있는 모든 경우의 수는 $2 \times \boxed{2} = \boxed{4}$

모두 뒷면이 나오는 경우는 (뒷면, 뒷면)이므로 경우의 수는 $\boxed{1}$이다.

즉, 두 개의 동전을 던질 때, 모두 뒷면이 나올 확률은 $\boxed{\dfrac{1}{4}}$이다.

따라서 구하는 확률은

$($모두 뒷면이 나올 확률$) = 1 - \boxed{\dfrac{1}{4}} = \boxed{\dfrac{3}{4}}$

01 ⑤	02 ①	03 1	04 0	05 $\dfrac{3}{4}$
06 ⑤	07 $\dfrac{2}{5}$	08 $\dfrac{7}{8}$		

01 모든 경우는 6가지이고,

소수의 눈이 나오는 경우는 2, 3, 5의 3가지이므로

구하는 확률은 $\dfrac{3}{6} = \dfrac{1}{2}$

02 모든 경우의 수는 $6 \times 6 = 36$

$2x + y = 10$을 만족하는 순서쌍 (x, y)는

$(2, 6), (3, 4), (4, 2)$의 3가지

따라서 구하는 확률은 $\dfrac{3}{36} = \dfrac{1}{12}$

03 만들 수 있는 모든 정수가 60 미만이므로 구하는 확률은 1이다.

04 빨간 바둑돌이 나오는 경우는 없으므로 구하는 확률은 0이다.

05 당첨 제비일 확률은 $\dfrac{5}{20} = \dfrac{1}{4}$

따라서 당첨 제비가 아닐 확률은

$1 - \dfrac{1}{4} = \dfrac{3}{4}$

06 모든 경우의 수는 $2 \times 2 \times 2 = 8$

모두 앞면이 나오는 경우는 1가지이므로

그 확률은 $\dfrac{1}{8}$이다.

따라서 적어도 한 개는 뒷면이 나올 확률은

$1 - \dfrac{1}{8} = \dfrac{7}{8}$

07 내일 비가 올 확률은 60 %이므로 비가 오지 않을 확률은 40 %이다.

따라서 내일 야외 수업을 할 확률은 내일 비가 오지 않을 확률과 같으므로 구하는 확률은 40 %, 즉 $\dfrac{2}{5}$이다.

08 모든 경우의 수는 $2 \times 2 \times 2 = 8$

세 문제 모두 틀리는 경우는 1가지이므로

그 확률은 $\dfrac{1}{8}$이다.

따라서 적어도 한 문제는 맞힐 확률은

$1 - \dfrac{1}{8} = \dfrac{7}{8}$

본문 pp. 128~131

시험에 꼭 나오는 문제

01 ④	02 ①	03 ②	04 ②	05 ③
06 ④	07 ②	08 $\frac{1}{60}$	09 $\frac{1}{2}$	10 ⑤
11 ①	12 ①	13 ②	14 ③, ⑤	15 ⑤
16 ⑤				

01 모든 경우의 수는 $6 \times 6 = 36$
나오는 눈의 수의 합이 6인 경우는
$(1, 5)$, $(2, 4)$, $(3, 3)$, $(4, 2)$, $(5, 1)$의 5가지
따라서 구하는 확률은 $\frac{5}{36}$이다.

02 (ⅰ) 모든 경우의 수를 구한다.
　두 자리 정수를 만들려면 십의 자리에는 0이 올 수 없다.
　십의 자리는 0을 제외한 4장의 카드 중에서 뽑아야 하므
　로 십의 자리에 올 수 있는 경우의 수는 4가지, 십의 자
　리에 1장의 카드가 뽑혔지만 제외되었던 0이 적힌 카드
　가 다시 포함되므로 일의 자리에 올 수 있는 경우의 수는
　여전히 4가지이다.
　따라서 만들 수 있는 두 자리 정수의 개수는 $4 \times 4 = 16$
(ⅱ) 주어진 조건에 해당하는 사건이 일어날 경우의 수를 구
　한다.
　이 중에서 31 미만인 두 자리의 정수는 10, 12, 13, 14,
　20, 21, 23, 24, 30의 9개이다.
　따라서 구하는 확률은 $\frac{9}{16}$이다.

03 나올 수 있는 모든 경우의 수는 $6 \times 6 = 36$
$2x + y = 5$의 해는 $(1, 3)$, $(2, 1)$의 2가지이므로
구하는 확률 $\frac{2}{36} = \frac{1}{18}$

04 모든 경우의 수는 $\frac{5 \times 4}{2} = 10$
여학생만 2명 뽑히는 경우의 수는 $\frac{3 \times 2}{2} = 3$
따라서 구하는 확률은 $\frac{3}{10}$이다.

05 모든 경우의 수는 12이고,
10의 약수가 나오는 경우의 수는 1, 2, 5, 10의 4이므로
구하는 확률은 $\frac{4}{12} = \frac{1}{3}$

06 세 사람이 한 줄로 서는 경우의 수는 $3 \times 2 \times 1 = 6$
민서가 가운데 설 경우는
(준희, 민서, 재희), (재희, 민서, 준희)로 2가지이므로
구하는 확률은 $\frac{2}{6} = \frac{1}{3}$

07 $10x + y$가 3의 배수인 경우는 $x + y$가 3의 배수인 경우이
다.
구하는 순서쌍 (x, y)의 개수는
$(1, 2)$, $(1, 5)$, $(2, 1)$, $(2, 4)$, $(3, 3)$, $(3, 6)$,
$(4, 2)$, $(4, 5)$, $(5, 1)$, $(5, 4)$, $(6, 3)$, $(6, 6)$
의 12이다.
따라서 구하는 확률은 $\frac{12}{36} = \frac{1}{3}$이다.

08 5개 중 3개의 열쇠를 골라 보물 상자를 여는 모든 경우의
수는
$5 \times 4 \times 3 = 60$
이 가운데 세 보물 상자가 모두 열릴 경우는 각 상자에 대해
딱 맞는 열쇠를 고를 경우이므로 한 가지 밖에 없다.
따라서 구하는 확률은 $\frac{1}{60}$이다.

09 삼각형이 이루어지려면 세 변 중 가장 긴 변의 길이가 나머
지 두 변의 길이의 합보다 작아야 한다.
막대 3개를 고르는 전체 경우는
$(3, 5, 8)$, $(3, 5, 9)$, $(3, 8, 9)$, $(5, 8, 9)$의 4가지
삼각형이 만들어질 경우는 $(3, 8, 9)$, $(5, 8, 9)$의 2가지
따라서 구하는 확률은 $\frac{2}{4} = \frac{1}{2}$이다.

10 ④ $0 \le p \le 1$
⑤ $p + q = 1$이므로 $q = 1 - p$

11 ① 0보다 작은 수는 없으므로 확률은 0이다.
② 5의 배수는 5, 10, 15, 20의 4가지이므로 $\frac{4}{20} = \frac{1}{5}$
③ $1 - \frac{1}{5} = \frac{4}{5}$
④ 20의 약수는 1, 2, 4, 5, 10, 20이므로 $\frac{6}{20} = \frac{3}{10}$
⑤ 3의 배수 또는 7의 배수는 3, 6, 7, 9, 12, 14, 15, 18이
므로
$\frac{8}{20} = \frac{2}{5}$

12 ① 어떤 사건이 일어날 확률을 p라고 하면
$0 \le p \le 1$이다.

13 ㄷ. q(일어나지 않을 확률)$=1$이면 그 사건은 절대로 일어
나지 않는다.
따라서 옳은 것은 ㄱ, ㄴ이다.

14 각각의 확률은 다음과 같다.
① $\frac{1}{2}$ ② 0 ③ 1 ④ $\frac{1}{6}$ ⑤ 1

15 모든 경우의 수는 $2 \times 2 \times 2 \times 2 = 16$
모두 앞면이 나오는 경우의 수는 1이므로
구하는 확률은
(적어도 한 번은 뒷면이 나올 확률)
$=1-$(모두 앞면이 나올 확률)
$=1-\frac{1}{16}=\frac{15}{16}$

16 5명 중 2명의 대표를 뽑는 경우의 수는 $\frac{5 \times 4}{2}=10$
이때 모두 여학생일 경우의 수는 1이므로
모두 여학생일 확률은 $\frac{1}{10}$이다.
따라서 남학생이 반드시 들어갈 확률은
$1-\frac{1}{10}=\frac{9}{10}$

15 확률의 계산

기본 체크

01 $\frac{7}{20}$ **02** $\frac{1}{6}$

01 5의 배수가 나올 확률은 $\frac{1}{5}$
6의 배수가 나올 확률은 $\frac{3}{20}$
따라서 구하는 확률은 $\frac{1}{5}+\frac{3}{20}=\frac{7}{20}$

02 A에서 5 이상의 눈이 나올 확률은 $\frac{1}{3}$
B에서 짝수의 눈이 나올 확률은 $\frac{1}{2}$
따라서 구하는 확률은 $\frac{1}{3} \times \frac{1}{2}=\frac{1}{6}$

대표 예제

01 한 학생을 뽑을 때, 그 학생이 여름을 좋아하는 학생일 확
률은
$\frac{5}{33}$이고 겨울을 좋아하는 학생일 확률은 $\boxed{\frac{7}{33}}$이다.
따라서 구하는 확률은
$\frac{5}{33}\boxed{+}\boxed{\frac{7}{33}}=\boxed{\frac{12}{33}}=\boxed{\frac{4}{11}}$

02 한 장의 카드를 꺼낼 때 나올 수 있는 모든 경우의 수는
$\boxed{20}$이다.
이 중에서 3의 배수가 적힌 카드가 나올 경우의 수는 3, 6,
9, 12, 15, 18의 6이므로
3의 배수가 나올 확률은 $\boxed{\frac{6}{20}}=\frac{3}{10}$이다.
또, 7의 배수가 적힌 카드가 나올 경우의 수는 7, 14의 2이
므로
7의 배수가 나올 확률은 $\boxed{\frac{2}{20}}=\frac{1}{10}$이다.
따라서 구하는 확률은
$\frac{3}{10}\boxed{+}\frac{1}{10}=\boxed{\frac{4}{10}}=\boxed{\frac{2}{5}}$

03 여학생 대표와 남학생 대표를 뽑는 사건은 서로 영향을 끼
치지 않는다.
여학생 7명 중에서 1명의 대표를 뽑을 때 재희가 뽑힐 확률
은 $\boxed{\frac{1}{7}}$
이고 남학생 5명 중에서 1명의 대표를 뽑을 때 민서가 뽑힐
확률은 $\boxed{\frac{1}{5}}$이다.
따라서 구하는 확률은 $\frac{1}{7}\boxed{\times}\frac{1}{5}=\boxed{\frac{1}{35}}$

04 상자 A에 들어 있는 공은 모두 $3+5=8$(개)이다.
이때 노란 공은 3개이므로 상자 A에서 노란 공을 꺼낼 확
률은 $\boxed{\frac{3}{8}}$이다.
상자 B에 들어 있는 공은 모두 $4+3=7$(개)이다.
이때 노란 공은 4개이므로 상자 B에서 노란 공을 꺼낼 확
률은 $\boxed{\frac{4}{7}}$이다.
따라서 구하는 확률은 $\frac{3}{8}\boxed{\times}\frac{4}{7}=\boxed{\frac{3}{14}}$

정답 및 풀이   43

01 ⑤　　02 ①　　03 $\dfrac{47}{192}$　　04 ③　　05 $\dfrac{1}{35}$

06 $\dfrac{13}{15}$　　07 ②　　08 $\dfrac{3}{25}$

01 모든 경우의 수는 $6 \times 6 = 36$

눈의 수의 차가 2인 경우는

$(1, 3), (3, 1), (2, 4), (4, 2),$

$(3, 5), (5, 3), (4, 6), (6, 4)$

의 8가지이므로 확률은 $\dfrac{8}{36}$

눈의 수의 차가 3인 경우는

$(1, 4), (4, 1), (2, 5), (5, 2), (3, 6), (6, 3)$

의 6가지이므로 확률은 $\dfrac{6}{36}$

따라서 구하는 확률은 $\dfrac{8}{36} + \dfrac{6}{36} = \dfrac{14}{36} = \dfrac{7}{18}$

02 십의 자리 숫자가 홀수일 확률은 $\dfrac{3}{5}$

일의 자리 숫자가 홀수일 확률은 $\dfrac{2}{4} = \dfrac{1}{2}$

따라서 구하는 확률은 $\dfrac{3}{5} \times \dfrac{1}{2} = \dfrac{3}{10}$

[다른 풀이]

모든 경우의 수는 $5 \times 4 = 20$

1, 2, 3, 4, 5 중에서 홀수는 1, 3, 5이므로 십의 자리 숫자와 일의 자리 숫자가 모두 홀수인 두 자리 정수의 개수는

$3 \times 2 = 6$(개)

따라서 구하는 확률은 $\dfrac{6}{20} = \dfrac{3}{10}$

03 (ⅰ) 화요일에 비가 오는 경우

월요일에 비가 온 후 화요일, 수요일에 모두 비가 올 확률은

$\dfrac{3}{8} \times \dfrac{3}{8} = \dfrac{9}{64}$

(ⅱ) 화요일에 비가 오지 않는 경우

비가 온 다음 날 비가 오지 않을 확률은 $1 - \dfrac{3}{8} = \dfrac{5}{8}$이므로 월요일에 비가 온 후 화요일에는 비가 오지 않고 수요일에 비가 올 확률은

$\dfrac{5}{8} \times \dfrac{1}{6} = \dfrac{5}{48}$

(ⅰ), (ⅱ)에서 $\dfrac{9}{64} + \dfrac{5}{48} = \dfrac{47}{192}$

04 첫 번째에 흰 공을 꺼낼 확률은 $\dfrac{3}{9} = \dfrac{1}{3}$

두 번째에 흰 공을 꺼낼 확률도 $\dfrac{1}{3}$

따라서 구하는 확률은 $\dfrac{1}{3} \times \dfrac{1}{3} = \dfrac{1}{9}$

05 첫 번째에 당첨 제비를 뽑을 확률은 $\dfrac{3}{15} = \dfrac{1}{5}$

두 번째에 당첨 제비를 뽑을 확률은 $\dfrac{2}{14} = \dfrac{1}{7}$

따라서 구하는 확률은 $\dfrac{1}{5} \times \dfrac{1}{7} = \dfrac{1}{35}$

06 두 사람이 모두 불합격할 확률은

$\left(1 - \dfrac{3}{5}\right) \times \left(1 - \dfrac{2}{3}\right) = \dfrac{2}{5} \times \dfrac{1}{3} = \dfrac{2}{15}$

따라서 구하는 확률은 $1 - \dfrac{2}{15} = \dfrac{13}{15}$

07 두 사람이 과녁에 명중시키지 못할 확률은 각각

$1 - \dfrac{2}{3} = \dfrac{1}{3}$, $1 - \dfrac{3}{5} = \dfrac{2}{5}$

따라서 구하는 확률은 $\dfrac{1}{3} \times \dfrac{2}{5} = \dfrac{2}{15}$

08 두 선수가 안타를 칠 확률이 각각 $\dfrac{3}{10}$, $\dfrac{4}{10}$이므로

구하는 확률은 $\dfrac{3}{10} \times \dfrac{4}{10} = \dfrac{3}{25}$

01 ⑤	02 $\dfrac{1}{4}$	03 $\dfrac{119}{120}$	04 ①	05 ④
06 ③	07 $\dfrac{5}{21}$	08 ②	09 ⑤	10 ④
11 ③	12 ④	13 0.288	14 ②	15 $\dfrac{1}{4}$
16 ④				

01 전체 공의 개수는 $3 + 3 + 4 = 10$

빨간 공이 나올 확률은 $\dfrac{3}{10}$

파란 공이 나올 확률은 $\dfrac{4}{10}$

따라서 구하는 확률은 $\dfrac{3}{10} + \dfrac{4}{10} = \dfrac{7}{10}$

02 (정시보다 빠르지 않게 도착할 확률)

= (정시에 도착할 확률) + (정시보다 늦게 도착할 확률)

= $\dfrac{1}{2} + \dfrac{1}{4} = \dfrac{3}{4}$

따라서 구하는 확률은 $1-\dfrac{3}{4}=\dfrac{1}{4}$

03 세 사람 중 적어도 한 사람이 목표물을 명중시키면 된다.

준희가 목표물을 명중시키지 못할 확률은 $1-\dfrac{3}{4}=\dfrac{1}{4}$

재희가 목표물을 명중시키지 못할 확률은 $1-\dfrac{4}{5}=\dfrac{1}{5}$

민서가 목표물을 명중시키지 못할 확률은 $1-\dfrac{5}{6}=\dfrac{1}{6}$

즉, 세 사람 모두 목표물을 명중시키지 못할 확률은

$\dfrac{1}{4}\times\dfrac{1}{5}\times\dfrac{1}{6}=\dfrac{1}{120}$

따라서 목표물을 명중시킬 확률은

$1-\dfrac{1}{120}=\dfrac{119}{120}$

04 유림이가 문제를 풀지 못할 확률은 $1-\dfrac{4}{5}=\dfrac{1}{5}$

따라서 구하는 확률은 $\dfrac{1}{5}\times\dfrac{1}{3}=\dfrac{1}{15}$

05 5명 중 대표 1명, 부대표 1명을 뽑는 경우의 수는

$5\times4=20$

이때 윤천이가 대표가 될 경우의 수는 4

또, 윤천이가 부대표가 될 경우의 수도 4

따라서 구하는 확률은

$\dfrac{4}{20}+\dfrac{4}{20}=\dfrac{8}{20}=\dfrac{2}{5}$

06 (적어도 한 발이 표적에 명중될 확률)

$=1-$(두 선수 모두 표적에 명중되지 않을 확률)

$=1-(1-0.8)\times(1-0.6)$

$=1-0.2\times0.4=1-0.08=0.92$

07 (첫 번째 검은 돌이 나올 확률)$=\dfrac{10}{15}=\dfrac{2}{3}$

(두 번째 흰 돌이 나올 확률)$=\dfrac{5}{14}$

따라서 구하는 확률은 $\dfrac{2}{3}\times\dfrac{5}{14}=\dfrac{5}{21}$

08 사각형 OPQR는 직사각형이고 넓이는 ab이다.

(i) $ab=6$이 되는 경우 : $(1, 6)$, $(2, 3)$, $(3, 2)$, $(6, 1)$의 4가지

(ii) $ab=8$이 되는 경우 : $(2, 4)$, $(4, 2)$의 2가지

따라서 구하는 확률은

$\dfrac{4}{36}+\dfrac{2}{36}=\dfrac{6}{36}=\dfrac{1}{6}$

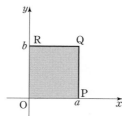

09 $x+y$가 짝수인 것은 x, y가 모두 짝수이거나 모두 홀수인

경우이므로 구하는 확률은

$(x, y$가 모두 짝수일 확률$)+(x, y$가 모두 홀수일 확률$)$

$=\dfrac{2}{5}\times\dfrac{1}{3}+\left(1-\dfrac{2}{5}\right)\times\left(1-\dfrac{1}{3}\right)$

$=\dfrac{2}{5}\times\dfrac{1}{3}+\dfrac{3}{5}\times\dfrac{2}{3}$

$=\dfrac{2}{15}+\dfrac{6}{15}=\dfrac{8}{15}$

10 (i) $(0, 0)$이 나올 확률은 $\dfrac{1}{6}\times\dfrac{1}{6}=\dfrac{1}{36}$

(ii) $(1, -1)$이 나올 확률은 $\dfrac{1}{2}\times\dfrac{1}{3}=\dfrac{1}{6}$

(iii) $(-1, 1)$이 나올 확률은 $\dfrac{1}{3}\times\dfrac{1}{2}=\dfrac{1}{6}$

따라서 구하는 확률은 $\dfrac{1}{36}+\dfrac{1}{6}+\dfrac{1}{6}=\dfrac{13}{36}$

11 한 문제를 맞힐 확률은 $\dfrac{1}{2}$

한 문제를 맞히지 못할 확률은 $1-\dfrac{1}{2}=\dfrac{1}{2}$

이때 한 문제도 맞히지 못할 확률은

$\dfrac{1}{2}\times\dfrac{1}{2}\times\dfrac{1}{2}\times\dfrac{1}{2}\times\dfrac{1}{2}=\dfrac{1}{32}$

또한, 한 문제만 맞힐 확률은

$5\times\dfrac{1}{2}\times\dfrac{1}{2}\times\dfrac{1}{2}\times\dfrac{1}{2}\times\dfrac{1}{2}=\dfrac{5}{32}$

따라서 구하는 확률은 $1-\left(\dfrac{1}{32}+\dfrac{5}{32}\right)=\dfrac{26}{32}=\dfrac{13}{16}$

12 두 수의 곱이 짝수이려면 적어도 한 수가 짝수이어야 한다.

$\therefore (ab$가 짝수일 확률$)$

$=1-(ab$가 홀수일 확률$)$

$=1-(a$가 홀수일 확률$)\times(b$가 홀수일 확률$)$

$=1-\dfrac{1}{5}\times\dfrac{2}{3}=1-\dfrac{2}{15}=\dfrac{13}{15}$

13 세 번째 시합에서 A팀이 우승하려면 A-B-A 또는 B-A-A 순서로 이겨야 한다.

A팀의 승률이 0.6이므로 B팀의 승률은 0.4이다.

A-B-A 순서로 이기는 확률은

$0.6\times0.4\times0.6=0.144$

B-A-A 순서로 이기는 확률은

$0.4\times0.6\times0.6=0.144$

따라서 구하는 확률은 $0.144+0.144=0.288$

14 안개가 끼는 것을 ○, 안개가 끼지 않는 것을 ×로 나타내면

화요일	수요일	확률
○	○	$\dfrac{1}{5}\times\dfrac{1}{5}=\dfrac{1}{25}$
×	○	$\left(1-\dfrac{1}{5}\right)\times\dfrac{1}{4}=\dfrac{1}{5}$

따라서 구하는 확률은 $\dfrac{1}{25}+\dfrac{1}{5}=\dfrac{6}{25}$

15 점 P가 꼭짓점 C에 있으려면 주사위를 두 번 던져서 나온 눈의 수의 합이 2 또는 6 또는 10이어야 한다.

두 눈의 수의 합이 2일 확률:

$(1, 1)$이므로 $\dfrac{1}{36}$

두 눈의 수의 합이 6일 확률:

$(1, 5), (2, 4), (3, 3), (4, 2), (5, 1)$이므로 $\dfrac{5}{36}$

두 눈의 수의 합이 10일 확률:

$(4, 6), (5, 5), (6, 4)$이므로 $\dfrac{3}{36}$

따라서 구하는 확률은 $\dfrac{1}{36}+\dfrac{5}{36}+\dfrac{3}{36}=\dfrac{9}{36}=\dfrac{1}{4}$

16 월요일에 버스를 타고, 목요일에 지하철을 탈 경우를 나타내면

| 월 | 화 | 수 | 목 |

$$\text{버스}\begin{cases}\text{버스}\begin{cases}\text{버스 — 지하철}:\dfrac{1}{3}\times\dfrac{1}{3}\times\dfrac{2}{3}=\dfrac{2}{27}\\[2mm]\text{지하철 — 지하철}:\dfrac{1}{3}\times\dfrac{2}{3}\times\dfrac{1}{2}=\dfrac{1}{9}\end{cases}\\[6mm]\text{지하철}\begin{cases}\text{버스 — 지하철}:\dfrac{2}{3}\times\dfrac{1}{2}\times\dfrac{2}{3}=\dfrac{2}{9}\\[2mm]\text{지하철 — 지하철}:\dfrac{2}{3}\times\dfrac{1}{2}\times\dfrac{1}{2}=\dfrac{1}{6}\end{cases}\end{cases}$$

따라서 구하는 확률은 $\dfrac{2}{27}+\dfrac{1}{9}+\dfrac{2}{9}+\dfrac{1}{6}=\dfrac{31}{54}$

단원종합문제   본문 pp. 140~143

01 ④	02 ③	03 ③	04 ③	05 ②
06 ②	07 ④	08 ④	09 ②	10 ②
11 ③	12 ①	13 ①	14 ②	15 ②
16 ②	17 ①	18 ⑤	19 6	20 $\dfrac{7}{18}$
21 $\dfrac{3}{5}$	22 ㄱ, ㄴ	23 $\dfrac{8}{25}$	24 $\dfrac{1}{4}$	

01 100원짜리 동전 3개, 500원짜리 동전 2개로 지불할 수 있는 물건의 금액은
100원, 200원, 300원, 500원, 600원, 700원, 800원, 1000원, 1100원, 1200원, 1300원
의 11가지이다.

02 어느 쪽이든 승부가 결정되는 경우는 모든 경우에서 비길 경우의 수를 빼면 된다.

모든 경우의 수는 $3\times3\times3=27$

비길 경우의 수는
(가위, 가위, 가위), (바위, 바위, 바위), (보, 보, 보),
(가위, 바위, 보), (가위, 보, 바위), (바위, 가위, 보),
(바위, 보, 가위), (보, 가위, 바위), (보, 바위, 가위)
의 9이다.

따라서 구하는 경우의 수는 $27-9=18$

03 십의 자리에는 0이 올 수 없으므로 십의 자리에는 1, 2, 3, 4, 5의 5가지가 올 수 있고, 일의 자리에도 5가지가 올 수 있다.
따라서 구하는 두 자리 정수의 개수는 $5\times5=25$

04 구하는 경우의 수는
(붉은 구슬, 흰 구슬), (붉은 구슬, 푸른 구슬), (흰 구슬, 흰 구슬), (흰 구슬, 푸른 구슬), (푸른 구슬, 푸른 구슬)
의 5이다.

05 ② $0\leq p\leq1$

06 ① 1이 나올 확률은 $\dfrac{1}{20}$이다.

③ 20 이하의 수가 나올 확률은 $\dfrac{20}{20}=1$이다.

④ 3이 나올 확률은 $\dfrac{1}{20}$이다.

⑤ 21이 나올 확률은 0이다.

07 ① 짝수는 10개 있으므로 $\dfrac{10}{20}=\dfrac{1}{2}$

② 홀수도 10개 있으므로 $\dfrac{10}{20}=\dfrac{1}{2}$

③ 3의 배수는 3, 6, 9, 12, 15, 18의 6개이므로 $\dfrac{6}{20}=\dfrac{3}{10}$

④ 20의 약수는 1, 2, 4, 5, 10, 20의 6개이므로 $\dfrac{6}{20}=\dfrac{3}{10}$

⑤ 소수는 2, 3, 5, 7, 11, 13, 17, 19의 8개이므로 $\dfrac{8}{20}=\dfrac{2}{5}$

08 나온 눈의 차가 2인 경우는
$(1, 3), (2, 4), (3, 1), (3, 5),$
$(4, 2), (4, 6), (5, 3), (6, 4)$
의 8가지이므로
구하는 확률은 $\dfrac{8}{36}=\dfrac{2}{9}$
나온 눈의 차가 5인 경우는 $(1, 6), (6, 1)$의 2가지이므로
구하는 확률은 $\dfrac{2}{36}=\dfrac{1}{18}$

따라서 나온 눈의 차가 2 또는 5일 확률은

$$\frac{2}{9}+\frac{1}{18}=\frac{5}{18}$$

09 모든 경우의 수는 16이다.

동전이 왼쪽으로 2만큼 움직인 위치에 있을 경우의 수는 (앞, 뒤, 뒤, 뒤), (뒤, 앞, 뒤, 뒤), (뒤, 뒤, 앞, 뒤), (뒤, 뒤, 뒤, 앞)의 4이다.

따라서 구하는 확률은 $\frac{4}{16}=\frac{1}{4}$

10 주머니 A에서 흰 공을 꺼낼 확률은 $\frac{2}{3}$

주머니 B에서 흰 공을 꺼낼 확률은 $\frac{1}{3}$

이때 주머니 A에서 흰 공이 나오는 사건과 주머니 B에서 흰 공이 나오는 사건은 서로 영향을 미치지 않으므로 두 공이 모두 흰 공일 확률은

$$\frac{2}{3}\times\frac{1}{3}=\frac{2}{9}$$

11 첫 번째에 홀수의 눈이 나올 확률은 $\frac{3}{6}=\frac{1}{2}$

두 번째에 짝수의 눈이 나올 확률은 $\frac{3}{6}=\frac{1}{2}$

이때 두 사건은 서로 영향을 미치지 않으므로 구하는 확률은

$$\frac{1}{2}\times\frac{1}{2}=\frac{1}{4}$$

12 동전 두 개를 던질 때, 나올 수 있는 모든 경우의 수는 $2\times2=4$

동전 두 개가 모두 앞면이 나오는 경우는 (앞, 앞)의 한 가지이므로 그 확률은 $\frac{1}{4}$

동전 두 개가 모두 뒷면이 나오는 경우는 (뒤, 뒤)의 한 가지이므로 그 확률은 $\frac{1}{4}$

이때 두 사건은 동시에 일어나지 않으므로 구하는 확률은

$$\frac{1}{4}+\frac{1}{4}=\frac{2}{4}=\frac{1}{2}$$

13 하나의 동전을 세 번 던질 때, 일어날 수 있는 모든 경우의 수는

$2\times2\times2=8$

이때 점수의 합이 1이 되는 경우의 수는

(앞면, 앞면, 뒷면) $\Rightarrow 0+0+1=1$

(앞면, 뒷면, 앞면) $\Rightarrow 0+1+0=1$

(뒷면, 앞면, 앞면) $\Rightarrow 1+0+0=1$

의 3이다.

따라서 구하는 확률은 $\frac{3}{8}$이다.

14 금요일에 비가 오고 토요일에도 비가 올 확률은

$$\frac{1}{6}\times\frac{1}{6}=\frac{1}{36}$$

금요일에 비가 오지 않고 토요일에 비가 올 확률은

$$\left(1-\frac{1}{6}\right)\times\frac{1}{5}=\frac{5}{6}\times\frac{1}{5}=\frac{1}{6}$$

따라서 구하는 확률은 $\frac{1}{36}+\frac{1}{6}=\frac{7}{36}$

15 (도나 개가 나올 확률)$=\frac{1}{4}+\frac{3}{8}=\frac{5}{8}$

따라서 구하는 확률은 $1-\frac{5}{8}=\frac{3}{8}$

16 (구하는 확률)$=(1-0.7)\times0.3=0.3\times0.3=0.09$

17 재희가 이 경기에서 승리하려면 2경기를 연달아 이기거나 3경기 중 2경기를 이기면 된다.

즉, (승, 승), (승, 패, 승), (패, 승, 승)의 경우이다.

따라서 구하는 확률은

$$\left(\frac{1}{2}\times\frac{1}{2}\right)+\left(\frac{1}{2}\times\frac{1}{2}\times\frac{1}{2}\right)+\left(\frac{1}{2}\times\frac{1}{2}\times\frac{1}{2}\right)=\frac{4}{8}=\frac{1}{2}$$

18 홀수가 적힌 카드가 나오는 경우는 1, 3, 5, 7, 9의 5가지, 4의 배수가 적힌 카드가 나오는 경우는 4, 8의 2가지이므로

처음에 홀수가 적힌 카드가 나올 확률은 $\frac{5}{10}=\frac{1}{2}$

나중에 4의 배수가 적힌 카드가 나올 확률은 $\frac{2}{9}$

따라서 구하는 확률은 $\frac{1}{2}\times\frac{2}{9}=\frac{1}{9}$

19 $2a+b<7$을 만족하는 a, b를 순서쌍 (a, b)로 나타내면 $(1, 1)$, $(1, 2)$, $(1, 3)$, $(1, 4)$, $(2, 1)$, $(2, 2)$의 모두 6가지이다.

20 십의 자리에는 0을 제외한 1, 2, 3, 4, 5, 6의 6가지 수가 올 수 있고, 일의 자리에는 앞의 수를 제외하고 0을 포함한 6가지 수가 올 수 있으므로 전체 경우의 수는

$6\times6=36$

또, 30 이상 52 미만인 수는

30, 31, 32, 34, 35, 36, 40, 41, 42, 43, 45, 46, 50, 51 의 14가지이다.

따라서 구하는 확률은 $\frac{14}{36}=\frac{7}{18}$

21 카드에 적힌 수가 소수인 경우는

2, 3, 5, 7, 11, 13, 17, 19

의 8가지이므로 소수일 확률은 $\frac{8}{20}=\frac{2}{5}$

따라서 구하는 확률은 $1-\dfrac{2}{5}=\dfrac{3}{5}$

22 두 눈의 합이 1이 되는 경우는 일어날 수 없으므로 $p=0$

모든 경우 두 눈의 합이 12 이하이므로 $q=1$

ㄷ. $pq=1 \longrightarrow pq=0$

따라서 옳은 것은 ㄱ, ㄴ이다.

23 준희가 한 문제를 맞힐 확률은 $\dfrac{1}{5}$이고,

맞히지 못할 확률은 $1-\dfrac{1}{5}=\dfrac{4}{5}$이다.

따라서 두 문제 중 한 문제만 맞힐 확률은

$\dfrac{1}{5}\times\dfrac{4}{5}+\dfrac{4}{5}\times\dfrac{1}{5}=\dfrac{8}{25}$

24 전구에 불이 들어오려면 A, B 스위치 모두 닫혀야 하므로

구하는 확률은 $\dfrac{1}{2}\times\dfrac{1}{2}=\dfrac{1}{4}$

교과서 노트

노트

중학 수학 ❷ (하)

	번호	O/X
나오는 문제	6	
	7	
	8	
	9	
시험에 꼭 나오는 문제	1	
	2	
	3	
	4	
	5	
	6	
	7	
	8	
	9	
	10	
	11	
	12	
	13	
	14	
	15	
	16	
	17	

	번호	O/X
교과서에나 나오는 문제	4	
	5	
	6	
	7	
	8	
시험에 꼭 나오는 문제	1	
	2	
	3	
	4	
	5	
	6	
	7	
	8	
	9	
	10	
	11	
	12	
	13	
	14	
	15	
	16	
	17	
	18	
	19	
	20	
	21	
	22	
	23	
	24	

12 피타고라스 정리

	번호	O/X
어떤 교과서에나 나오는 문제	1	
	2	
	3	
	4	
	5	
	6	
	7	
	8	
시험에 꼭 나오는 문제	1	
	2	
	3	
	4	
	5	
	6	
	7	
	8	
	9	
	10	
	11	
	12	
	13	
	14	
	15	
	16	

14 확률의 뜻과 성질

	번호	O/X
어떤 교과서에나 나오는 문제	1	
	2	
	3	
	4	
	5	
	6	
	7	
	8	
시험에 꼭 나오는 문제	1	
	2	
	3	
	4	
	5	
	6	
	7	
	8	
	9	
	10	
	11	
	12	
	13	
	14	
	15	
	16	

09 평행선과 선분의 길이의 비

	번호	O/X
어떤 교과서에나 나오는 문제	1	
	2	
	3	
	4	
	5	
	6	
	7	
	8	
시험에 꼭 나오는 문제	1	
	2	
	3	
	4	
	5	
	6	
	7	
	8	
	9	
	10	
	11	
	12	
	13	
	14	
	15	
	16	

10 삼각형의 무게중심

	번호	O/X
어떤	1	
	2	
	3	

11 닮은 도형의 활용

	번호	O/X
어떤 교과서에나 나오는 문제	1	
	2	
	3	
	4	
	5	
	6	
	7	
	8	
시험에 꼭 나오는 문제	1	
	2	
	3	
	4	
	5	
	6	
	7	
	8	
	9	
	10	
	11	
	12	
	13	
	14	
	15	
	16	

13 경우의 수

	번호	O/X
어떤 교과서에나 나오는 문제	1	
	2	
	3	
	4	
	5	
	6	
	7	
	8	
시험에 꼭 나오는 문제	1	
	2	
	3	
	4	
	5	
	6	
	7	
	8	
	9	
	10	
	11	
	12	
	13	
	14	
	15	
	16	

15 확률의 계산

	번호	O/X
어떤 교과서에나 나오는 문제	1	
	2	
	3	
	4	
	5	
	6	
	7	
	8	
시험에 꼭 나오는 문제	1	
	2	
	3	
	4	
	5	
	6	
	7	
	8	
	9	
	10	
	11	
	12	
	13	
	14	
	15	
	16	